明日のための現代史

戦後の世界と日本

下巻 1948～2022

伊勢弘志 著

芙蓉書房出版

はじめに

歴史の授業のつくり方

二〇二二年度より開始された「歴史総合」では「自ら問いを立てる力」が求められている。しかし、実際に問いを立ててみようとするとデリケートな問題にたどり着く。

・はじめから「答え」ありきで「結論」が解りきった問いになってしまっている。
・解りやすい「正解」を探すような議論を誘発してしまう。
・歴史事象の結果（答え）を前提に、その結果にたどり着くように歴史を遡って問いを立てている（歴史の不可逆性が破られ、予定調和的な議論・解釈を生み出す）。
・受講者に問いを立てさせたが、そのために考えることが必ずしも成績評定とは結びつかないため、受講者が早く「解答」を欲しがって積極的に考えることを放棄してしまっている（考える訓練でなく暗記の対象になってしまっている。そもそも暗記せねば好成績がとれない評定になっている）。
・議論自体が目的になってしまい、歴史の内容よりも討論（論破）を目指している（そもそもの「問い」と「議論」の目的が見失われる）。
・大きな問いを立てたものの、実証性の乏しい議論へ導いている。
・実証に根ざした問いは立てたが、議論が縮こまり、その単元の学習の意義に結びつかない（受講者の関心を惹く問いになっていないばかりか議論を強要している）。

・受講者が何に向かって議論しているのか解らない問いになっている。
・議論をしたいがために、その議論に適する史料を探している（本来は史料から問いを起こすのであり、その問題に当てはまる史料を探すのではない）。
・歴史学と文学の見分けがつかない（歴史に対して文学的問い・解釈を立ててしまう）。

などである。こんなことをしていたら、議論に都合の良い歴史ばかりが広まってしまうだろう。

また、「歴史総合」はあくまで世界的な時間のつながりを学ぶのであり、単に日本史に世界史を付け足したような自国中心的理解では学習目標に到達し難い。それは本書も留意すべき点なのだが、しかし同時に、各時期や出来事を学ぶ際には、それを理解するための足場となる視角や立ち位置がなければ捉えどころがなくなってしまう。時には日本を軸にせねば評価できない事や、反対に日本の視点からでは印象が薄くなり却って意義が見えない出来事がある。そうした視点や足場が適切に検討されないと、まるで荒野をさまよい歩くような学習（歴史観）に陥ってしまう。それも含めて授業が組み立てられていないと、やはり「問いを立てる力」や立論の力の養成はできない。

「問いを立てる力」は思考力を養い、論理性や視角の鋭敏性を鍛える。閃きを生み出す源には問いがあり、適切な問いを立てることができると、発想力や解決力が備わっていく。社会生活での問題を打開する力を鍛えるのに有益な学習である。しかし、適切な問いを立てなければミスリードを起こす危険も伴う。授業ではその問いの如何で受講者の認識を変えてしまうこともあるのであり、問いを立てることは本当に難しい。

歴史の講義において適切な問いを立てるには、歴史学的思考に基づいた考え方と理解が必要になる。歴史的時間の経過とともに何が変わったのか？　また、その変化がどうして・どのように起きたのか？　を分析する思考である。それは因果関係を捉えようとする思索であるが、但し、結果を前提に原因を遡上

（ミスリード）してしまえば全くの虚構を生んでしまう。基礎事実を示す史資料から問いが導かれ、時間と変化が理解されることで、はじめて結果にたどり着くのである。

すでに結果を知っている後世の私たちが同時代の意識に迫るのは難しい。考えることよりも知ることに意識が向きがちとなる。議論の中で受講者が「解りやすい正解」を求めてしまうのも、先に「結果」を知ろうとする姿勢からである。しかし、あくまで原因から未知の結果へ向けて思考せねばその時代の認識は理解できないのであり、まさに「因果」の文字の順が示すままに思考してみねば解らない。

「その当時は何が解らなかったのか？」を知ることは、歴史を学ぶ意義の一つである。何を理解していなかったために、どんな結果が現れたのかという歴史的経験は人類が叡智を育むための共有財産である。そして議論をすることで、何がどう問題なのかを考え、同時代認識に迫ることで、その財産を得ることができる。

本書は『明日のための近代史』・『明日のための現代史』〔上巻〕の続編となるが、全巻を通して、私たちが過去の因果関係を理解し、あるいは当時の認識に迫るには通史的学習が不可欠であることを述べてきた。テーマ別学習においても「問いの適切さ」を自ら点検するためには、通史的理解はどうしても必要となる。

本書「戦後の世界と日本」では、「戦後」が如何に戦前期からの連続性を帯びた時代であるかにも注目するが、それを見なければ、「敗戦によって平和な新しい時代に一変した」という偏ったイメージが形成され、現在の立ち位置まで見失われてしまう。現在の日本社会の体質や政府政策の性格も理解することができなくなるのである。何が変わり、何が変わらなかったのか？　それを説明できる歴史学だからこそ、現在の国際情勢に対しても歴史的な経過を踏まえた上での評価ができる。それは歴史学が「現代」に寄与するところである。

何のための実証なのか？

歴史学では、立証できる事実に基づいて過去を検討する。但し、そうして語られる「歴史」が本当に過去に起きた出来事を示しているのかは確認できない。私たちが歴史だとしている内容は、いつかの誰かが下した「解釈」である。その解釈が正しいのかは十分に検討されねばならないし、そればかりかそもそもの史料の内容が正確であるかということから既に解らない（しかも誤った解釈を前提に、さらに誤った物語が創作されていく可能性を含んでいる）。

同じように、新しい研究成果として登場するものは、過去の出来事を現在の私たちの認識や理解によって解釈し直したものに他ならない。その解釈は私たちの認識が変われば変化するし、私たちの認識は現在の環境によって変化している。そのため歴史の解釈はその度に改められてきた。それだけでなく、研究の何に価値があるかということすら、現在の社会環境が付与する価値認識によるのであり、自己の認識や価値がその社会の中で成立したものであることを理解しないと、独り善がりな思い込みに埋没する。その事実に緊張して向き合えば、「実証主義」だなどと言って正しいつもりでいるわけにはいかなくなるであろう（そもそも史学において実証せねばならないのは主義主張の問題ではないので可笑しな言葉にも思える）。

実証は史実に迫るための手段であるが、研究する中ではいつの間にか実証が目的化してしまう顛倒が起きていることがある。ただ実証らしき手続きをとっていれば、それで立派な研究であるかのように振る舞うのは、社会において理解されることではないであろうし、誤りだと批判されることにもなる。そのような問題は研究者間で確認されれば済まされるのかもしれないが、しかし、史資料の解釈がどのように行われるのかを理解することは、歴史に限らずあらゆる情報を読み取るのに必要な力を養成するのである。

明日のための現代史（下巻）1948～2022　目次

第13章 「民主」と世界の分断

《本文に登場する国名の漢字表記》

米（亜米利加）	：アメリカ
英（英吉利）	：イギリス
愛蘭・愛蘭土	：アイルランド
露（露西亜）	：ロシア
蘭（阿蘭陀）	：オランダ
仏（仏蘭西）	：フランス
独（独逸・独乙・獨逸）	：ドイツ
加（加奈陀・加那陀）	：カナダ
墺（墺太利）	：オーストリア
伊（伊太利）	：イタリア
波（波蘭）	：ポーランド
白（白耳義）	：ベルギー
西（西班牙）	：スペイン
葡（葡萄牙）	：ポルトガル
豪（豪州）	：オーストラリア
新（新西蘭）	：ニュージーランド
印（印度）	：インド
越（越南）	：ベトナム
比（比律賓）	：フィリピン
緬（緬甸）	：ビルマ（現ミャンマー）
泰	：タイ

第1章

新たな対立のはじまり

1　「世界の敵」

世界の平和協力機構としての国際連合（国連）には、「敵国条項」という条文が存在する。国連憲章に定められるもので、それは国連が創設された時に「世界の敵」であった国に対する扱いを定めている。「敵国条項」が定めているのは、国連加盟国が「敵国」に対しては独自の判断で軍事的制裁を下すことができることである。通常は、国連が強制行動をとる場合には安全保障理事会（安保理）の許可がなければならないが、「敵国」が新たな侵略を行う場合には加盟国は安保理の許可がなくとも軍事的・経済的な制裁を加えることができる。つまり敵国に対しては、国連側は平和的に解決する義務を定めていないのである。そして、この「敵国」に指定されている国が日本である。

国連が創設された時には、ドイツ（独）・イタリア（伊）は既に降伏していた。タイ（泰）も日本の同盟国としてアメリカ（米）・イギリス（英）に宣戦布告（四二年一月）して参戦していたが、日本が降伏した直後に、泰が英米に行った宣戦布告は日本に強要されたもので、また泰の憲法にも反しているため無効であると発表した。それは事前に日本側の了承を得ての措置であったが、一九四六年一二月には国連への加盟が許され、泰は「敵国」扱いを受けなかった。日本は唯一の世界の敵となった。

戦後日本は「敵国条項」の解除を訴えているが、そもそも条文には敵国でなくなる条件が定められていない。国際貢献に尽力してきた日本が常任理事国になれない理由はこれにこそあると言えるが、かつて国際秩序を否定し、条約を無視して軍事行動を起こした日本が信頼を勝ち取ることができるのかは、これからの日本の行動で決まる。

①「パリは燃えているか!?」

アジア・太平洋戦争において軍部が武力侵攻を行い、戦争が拡大される中で、日本政府はそれを止めようと運動していた。軍国主義の政治的基盤となった「大政翼賛会」は、政府への権力集中を目指して創られたが、それは軍部を抑制するために求められた権力集中だった。

戦前の大日本帝国憲法（明治憲法）では、内閣の各大臣や軍部がそれぞれ天皇に直属し、責任の分散が生じた。個々の政治組織が権能を発揮し、統合のとれない制度だった。翼賛会はそうした憲法の制約の中で行われた機構改革であったが、しかしまさにその憲法によって政府への権力集中は阻止された。翼賛会（衆議統裁）には違憲の嫌疑がかかり、政府への権力集中はできないまま政党を解散させただけの結果になったが、それが明治憲法体制の中で行う政治改革の限界であった。

四一年一月に東條英機（陸相）は日米の戦力を比較した資料を作成させた。その報告書の冒頭には、もし日米戦争になれば日本は開戦三年目には石炭供給が難しくなり、全生産が麻痺すると指摘されていた。「総力戦研究所」（首相直属の総力戦研究機関）による日米戦争の机上演習でも、結果は「日本必敗」であった。対米戦争は長期の消耗戦となることが必至で、日本の国力では遂行できないと結論された。それにも拘わらず、「独が欧州戦争で勝利すれば」という誤った仮定の上に太平洋開戦が決断された。独が勝利すれば、日本は広大なアジアの資源地帯と中国権益を手に入れ、米も手を出せないほど優勢になると思い描かれたのだった。軍を抑制する方法のない中、戦争の拡大が決定された。

他方、ナチと戦う米英は四四年六月に史上最大の上陸作戦（ノルマンディー上陸）で、フランス（仏）を占領する独軍を強襲した。当時、仏にはナチに協力するヴィシー政権が成立していた。英に亡命していた仏軍の少将・ドゴール（Charles de Gaulle）は、ロンドンで結成した「自由フランス」によってナチへの抵抗を続け、パリ市民に向かって交戦を呼びかけた。連合軍の上陸作戦が成功すると、北アフリカ戦線で戦っていたドゴールは自由フランス軍を率いてパリを解放した。

パリはヒトラーの帝国にとってのモデル都市で、ベルリンが追い越さねばならない都市だった。ヒトラーはパリが奪還されるくらいなら廃墟にするとパリの破壊を命じた。しかし、現場の司令官は自身が歴史あるパリの破壊者となることを拒み、命令には従わなかった。地下壕で破壊報告を待つヒトラーは苛立《いらだ》ち「パリは燃えているか!?」と叫んだが、その時パリは既に連合軍により解放されていた。

②終戦は何を終わらせたか？

米では四二年六月から原爆開発計画を開始し、それは「マンハッタン計画」と呼称された。トルーマン（Harry Truman）が大統領に就任してからも計画は遂行され、日本への投下作戦が具体化していった。広島に原爆が投下された直後にソヴィエト社会主義共和国連邦（ソ）が参戦し、なおも日本の即時降伏にならないため二発目の原爆投下が実施された。投下目標は九州の小倉市だったが、当日の小倉上空は雲か煙のために上空から街を目視することができなかった（前日に八幡市が空襲を受けていた）。そのため、飛行中に雲の切れ間から垣間見えた長崎に投下したのだった。長崎上空で爆発した原爆は七万人以上の命を奪った。長崎被爆の報告は、ソ軍の参戦について話し合っていた大本営に届けられ、昭和天皇の聖断を仰ぐことになった。

降伏が決まると、陸軍大臣の阿南惟幾《あなみこれちか》や、開戦時に参謀総長を務めた杉山元《はじめ》などが自決した（将官の自決は陸軍で二六人・海軍では五人）。

日本が降伏すると、中国に展開していた日本軍の降伏式が南京で行われた。現地軍が降伏を受け容れるよう天皇の名代として朝香宮鳩彦王《あさかのみややすひこ》（元上海派遣軍司令官）が派遣されていた。岡村寧次《やすじ》（支那派遣軍総司令官）と何応欽（中国陸軍総司令）の間で降伏文書が調印され、第二次世界大戦中国戦区の戦争は終結した。また中国では、それまで親日派として日本に協力した人物の粛正《しゅくせい》も行われた。その一人である殷汝耕は「通州事件」後に政界から姿を消していたが、終戦の年の一二月に捕えられ、四八年一二月一日に中国の戦犯として南京で銃殺された（通州事件は三七年に中国軍が日本人居留民を虐殺した事件。日中戦争拡大の一つの原因となった。／『明日のための現代史』上巻、第8章1②参照）。

敗戦後の日本は連合国軍によって占領されたが、それは間接統治を建て前とした占領で、日本政府が消滅したのではなかった。つまり政府は「おとりつぶし」になったのではなく、現在に至るまで存続している。しかし、「八月一五日」の衝撃と、その後の占領期が日本に断絶をもたらした。それまでの常識が一変してしまい、全く異なる価値観が社会に降り注ぎ、あるいは湧き出した。それは当時の日本社会にとってどれほどの衝撃だっただろうか。敗戦を境に従前の日本の意識や認識は変わったが、但し最も変わるべきだと思われていたはずの意識は今も日本社会に残存している。それはどのような意識であるか本書を通して検討したい。

２　冷　戦

国連は、枢軸国に対抗する連合として、国際連盟（連盟）の精神を受け継ぎ、かつ強化して組織された（原加盟国は五一ヵ国）。戦時の「カイロ宣言」・「テヘラン宣言」で米英ソ中の四大国が「世界の警察官」としてその役割を担うと構想され、国連にはそのための機関として設立された性格がある。その後のヤルタ会談において仏が常任理事国に入ると、米英ソ中仏の間で「五大国一致の原則」が定められた。全加盟国による「総会」と、「安全保障理事会」（安保理）の二つを支柱に成立している。

連盟が全会一致を原則としたのに対し、国連は多数決を原則とする。但し、米英中仏ソの「五大国」（安保理の常任理事国）には拒否権があり、一国でもそれを発動すればあらゆる決議は否決される。安保理は常任理事国と、一〇ヵ国の非常任理事国で構成される（非常任理事国は二年任期制。選挙で選ばれる）。また国連は武力制裁が可能で、平和的手段を尽しても改善されない場合に限って承認される（敵国には無条件）。そして、制裁発動や国際的な平和維持活動（ＰＫＯ）は安保理により決定されることになっている。

①戦後におよぶ原爆の影響とは何か？

敗戦後の独は米英仏ソの連合軍により分割支配されることになったが、戦時に独が開発した科学技術は、連合軍の間で争奪の対象になった。特に米ソは押収した技術で弾道ミサイルを開発しようとしていた。

戦時中に原爆開発を行っていた米は、一九四三年八月に英との間に原爆技術に関する合意を作成していた。将来にわたってお互いに向けてはこの技術を使用しないことや、第三国に対しても双方の合意なしには使用したり、公表したりもしないことを約した（「ケベック協定」）。この合意はカナダ（加）で作成され、加もこの協定に加わっていた。

協定の背景にはウラン資源を独占したい米英の意向があり、加にはウラン資源があったため、米英は加も協定に引き入れねばウランを独占できなかった（他にはベルギー植民地のコンゴにおいてウラン鉱石が発見されていたが、当時は独に占領されていた）。そして戦後においては独の保有する資源や技術の独占が争われるのである。

他方、ソの領内は石油・石炭・天然ガス・金・ダイヤモンドに恵まれたが、ウランは発見されていなかった。そのためソが原爆開発を行うにはウランの確保が必要だった。そしてウランはソが独から奪還した東欧に埋蔵されていた。

そのため、ソは日本の占領よりも、高品質のウラン鉱石が埋蔵されているブルガリアとルーマニアを勢力圏に組み入れることを優先して考えるようになった。書記長のスターリン（Iosif Stalin）は米の駐ソ大使ハリマンと会談すると、米が対日占領を単独で行い、マッカーサーにその権限を与える代わりに、ブルガリア・ルーマニア・ハンガリーはソが独占するとの取引を持ちかけた。そしてこの日本と東欧の交換は、四五年一二月のモスクワ外相理事会（各国の講和を検討する会議）で合意された。

それまで米ソは北海道の占領をめぐって駆け引きしており、ソは千島列島のみならず北海道の北半分をソ軍の統括下に置くことを求めていた。これを警戒した米は千島についてはヤルタでの密約通りに譲るとしながらも、北海道の割譲は拒否し、千島にも米軍基地をつくろうとしていた。それが東欧との交換が成立したために、日本の占領は米が単独で行うことになった。戦後日本の再出発は、ソによる東欧諸国の支配という犠牲の上に成り立っていた。

②冷戦はどのようにつくられていったか？

米ソの対立は大戦中に既に水面下で進行していたが、戦争終結の過程では、それ以上に連合国の間で戦後の構想をめぐる食い違いが生じた。特に英は、ソが東欧やバルカン半島・中東に勢力を拡大することによって大英帝国の権益が失われることを警戒した。独の敗戦間際には、チャーチルが独の敗北後にすぐさまソとの戦端を開くことを考えたほどで、ソの影響力が東欧や中東に及ぶことを嫌った。そうした焦点の一つであったギリシャは、英の地中海ルートを制する重要拠点であったことから、英米が戦後ギリシャの再建に介入するなどした。

しかし、英がソを警戒するのに対して、米は国連を強力な国際機構にしたいとの考えから、ソとの協力関係も重視しており、そのため終戦までは地域的個別問題についてはソの要望に妥協的だった。しかし、ポツダム会談での米はもはやそれまでのソに対する妥協的な態度をとらなかった。ルーズベルトの死去によって樹立されたトルーマン政権がソとの対決姿勢を打ち出し、世界を二分する新たな対立としての「冷戦」が始まるのである。

冷戦の開始は戦争終結の直後から米ソ両国において認識された（四五年の段階で冷戦の語も使用された）。四六年二月、スターリンは資本主義諸国との共存が不可能であることを演説すると、翌三月にはチャーチルが「鉄のカーテン演説」を行った。重工業政策を重視するスターリンへの批判演説である（スターリンとは「鉄の男」を意味するペンネームで「鉄」の比喩そのものがスターリン批判を意味した）。

トルーマン政権はソとの対決を先鋭化させ、四七年三月にソへの経済的な「封じ込め政策」（「トルーマン・ドクトリン」）を表明した。ソとの関係を強めている東欧諸国が社会主義国となるのを阻止しようと、各国に経済援助を与えることで民主化するように促した（「マーシャル・プラン」）。東欧の社会主義化はその後トルコやギリシャに拡大すると思われたのである。

これに対して、ソは欧州各国の共産党にマーシャルプランの妨害を指示し、また東欧諸国に圧力をかけてプランに参加させないようにした。ナチの支配から東欧を解放したのはソ軍なのであり、ソの影響力は東欧から排除し難かった。東欧諸国（ポーランド・ハンガリー・チェコ・ルーマニア・ブルガリア）はソの支配によって社会主義国として再興され、欧州とソとの緩衝地帯としての役割も帯びた。欧州は米の復興支援を得る西側と、ソの支配圏としての東側とに分断されたのである。アジアにおいても、中国では毛沢東の率いる共産党軍が、蒋介石の国民党軍に対して優勢に戦い始めたことで冷戦の対立構図ができていった。

他方で核開発資源のウランは北朝鮮でも発見された。ソの占領地となっていた北朝鮮ではソとの交渉が円滑な人物が擁立された。ソ軍の大尉として通訳を務めていた金日成《キムイルソン》である。その名は抗日戦で活躍したとされる将軍の名であった。北の人民は、その英雄が平壌《ピョンヤン》に進駐したソ軍に伴って帰還したものと思った。ところが、実際には英雄の名を語らったまったくの別人であった（金日成の本名はキム・ソンジュ）。しかしその人物は金日成として以後の世襲支配を行ない、現在に至っている。

戦争の終結は米英ソそれぞれの思惑の相違を表面化させることになった。枢軸国と戦うための偽装的な同盟の目的を失わせたからである。そして、「自由主義陣営」（西側陣営）vs「共産主義陣営」（東側陣営）への世界的な対立構図を具体化させていくことになる。

但し、当初には中国共産党（中共）の中にも親米派が存在したし、ソはそのような中共を警戒していた。英米の間でもソへの対処方針が一致してわけではなかった。つまり思想的対立によって明確な冷戦構造が最初からあったわけではなかったということである。

③ベルリンの分断とは何か？

冷戦の対立構図の中で、独は米英仏ソの四国に分割統治された。独の東側に位置するベルリンはソの占領区に入っていたが、東独の中でベルリン市のみは連合国の共同統治に置かれ、ソの占領区内の飛び地となった。独は冷戦の深刻化によって東西に分裂することになるが、ベルリンはその中でさらに分断されることになる。

連合国が統治するベルリンの西半分は、ソに包囲された状態で連合国から豊富な物資の援助を受けた。米英が自由主義陣営の砦として物資援助に力を入れたためである。その結果、西ベルリンだけが大量消費による享楽《きょうらく》的な社会へと復興した。そして東ベルリンからは物資を求めて逃亡者が続出した。そのためソは逃亡を阻止しようと英米からのベルリンへの輸送路を封鎖した（「ベルリン封鎖」）。しかし英米はなおも空輸による輸送を続けた。東ベルリンでは封鎖に抗議する暴動が起きたが、ソ軍は戦車でこれを弾圧し、英米側に加担する者に対しては強硬に臨む態度を見せつけた。

ベルリン封鎖は、米との衝突を回避しようとしたソによって四九年五月に解除されるが、後の六一年八月にはベルリンを分断する壁が建設されることになる。

独の占領においては、ソはナチの科学技術を入手して米への後れを取り戻そうとし、米はナチの党員を雇い入れてスパイ活動や宇宙開発に従事させた。原爆開発で米に後《おく》れを取ったソは多大な人的労働力を割いて四九年八月にようやく実験に成功し、翌月に世界に公表した。これによって米の核の独占は破られた。

３　日本の占領政策をめぐる米ソの取引

東欧と日本の占領政策は、米ソがそれぞれ主導することになったが、それは冷戦の初期配置についての取決めになった。連合国内部では合意を形成することができなくなり、各地の占領統治は米ソの冷戦戦略の中に位置づくようになる。

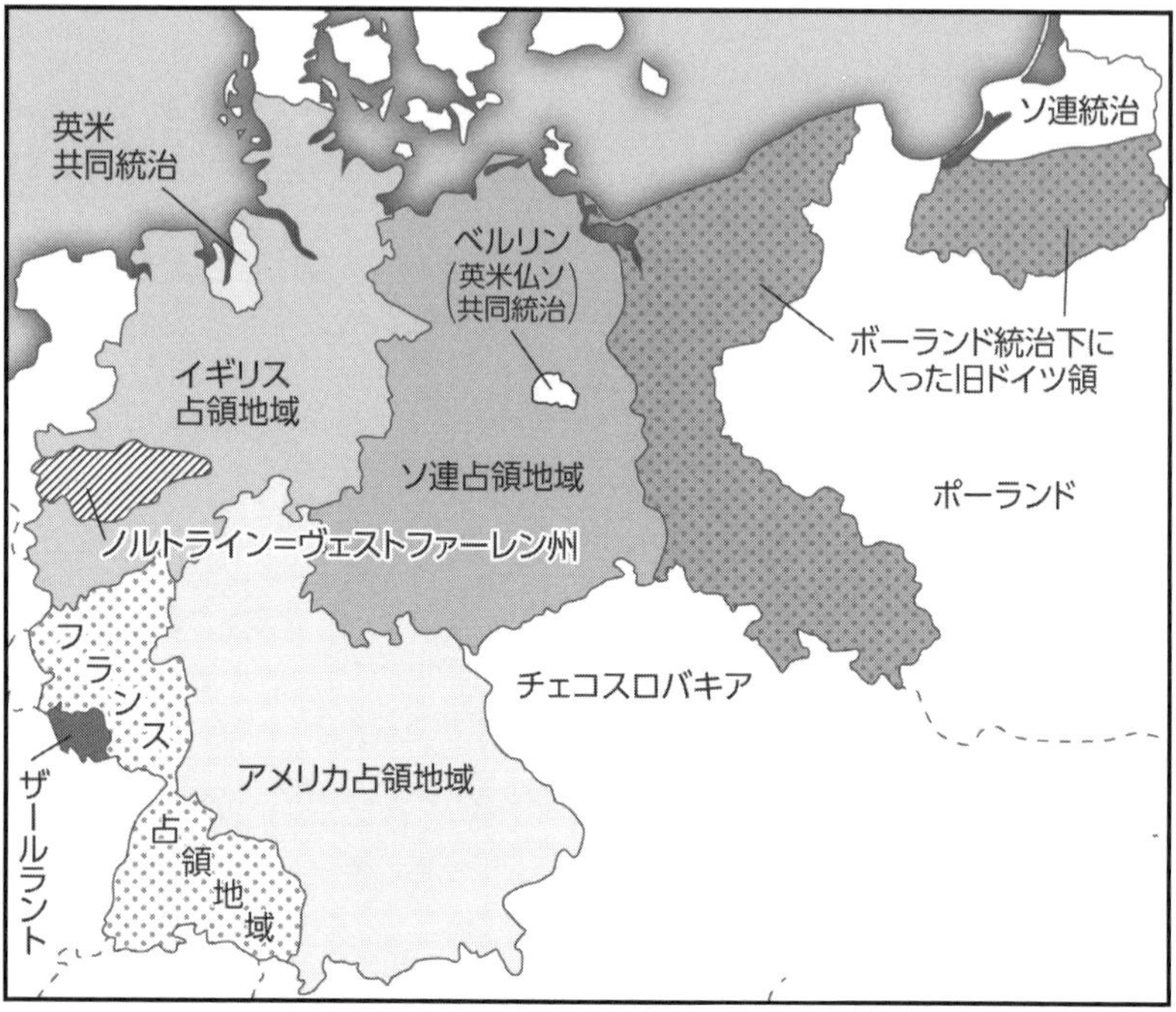

ドイツとベルリンの分割統治

①日本の占領政策は誰が主導したのか？

米では、戦時の一九四四年一月の段階で既に対日戦の勝利を見越して、ハル国務長官が戦後の政策を立案する委員会（ＰＷＣ）を立ち上げていた。そこで検討された終戦後の方針は、「敗戦後の日本は世界経済の発展に差別なく参加することを許され、生活水準を向上させることを得る」・「軍部から政治的特権を剥奪《はくだつ》し、平和を望む文民の政府が樹立される」ことを目的に、最終的には「平和と安全のために日本が諸国家のなかの完全にして平等な一員として復興すること」が掲げられた。つまり初期の占領政策は、非軍事化・民主化・権力集中の排除を基礎にしていたと言える。

そして占領政策は、ＧＨＱ（連合国軍最高司令官総司令部）により統轄された。ＧＨＱは、ポツダム宣言を執行するための連合国軍の機関であるが、マッカーサーが最高責任者に就き、実質的には米が主導した。Ｇ

ＨＱの指導の下に日本政府が行政を遂行する「間接統治」が行われ、民主化（非軍事化）・戦犯逮捕・人権保障・農地改革・財閥解体を実行していく。

これに対して日本側からは、英語ができる外交官が占領軍との交渉を担当した。重光葵《しげみつまもる》、幣原喜重郎《しではらきじゅうろう》、吉田茂、芦田均《あしだひとし》など外交官出身者で、彼らはこの後それぞれ政党の総裁に就任することになる。

米では、終戦前から対日政策の立案機関を設置していた。国務省・陸軍省・海軍省による三省調整委員会「ＳＷＮＣＣ《スウィンク》」（State-War-Navy Coordinating Commitee）である。当初は直接軍政を予定していたが、軍政要員を確保する時間がとれなかったことや、占領費を節減する必要などから、間接統治に転換された。ＧＨＱにおいて作成された指針では、占領政策の究極目的は日本が再び脅威にならぬこととされ、また占領方針について連合国の間で意見の不一致が生じた場合には、米に従うこととされた（「降伏後初期における米国の対日政策」）。

こうした米軍の単独占領状態に対して、終戦直後のソは不満を示していた。国際会議への出席を拒否するなどしたのだが、それが先述のウランの問題から東欧支配を優先する方針に変わると、四五年一二月のモスクワ外相理事会で妥協を示したのだった。但し、この会議では日本の占領も原則としては連合国間で協議されることとされ、そのための「極東委員会」を設置することが決定された。委員会の構成国は、英・米・中・ソ・仏・蘭・加・印・豪・比・新（ニュージーランド）で、後に独立したビルマとパキスタンも加わることになる。

ＧＨＱはこの「極東委員会」の下部に位置することになり、政策の決定権も極東委員会がもつことになった。ソはマッカーサーの行動をある程度は制約できるように極東委員会を東京に設置するよう要求したが、マッカーサーは強く反対してワシントンに設置させた。その代わりに、極東委員会の諮問機関として米英ソ中の代表で構成される「対日理事会」を設置し（四六年四月）、そちらを東京に置くことにした。しかし、「対日理事会」の議長はマッカーサーが務めるとし、結局は米が主導権の独占を図った（マッカーサーは日本においては元帥の称号で知られたが、実は米軍では大将が最高位で、元帥ではなかった。彼が元帥になったのはフィリピン軍においてである。比軍の創設を指揮し、また比の大統領と懇意になったことから任命されたもので、米国軍人であると同時に比軍の元帥を兼任した。しかし比軍の元帥帽を好んで常々かぶり、自ら権威をアピールしていた）。

②なぜ日本には内務省がないのか？

大本営は戦地に対して侵攻作戦の中止を命令し、鈴木貫太郎内閣は終戦処理を終えたことで八月一七日に総辞職した。内閣総辞職の同日に、戦後処理を行う内閣として皇族の東久邇宮稔彦王《ひがしくにのみやなるひこ》が組閣を行った。敗戦から復興への処理には困難が予想されたため、国民への統制力のある人物が求められ、皇族が選ばれたのである。終戦処理の過程では陸軍将校のクーデター未遂事件などの動きもあったことから、軍人への統制力も期待されての組閣であった。

東久邇宮は大正時代の留学経験から仏語に堪能で、自由主義思想の理解も深い皇族だと思われた。また自身も皇族としての不自由さを嫌って、明治天皇に臣籍降下を願い出るなど型破りな人柄だった。東久邇宮は総理の就任を望んでいなかったが、昭和天皇から直接の懇願があったという。こうして皇族首班の内閣が初めて誕生することになった。

九月二七日には天皇とマッカーサーとの会談が行われ、これにより天皇の存在を日本の統治に利用する方針が定まったと言われる。その上で、ＧＨＱは民主化の徹底と、軍国主義者の追放を行なって、日本社会の基盤を改造しようとした。日本の政治的自由を保障するための改革実施である。

ところが、東久邇宮内閣の内務大臣・山崎巌《いわお》は米国紙への談話において、以後も思想を取り締まる特高警察が活動を続け、反皇室的宣伝を行う共産主義者は容赦なく逮捕すると語った。

山崎が大臣を務めた内務省とは、その後の自治・国交・厚労・郵政の各省に警視庁と内閣府の一部を加えたほどの巨大な省である（他に現在は農水・経産省が管掌する業務の一部も行っていた）。本来の役割は地方自治を統括することであるが、そのために警察権をも有した。その中の「特高警察」（特別高等警察）は政治思想を専門に取り締まる警察で、立証することが困難な政治思想の取り締まりを強引な捜査や拷問によって遂行した。その活動を正当化していたのは「治安維持法」という法律であり、四一年からは容疑の段階で逮捕が可能となる「予防拘禁《こうきん》」が追加された。犯罪を立証する証拠もなしに、容疑の段階で拘禁された被疑者の中には拷問によって死亡した例も多くあった。

この特高の活動を認めることは、民主主義や思想の自由化を否定することに他ならず、ＧＨＱは東久邇宮内閣に対して直ちに山崎内相の罷免《ひめん》を命令し、自由のための制限撤廃を通達した。治安維持法をはじめとする一切の自由を制限する法令の撤廃や、特高警察の約五〇〇〇名の罷免に及ぶ内務省の解体が実施された。戦前の政治思想犯は保釈され、社会に復帰した（戦前の思想犯とは主として社会主義者・共産主義者であり、革命運動を行う反政府主義者として逮捕・拘禁されていた）。

山崎内相の発言は東久邇宮内閣が戦前体制を残存させた内閣であることを印象付けた。内閣はＧＨＱの求める改革があまりに性急で実行できないとの態度であったが、それには閣内からも批判が現れはじめ、わずか五四日間で総辞職した。

ところで内務省は解体されたが、以来日本には現在まで内務省が存在しない。通例では外務省があれば内務省もあるはずで、諸外国には内務省か国務省の名で存在している。しかし日本ではあまりに絶大な権力をもった内務省の復帰は忌避され、形としては復活することがなかったのである。

③国外で終戦を迎えた日本人はどうなったか？

戦時に「動員」された将兵らの召集を解除して平時体制に戻すことを「復員」という。軍人・軍属の約二〇〇万人、民間人の約二五〇万人が国外から日本に引き上げた。しかし、戦地で捕虜や抑留者となって復員できなかった者も多くいた。満洲と千島では、ソ軍の捕虜となった五七万とも六〇万とも言われる日本人がシベリアやソ連各地の収容所に抑留された。シベリアの抑留者はその後の数年にわたって過酷な労働に強制的に従事させられた。極寒の地の労働力に充てられたのである。

ソは戦時中にナチの捕虜を労働力に利用することを考えた。それは、独ソ戦の賠償の代わりに労働力で埋め合わせをさせるという発想からだった（四三年のテヘラン会議で提案された）。ソは捕虜の扱いを規定したジュネーブ条約には署名していなかった。とは言え、ソでも捕虜の扱いは国際法に従って実施されたが、独ソ戦の戦場や満洲では略奪や強姦が横行した。そしてシベリアの抑留者の中には女性も含まれていた。

満洲には日本軍の軍病院や関係施設で働く女性らも多くおり、例えば日赤の看護婦などは「戦時召集状」により義務として召集されていた。ソ軍の満洲侵攻に際しては、女子軍属らが男装して戦闘に備える例もあった。拘束された彼女らはハバロフスク収容所に移送された。

他に、ビルマでは英によって現地の開発労働に従事されられた例や、東南アジアで民族運動が起きたのに賛同して日本兵が民族運動に参加した例もあった。捕虜は各国の人的資源として取引の材料となり、戦争が終わってもなお国家間の思惑から脱することはできなかったのである。

4「新憲法」

マッカーサーは天皇の協力を得ることが統治行政の安定に必要だと考えた。ところが、連合国の間には天皇の戦争責任を裁判で訴追すべきとの声があり、天皇制を存続させれば再び軍国主義が台頭するとの警戒があった。諸国に何らかの保障を与えない限り天皇制の維持は困難だった。そのためGHQの中心部局であった民政局は「世界の世論が十分に満足されなければならない」(「GHQラウエル文書」)と、日本が新憲法によって国際社会に対する約束をするように示唆した。

一九四六年一月一一日、米政府はマッカーサーに対して「日本の統治体制の改革方針」を定めた文書を送付した(SWNCC228)。そこには「日本の非軍国主義化」と「軍隊の廃止」が定められており、民生局はこの基本路線に則って憲法草案を起草することになる。非武装を命じた同文書は公表してはならないと米政府から命じられていた。そのためGHQが日本の憲法改正を命じることは、他の連合国に対しても、日本国内においても秘密にせねばならなかった。

①軍国主義の破壊とは何か?

占領政策に対応するために、東久邇宮内閣に代わって、幣原喜重郎《しではらきじゅうろう》が首相に任命された。幣原内閣は新憲法をつくることは時期尚早であるとの立場だった。それが変化するのは、天皇制の存続にはどうしても憲法改正が必要であるとのGHQの要請によってである。

組閣後の一月二四日に行われたマッカーサーとの会談で、幣原はGHQが天皇制を廃止しない意向であることと、自由主義に基づく新憲法の制定が必要であることを認識した。この会談で、まず幣原はマッカーサーが天皇制を存続させる意向であることを確認すると、その上で「世界が戦争をしなくなる」ように考えるのであれば、戦争を放棄する以外にないと思うと述べると、マッカーサーはそれに喜んだ様子であったと伝えられている。翌日、マッカーサーはアイゼンハワー参謀総長への電報で、「天皇起訴の場合は、占領軍の大幅増強が必要」として、日本の速やかな占領政策の実行のためには天皇を利用すべきとの考えを示した。

そしてＧＨＱからは「五大改革」（「労働組合奨励」、「女性参政権確立」、「学校教育の自由主義化」、「圧政組織解体」、「経済民主化」）が指令された。

幣原内閣はこれらの方針に基づいて、「労働組合法」（労働者が組合を組織し権利の保護・主張を認める法律）を公布し、学校教育においては国定教科書の「墨塗《すみぬ》り」が行われるなどした。

また経済民主化のために、過度な経済力の集中によって政治的影響力をもった財閥の解体や、地主と小作の間の激しい格差問題を解消するための「農地改革」が行われた。軍国主義を下支えしていた財閥の解体による経済の民主化と、大地主が土地を独占して小作を支配する制度を破壊して、社会の民主化を進め再軍備を防ぐ狙いがあった。幣原内閣の蔵相として財閥解体を担ったのは渋沢敬三（栄一の孫）である（渋沢家はＧＨＱによる解体の対象ではなかったが、敬三は蔵相として自ら解体した）。これらの改革には、日本社会に平等をもたらそうとする「社会改革」としての意味があった。経済的にも所得の再分配が行われ、国民の権利が拡大された。

また、軍国主義を指導した者を社会の表舞台から追放する「公職追放」も実施された。追放の対象者は、旧軍の関係者や特高、教職者、財界・言論界で軍国主義に加担した者とされ、それらを公職（政治家や公務員など）から排除し、さらに公職に影響するような官職にも就かせないよう措置がとられた。追放指令が発せられると、七一万人以上が審査対象とされた。大政翼賛会やそれに準じる圧政組織に属した人物が追放され、以後も公職に就くことは禁じられた。追放者は約二〇万人にも及んだが、そのうちの一五万人が職業軍人であった。

②なぜ「戦争放棄」が必要となったか―世界を満足させる草案

新しい憲法は自由な権利の尊重の下に制定するとされた。新憲法に関して、当初のＧＨＱは日本政府による自力作成を求めていた。自主的な民主化を希望してのことである。

憲法制定の作業は、政府と民間との双方で進められたが、政府では近衛文麿が改正作業に当たった。近衛の意図した新憲法は「統帥権独立」の是正案で、憲法学者・佐々木惣一《そういち》（戦前に大政翼賛会の違憲を指摘した学者）による調査班と、商法学者の松本烝治《じようじ》国務相（無任所大臣）による作業班によって進められた。両班にはそれぞれ京大出身の憲法学者と、帝大の憲法学者が顧問になっていた。作業過程で近衛が自殺したために、その後は松本を中心に進められることになった。近衛の自殺はこの後に行われる「東京裁判」によって戦争犯罪の責任者を追及する捜査が及んだためである。

一方、政府の作業と同時に民間でも独自に憲法草案が作成された。明治期の「自由民権運動」や「大正デモクラシー」の思想を継承する「憲法研究会」が発足され、「憲法草案要綱」が作成された。この草案では、「日本国の統治権は日本国民より発す」、「天皇は国政を親《みずか》らせす、国政の一切の最高責任者は内閣とす」、「天皇は国民の委任により専《もっぱ》ら国家的儀礼を司る」ことを原則とし、君主権と国民主権とが政治的には分離しながらも併存するモデルが示された。この構想はＧＨＱの着目するところとなり、現在の象徴天皇制の基礎となる。

これに比べて、松本らが進めた政府の草案は、「天皇は至尊《しそん》にして侵《おか》すへからさるもの」や、「天皇は軍を統率するもの」として、戦前憲法の精神を多分に遺した案になっていた。これを見たＧＨＱは日本政府には民主的憲法をつくる能力がないと判断するようになり、自主性に期待するとした姿勢を改めて、「主権在民」と戦争放棄を骨子とする模範案を作成することにした。

二月三日、民政局のホイットニー局長（Courtney Whitney）に草案の骨子となる三原則（天皇制・戦争放棄・封建制度廃止）が伝達された。それを基にマッカーサー草案が作成され、二月一三日に日本側に手交された。民生局が早急に草案を仕上げたのは、この二月末に極東委員会と対日理事会の設置が迫っていたためである。もし極東委員会の審議にかかれば、委員会にはソの拒否権があるため、米が意図する占領政策が阻止されるとの懸念からであった。そのためGHQは委員会の設置より前に憲法を作成したかった。

「ポツダム宣言」は国連憲章の第一条に掲げられた平和主義・民族自決・国民主権・基本的人権を基本原理にしていたが、それは日本国憲法にも求められた。国連憲章と日本の戦後政策が戦時の米の国務省によって同時期に立案されていたことを背景にしているわけである。

マッカーサー草案を基に、戦争放棄を定めた第九条を含めた日本国憲法が成立するが、九条の第一項となる戦争放棄は「不戦条約」をモデルにしていた。武力による紛争解決を否定する理念は、仏、スペイン（西）、フィリピン（比）、ブラジル（伯）の憲法にも前例があるものだったが、草案を渡された日本側は戦争放棄の条項に驚き、幣原がマッカーサーに面会して直接問い合わせることになった。

マッカーサーは極東委員会が天皇の訴追を厳しく求める可能性があるため、象徴天皇制と戦争放棄を抱き合わせで規定するのだと三時間に及んで幣原を説得した。説得を受けた幣原は翌日の閣議で会談の内容を話すと、松本が「外より押しつけた憲法」は決して守られることなどなく、そのことは独や南米の歴史に示されているのだと強く反対した。しかしながら、GHQ案を受け容れることなくして天皇制の存続は不可能であった。

つまり九条は「国体護持」の担保として成立した。諸外国から天皇の戦争責任が追求されずに済むように「世界の世論を十分に満足」させるための約束が不戦の約定なのであった。戦争放棄を憲法で誓うことで天皇制は国際的にも承認され得た。そのため幣原は、「天皇制を維持し、国体を護持するためには此際思い切つて戦争を廃棄し、平和日本を確立しなければならぬと考へた」として、天皇の地位（第一条）と戦争放棄（第九条）との関係を述べている。

③日本の理念とは何なのか？

幣原はＧＨＱ案の承認を閣議でまとめ、天皇の承認も得た。松本草案を起草した法学者の宮沢俊義によれば、幣原がＧＨＱ案を天皇に見せたところ「これでいいじゃないか」との返答だったので、幣原は「腹をきめた」と述べた。政府は三月四日から五日にかけて徹夜でＧＨＱ側と協議し、「憲法改正草案要綱」を作成した。二月二六日の極東委員会の開催日にはわずかに間に合わなかったが、天皇の訴追を回避させる説得材料としての戦争放棄条項は成立した。

しかし、表向きには憲法の作成はあくまで日本政府の自主によるものとされた。民主国として再生する日本の憲法は、日本人自身の手で天皇から政治権力を奪ったものでなくてはならなかった。マッカーサーやホイットニーは、マスコミなどに対しては憲法が日本側の発案であったとし、その意を受けた幣原も自身が九条を発案したように述べた。天皇の「人間宣言」（四六年一月一日）においても、民主主義は明治天皇が採用したもので、決して新たに導入するのではなく、日本の民主主義は「輸入ものではない」との意味づけがされていた。人間宣言の詔書の作成には幣原も関わっていたが、ＧＨＱは極東委員会の問題から、あくまで日本側の発意によって平和国家へと前進する姿勢を求めたのである。

四六年八月、政府は新憲法を国会に提出し、衆議院での審議に付した。特別委員会のもとに設置された小委員会での審議では、委員長の芦田均によって憲法九条の二項・「陸海空軍その他の戦力はこれを保持してはならない。国の交戦権はこれを認めない」としていた条項の冒頭に「前項の目的を達するため」との文言が加えられた。「芦田修正」と呼ばれることになる加筆である。

日本は無条件に武力を捨てるわけではないとの修正であり、これによって「国権の発動による戦争」や武力行使を目的としないのであれば、自衛のための戦力を持てるとの解釈に道を開いたと言われる。つまり、自衛戦争であれば日本は戦力を保持できるとの解釈の余地を残すことになったとの指摘である。

しかし、こうして民主主義が明治天皇の「五箇条の御誓文」に由来するとしてみたり、戦力の放棄をどこまで目指すのかといった基本的な理念を不明確にしたまま方針を定めていったことは、戦後の日本が何を理念にする国なのかも不明確にした。とりわけ民主主義の起源を近代に求めれば、戦前の政府と国民の関係や、国民の政治意識・権利意識も改める必要がないものとして、民主主義に偽装した戦前同様の政治が罷《まか》り通ることになる。そしてその傾向は現在にも引き続いている。

5 戦後の政治と社会

①戦後の政治は誰に担われたか?

戦後日本の政治は民主的な政党による議会政治が前提となったが、結党された政党には公職追放によって分岐が生じた。

四五年一一月に、鳩山一郎らの「鳩山派」(三木武吉《ぶきち》・河野《こうの》一郎)によって「日本自由党」が結成された。また片山哲《てつ》を書記長とする社会党も結党された。社会党には戦前の共産党の幹部も参加し、党内で左派(革命派)を形成した。

他にも、戦前の立憲民政党や大日本政治会を基盤にした「日本進歩党」が結成され、戦前の議会で「反軍演説」を行った斎藤隆夫などが参加した。しかし、進歩党は公職追放によって九割以上の議員を喪失することになり、新人候補を擁立せねばならなかった。後には芦田均が合流し、「民主党」へと拡大することになる。

一二月一八日には、戦前の護国同志会を基盤とした「日本協同党」が結党されるが、やはり公職追放により多数の議員を失ったため、三木武夫（旧民政党議員）を加えて「国民協同党」へと改組した。

一方で、戦前には弾圧された共産党も再建された。沖縄出身の弁護士・徳田球一《とくだきゅういち》が出獄して書記長に選ばれ、野坂参三《のさかさんぞう》らと戦後の共産党の指針を立てた。それは天皇制との折り合いをつける柔軟路線だった。またモスクワの資金提供を受けない独自の活動を表明し、ソ連政府との間でシベリア抑留者の復員交渉も行った。

日本共産党は社会党との関係をつくりつつ議席の獲得を目指したが、社会党で左派の過激な主張が目立ったのに対し、初期の戦後共産党はＧＨＱとの関係も良好で、国内での人気を高めた。しかし、当時の共産党には共産主義運動を国内でどのように展開するかについては党内で一致するところがなかった。

四六年四月に選挙が行われると、自由党が第一党となり、鳩山一郎総裁が内閣を組織することになった。しかし、鳩山が公職追放の対象となったことから、外務大臣の吉田茂が首相に就任することとなる。政府は「憲法改正草案要綱」を発表し、「国民主権」と「生存権」（二五条）を追加修正した日本国憲法の制定が決定された。吉田内閣は、自由党と進歩党の連立によって五月に成立した。新憲法は、吉田内閣の下で一一月三日に公布され、翌年五月三日に施行されることになる。

吉田茂とは、反戦・反軍の立場をとった外交官で、戦前から軍部主導に反対し、戦時下では密かに反戦工作を行った人物である。そのため陸軍から睨《にら》まれて、憲兵隊に逮捕されたこともあった。それと同時に吉田は強烈な反共主義者であった。戦時の和平派の中でも特に共産主義を敵視した。終戦の過程でも、木戸幸一がソを仲介にして戦争を終結できるなら共産党員を含めた内閣をつくっても構わないと述べたのに対して、吉田は強く警戒してその和平案を認めたがらなかった。また、四五年二月に近衛が昭和天皇に対して、敗戦すれば共産革命の可能性があるので早期に敗戦すべきと上奏したが（『明日のための現代史』上巻、第11章３①）、その「近衛上奏文」を起草したのは吉田だったと目されている。

そうした吉田は、戦後日本は自由主義者たちが再建すべきであるとしながら、同時に戦前からの政治家たちを大政翼賛会に与《くみ》した時局便乗者であるとして嫌っていた。

②政府が優先した政策は何か？

日本国内では空襲被害による工業生産力の激減・物価上昇・食料危機が問題となっていた。敗戦後の社会は食糧難に喘《あえ》ぎ、雑草を口にして凌《しの》いでいる人々が少なからずいたほどの深刻さであった。四六年五月には、食糧を求める大規模デモが皇居にまで押し寄せた。

そうした状況の中、吉田はＧＨＱによる食糧支援に期待した。ＧＨＱは援助に消極的であったが、吉田は支援が行われるまで敢《あ》えて組閣をせず、内閣としてデモに対処することを避けた。そうするうちにＧＨＱは暴動を懸念して援助に踏み切った。

米の予算からは飢餓救済と復興のためのガリオア・エロア基金が援助された（当初の日本側はこの援助が無償のものと理解していたが後の協定で返還することになる）。また、米のキリスト教系の各団体を母体にしたボランティアの救援物資も送られた。「アジア救済公認団体」による通称「Ｒ《ラ》Ａ Ｌ《ラ》Ａ物資」である。北米・南米の日系人などの寄付による食糧・生活物資が届けられ、ＧＨＱと厚生省を通じて配給された。四六年から五二年まで実施され、学校給食の基にもなった。

吉田内閣は米からの原油の緊急輸入と石炭増産によって工業生産力の回復を目指した。政府が鉄鋼・石炭に集中的に資金を投入することで、石炭を増産し、石炭増産が工業生産力のさらなる増産を生むとする「傾斜生産方式」が採用された。

6　社会党政権の誕生―「二・一ゼネスト」の副産物

傾斜生産方式によって工業力の回復を優先させた吉田内閣は、労働運動の高まりに直面した。運動を行う労働者らに対して、吉田が「不逞《ふてい》の輩《やから》」と批難するとさらに運動に火が付き、労働者らは一九四七年二月一日にゼネストを決行しようと計画した（ゼネラル・ストライキ：全国一斉ストの意味）。これに対して、マッカーサーはゼネストの中止命令を出して阻止した。しかし同時に吉田が国民から支持されていない様子を問題視し、総選挙を行う指示も出した。

経済危機を背景に労働問題が高揚する中で、マッカーサーは民主化の促進によって労働運動を抑制しようと考えた。そのため新憲法に基づく総選挙を要請したのであった。新憲法の施行前に組閣された吉田内閣は、天皇から「大命降下」を受ける旧憲法の慣例に則って成立していた。吉田自身も貴族院に所属する議員であり、国民選出の代表者ではなかったのである。

総選挙は、ソと対峙する米が「封じ込め政策」（「トルーマン・ドクトリン」）を打ち出した翌月に行われたが、選挙の結果は単独過半数を獲得した政党が無く、しかも第一党となったのは社会党だった。それはマッカーサーにとっても意外な結果で、冷戦の対立が顕在化する中で、日本に社会党の政権を生み出す機会を自ら与えてしまったのだった。そして、当の社会党にとっても政権獲得は思いも寄らない事態だった。

図らずも組閣することになった社会党には、政権構想や組閣の準備がなく、慌てて用意することになった。そのため党代表の片山哲を中心にしつつも、選挙の直前に結党された民主党と、国民協同党との連立内閣になった。日本で初めて社会主義を目指す内閣となったが（無産政党の議員が初めて首相を務めた）、民主主義政党と連立する「中道」の政権にせねば成立できなかったわけである。当初は、吉田ら自由党をも入閣させる挙国一致型内閣を目指そうとしたほどであった。

実際に吉田は社会党からの誘いを受けたが、社会主義革命を求める社会党の左派が閣議事項をソに漏洩《ろうえい》する可能性があるとして参加を断った。だが吉田の真意は、自身が社会党への協力を拒否する姿勢をGHQに見せるべきとの判断にあった。また、社会党と民主党（芦田・幣原派）との連立政権などは安定しないであろうから、再び吉田に組閣の機会が訪れると考え、それならば尚更GHQとの関係を優先すべきとしたのであった。

そして実際に、理念の異なる政党間の「中道」による連立は噛み合わなかった。そればかりか社会党の党内では、革命志向の左派と、社会民主主義を掲げる右派との対立が顕著となった。また政権構想の無かった片山内閣は、吉田内閣の「傾斜生産方式」を継承したが、しかし単なる真似では社会党の意義を持たないため、政策の根幹である石炭を国家で管理するとした社会主義的な法案を提出した。ところが、これに対しては財界から反対が示され、閣内でも民主党の反対を受けた。

結局のところ片山内閣は政権内の統一ができないままわずか九ヵ月で総辞職することになった。但し、与党三党は解散総選挙を行うのではなく、連立体制を再構築することで政権を手放さなかった。今度は民主党が内閣を主導し、芦田均を首班とする内閣を成立させるのである。

第2章
戦後世界と日本

１　ＧＨＱと「東京裁判」

①ＧＨＱは日本をどのように見ていたか？

ＧＨＱは、概《おおむ》ね幕僚部（占領行政担当）と参謀部（占領軍を指揮）の二部から構成された。幕僚部は、民政局、経済科学局（財閥解体）、民間情報教育局（教育改革）、天然資源局（農地改革）などからなり、民主化を推進するホイットニーら民政局（ＧＳ）が中心部局であった。また民政局は「ニューディール政策」の推進部局でもあり、当初の対日占領政策を主導した。

「ニューディール政策」とは、政府が積極的に経済活動に介入し、公共事業への大規模な資金投入・減税・金融緩和の実施や雇用を確保する政策である。経済の流れを生み出すことで景気回復を図ろうとしており、社会民主主義的な思想と言える。米では戦前にルーズベルト政権（民主党）が、世界恐慌の巻き返しを図って実施していた。巨大企業に一定の規制をかけ、労働者の権利を積極的に保護して失業者を大量に雇用した（産業保護のための企業の独占・カルテルは容認した）。農業でも政府が生産を統制して農作物の価格を上げることで、農家の購買力上昇を図るなどした。それは米の伝統的な自由主義経済の原則を大幅に修正するものだった。

もう一方のＧＨＱ参謀部は、連合軍の統率・指揮を掌握する部局で、第一部から第四部までで構成され、それぞれ人事・情報・作戦・後方を管掌した。参謀部の中心部局は、「情報」（諜報・治安・検閲）を担当する第二部（Ｇ２）であったが、幕僚部と参謀部をそれぞれ代表する民政局と参謀第二部は、冷戦に伴い占領統治構想をめぐって対立するようになった。特に参謀第二部Ｇ２の部長であったウィロビー（Charles Willoughby）陸軍准将は強い反共意識を持っており、ホイットニーを敵視した。反共の観点から急進的な日本の民主化に反対し、民政局が日本の労働組合を奨励したり、思想犯として拘留されていた共産主義者らを釈放するなどしたことを強く警戒したのだった。日本政府に対しても、民政局が社会党を中心とした片山哲・芦田均内閣を支援するのに対し、ウィロビーらＧ２は保守的な吉田茂内閣を支援するようになる。

Ｇ２は報道を検閲するする「プレス・コード」（報道統制）を実施して影響力を発揮した。戦前の日本を評価する出版物や報道は検閲の対象となり、間接統治の建て前からマッカーサーの指導性を報道することや、占領政策への批判は禁じられた。米兵による暴行事件が起きても、占領政策の批判として報道することはできなかった。違反者には、沖縄での強制労働（三～五年）が課せられた。このような統制的性格を強く有したのがＧ２であった。

当初のＧＨＱは、日本の軍事力を解体し、蔣介石の中華民国を基軸にアジアの安定を図る構想に基づいていた。所謂《いわゆる》「上からの改革」によって民主化させるのが当初の占領政策で、マッカーサーも日本を小農業国にして、市場として活用することを構想していた。それが冷戦によって、日本を共産勢力に対峙する根拠地として再定義することになり、この後に朝鮮戦争が起きると工業力の早期回復に目標が移った。

②戦争犯罪とは何か？

ソとの対決が具体化されると、米は日本を自由主義陣営に組み込もうと、共産主義化を避けるための経済復興を優先する方針に切り替えた。そのために、アジア・太平洋戦争の講和を引き延ばすことで、占領期間を長引かせ、その間に日本を民主国として育成しようとした。そして軍事戦略上の要望から沖縄の占領継続および恒久基地化を求めた。つまり、「日本が二度と侵略戦争を行わないようにする」方針から、「日本を共産主義に対する防壁にする」方針へと修正されたのである。共産主義による政権獲得を防ぐ治安強化と、共産主義の温床となる貧困を防止するとして、安全保障（再軍備）と、経済復興（経済安定九原則）の二点に重点が置かれた。日本の地位は米の冷戦戦略の拠点に位置付けられ、占領政策の至上目的は「非武装民主化」から「反共の防波堤」へと変化したのである。その変化はまた戦争犯罪人（戦犯）を裁く「東京裁判」の性格にも影響した。

極東国際軍事裁判（通称「東京裁判」）は、一九四六年五月三日から四八年一一月一二日まで、戦争指導者・責任者を被告人として開廷された。戦犯の処罰は「ポツダム宣言」における降伏条件に含まれていた。英・米・中華民国（国民政府）・仏・蘭・ソ・加・印・比・豪・新（ニュージーランド）の各国から判事が派遣された。

欧州では既に、ナチの戦犯を裁くための「ニュルンベルク裁判」が行われていた。米の陸軍長官のスティムソンは「文明の裁き」によってナチの残虐行為を公的に記録し、独に反省を迫るため国際軍事裁判を計画したのだった（米国内にはナチの容疑者は審理なしに即座に処刑すべしとの意見もあった）。そもそも英米が世界秩序として打ち出した「大西洋憲章」（四一年八月）は、ナチの帝国を破壊することを理念に含めていた。そして、ナチの残虐行為を裁くことは連合国内でも求められた。

そのためニュルンベルク裁判は、戦争そのものが戦争違法化の国際社会に対して行われた犯罪だとの認識の下に行われた。つまり、開戦行為の処罰である。そしてその根拠は「不戦条約」に求められた。

不戦条約には違反者の処罰は規定されていなかったが、裁判の準備過程において個人も処罰できるものとして再定義された。この再解釈の方針が、米英仏ソの法律家による会議で討議され、「国際軍事裁判所憲章」が定められるとともに、「平和に対する罪」・「人道に対する罪」が定められた。その解釈は東京裁判にも適用されることになる。

日本軍は敗戦の間際《まぎわ》に多くの史料を焼却処分したため、証拠に基づくはずの裁判は、証言に基づく性格になった。それは裁判が長引く大きな要因となり、当初は半年で終わるはずの公判を長期化させた。罪状には、「平和に対する罪」（A級戦犯）、「戦時国際法の通例に対する犯罪」（B級戦犯）、「人道に対する罪」（C級戦犯）が設定された（ABCの等級は犯罪の種別であり、罪の重さを表わすものではない）。「人道に対する罪」を設定した「C級戦犯」は、ナチによるユダヤ人虐殺に対して設定された犯罪である。

ヒトラーはユダヤ人を人質として米の参戦を抑えようと考えていたが、米が参戦するとユダヤ人一一〇〇万人を対象とした虐殺を指示した。日本の戦争犯罪にはそのような民族抹殺に当たる犯罪例はなかったため、ＢＣ級を合一して「戦時国際法」上の犯罪を裁く基準になった。

③ＢＣ級裁判では何が裁かれたか？

「ＢＣ級裁判法廷」は横浜に設置された他、戦地となった中国・東南アジア各地の四九ヵ所に設置された。うち一つは日本の委任統治領だったマーシャル諸島の一部クエゼリン島であった。同島は日本の統治領でありながら「絶対国防圏」の外に置かれたためにすぐに米軍に制圧された島だった。

それらの「BC級裁判」での処罰の対象は、「戦時国際法」または「陸戦条規」に違反した日本人・朝鮮人・台湾人である。戦地での拷問・略奪・強姦・集団殺害などが訴因となるが、特に焦点となったのは捕虜虐待の事例で、日本軍の捕虜となった兵士の証言で進められた。国内事例としては撃墜されたB29の搭乗員を処刑した事件などが裁かれた。

その内の一つとして発覚した「石垣島事件」では、日本軍に撃墜された米軍機の搭乗兵三名が捕まり、日本軍から厳しい尋問や暴行を受けた後に殺されていた（事件には箝口令《かんこうれい》が敷かれていたが、敗戦から間もなくしてGHQへの告発の投書で発覚）。その処刑に関わった地元住民を含めた四六人が戦犯として裁判にかけられ、四一人に死刑判決が下った。うち七名の死刑は実際に執行された。他にも、不時着したB29搭乗員が地元の住民らに殺された事件が横浜BC級戦犯裁判所で裁かれている（死刑判決となっても後に減刑される場合も多かった）。反対に搭乗員らが住民を殺した事件もあった。

また南京での所謂「南京大虐殺」が明らかにされたのも東京裁判においてであった。最終的な判決では一般人や捕虜を含めた二〇万人以上が日本軍に殺害され、二万件もの強姦事件が発生していたとされた。

中国の南京軍事法廷においても、集団虐殺された犠牲者数は一九万人に達し、その虐殺の他にも慈善団体によって埋葬された遺体が一五万体あったと認定された（虐殺行為については当時の南京にいた大学教授ルイス・スマイスの調査の他、元日本兵の戦後の証言がある）。いずれにしても日本軍による組織的行為としての虐殺が行われていた。

当時の日本軍は未だ南京城の平定が完全に行われていない段階で、既に入城式（祝勝イベント）の挙行を予定してしまっていた。入城式には皇族の朝香宮鳩彦王《あさかのみややすひこ》（上海派遣軍司令官）も出席するため治安維持が絶対条件であり、そのために慌てて殺害していたことが考えられる。現地部隊は南京場内に約二万五千の便衣兵《べんい》（市民に扮した兵）が潜《ひそ》んでいると推定していた。そして日本国民はこの裁判の報道ではじめて南京の様子を知ることになった。

また、戦犯には朝鮮・台湾人も含まれている。アジア太平洋戦争には二四万人以上とも言われる朝鮮人男性が日本兵として参戦・従軍した。当人には戦争協力の選択の余地などないのに、日本への協力者として一部は死刑判決を受け、絞首刑に処された者もあった。その一方で、志願兵として日本軍に協力した朝鮮人もいた。日本政府は占領期間が終わってから、旧軍兵士に恩給を支払っており、戦犯とその遺族も支給対象に含まれた。しかし、日本のために戦った朝鮮人には国籍がないとの理由から恩給を受ける資格が与えられなかった。植民地支配を隠す同化政策は最後まで虚飾でしかなかった。そして彼らは朝鮮社会においても差別を受けることになるのである。

④戦犯は何によって裁かれたのか?

A級戦犯の「平和に対する罪」は、戦争が起こされた時点では存在していない新しい罪状であった。これには遡及《そきゅう》処罰を禁止する「事後法」の問題があった（行為が起きた後に定められた法で、その行為を罪として裁くことはできないとした原則）。つまり、日本が宣戦布告した時点では、「平和に対する罪」は規定されていないので、その罪を後から裁くことはできないとの問題である。この解釈をめぐっては判事の間で意見が大きく分かれた。独の法学に代表される「大陸法」では事後法に当たるが、国際条約や英米の重視する「習慣法」では国際慣習上の犯罪に相当する行為には刑罰を下すことが可能で、事後法には該当しないとの法解釈があったのである。

結局、東京裁判ではそれが事後法には当たらないとの解釈によって裁きの対象にした。第一次大戦後の諸条約によってすでに平和を破壊する行為が違法であるとの認識があった以上、裁く根拠があると解釈された。戦争違法化の秩序を破壊した罪である。ニュルンベルク裁判を先例に「戦時国際法に違反する罪」

としての戦争犯罪の概念を拡張した解釈だったが、解釈の正当性よりも、この裁判を戦争違法化を実現する機会にすることへの強い希求があった。

そして、連合国にとっての東京裁判は、日本を民主国として再建させる意味をもったが、その中で焦点となったのは天皇に対する訴追問題であった。豪の検事は、天皇の起訴は軍国主義解体の前提であり、裁判の責務であるとまで主張していた。これに対して用意されたのが戦争放棄条項（憲法九条）だったわけである。

その後二月二六日にワシントンで開かれた極東委員会において、天皇の訴追が議題となったが、三月六日に日本政府がＧＨＱとの徹夜の協議で作成した「憲法改正草案要綱」が出されると、四月には日本国民の統合の観点から天皇には抵触しないことが米英両国によって決定された。

新憲法によって軍事的脅威がなくなったことから、極東委員会では豪もソも同意した。ソが同意したのは、憲法よりも先述の東欧支配の優先からであるが、共産党中央委員会において天皇の不起訴が決定され、天皇の弾劾は回避された。

２　隠されたソ連の戦争責任

「五大改革」と公職追放は、「ポツダム政令」によって強権的に進められた。「政令」による指令はポツダム宣言によって日本政府に課せられた義務で（ポツダム緊急勅令）、政府はこれを拒否することはできない（戦前の「勅令」と同様の拘束力をもつとされた）。それは占領政策が秩序維持を優先し、その上で民主化を図る性格だったことが解る。

そして、公職追放は民主化のための行政的措置として実施され、東京裁判は軍部追放のための法的措置のはずだった。ところが、ＧＨＱの内部対立が東京裁判の性格を変化させた。戦犯を裁くはずの裁判は、戦後日本が米の陣営において共産主義と対峙する国になるための手続きとなった。また占領目的が変わったことで、民主化を推進する民政局が主導的だったＧＨＱの性質も変わることになる。

①「東京裁判」は誰を裁いていたか？

東京裁判の準備過程で天皇の戦争責任が問題となり、不戦の理念を評価する民政局は戦争放棄条項を交換条件に天皇の訴追回避を図っていた。かつそれは極東委員会の設置に間に合わせようと用意されていた。しかしそうした民政局に対して、Ｇ２は民政局が共産主義に寛容過ぎるとして敵視し、その対立は東京裁判の性格を変更してしまうのであった。

二月二六日に極東委員会が開催され、新憲法草案の起草が急がれる中、東久邇宮が或る外国人記者に対して、天皇には退位する意思があり、その場合には皇族は皆これに賛成するとの発言をした。この発言に対してＧＨＱは再び退位が問題化するのを恐れた。そして新憲法の制定を急ぐ一方で、天皇に戦争責任がないことを説明する「独白録」の作成を考えた。

昭和天皇の「独白録」は、開戦の「責任者」が陸軍で独との同盟を推進した人物であったことを告発する内容になっている。それは東久邇宮内閣の下で作成された「戦争責任に関する応答要領」や、四六年二月に吉田茂の主導によって開催された「内外法制研究会」による開戦責任に関する研究を基にしているのだが、独白録の作成は米側との協議の上でなされていた。そのことはマッカーサーの軍事補佐官でＧ２の将校であったフェラーズ准将（Bonner Fellers）の関係文書から確認される。またそのために「独白録」は和英両文で作成されている。

「憲法改正草案要綱」が作成された三月六日、ＧＨＱ側から米内光政《よないみつまさ》元首相に、東京裁判における「被告人」の選定についてマッカーサーの意向が伝えられた。そこからフェラーズと米内、および「独白録」の執筆者となる宮中御用掛の寺崎英成《てらさきひでなり》が頻繁に接触し始めた。フェラーズと米内の間で話された内容は、「海軍反省会」での証言に残されている。

フェラーズは、ＧＨＱが天皇を占領政策の最善の協力者であると認めており、天皇制の存続を希望していると語った。ところが連合国の中には、天皇を戦犯者として処罰すべきとの声があり、またソが全世界の共産主義化の完遂を企図しているとして、「従って、日本の天皇制とマッカーサーの存在とが大きな邪魔者」になっており、それればかりか「非アメリカ式思想」（共産主義）がＧＨＱ「当局の相当上の方にも勢力を持つに至って」、天皇を戦犯にしようとしていると述べた。ＧＨＱの上の方とは民政局を指している（また国務省内部に「親中派」が存在した）。

そしてフェラーズは「対策としては、天皇が何等罪のないことを日本側が証明してくれることが最も好都合である。そのため近々開始される裁判が最善の機会と思う。ことに、その裁判において東條に全責任を負担せしめるようにすることだ。即ち東條に次のことを云わせて貰いたい。『開戦前の御前会議において、たとい陛下が対米戦争に反対せられても、自分は強引に戦争まで持っていく腹を既に決めていた』」と、示唆した。これに対して米内は「全く同感です」と応えた。

米では、長く駐日大使を務めたグルー（Joseph Grew）や、戦後に大使を務めるライシャワー（Edwin Reischauer）が天皇制の存続を働きかけていた。彼らは知日派として米政府の対日政策に協力したが、ライシャワーは四二年九月に記した「対日政策に関する覚書」において、天皇は自由主義者で平和主義者であり、そうした天皇の姿を広めるべきとの意見を述べた。そしてむしろ東條あるいは山本五十六を「敵国日本の人格的具現として使用するよう」指導すべきとした。他にも天皇を平和のシンボルへと転用できるとする報告が米軍の情報部などに出されていた。

フェラーズは、天皇が「無罪」であることを裁判において日本が自ら証明することと、その責任を東條に負わせることを伝えた。そして、海軍出身の米内が戦犯容疑者の選定に関与することになった。そのため、被告人には陸軍の将校が圧倒的に多く、また東條の責任を際立《きわだ》たせるためにも、東條と対立した人物は対象から外されることになった。満州事変の首謀者でありながら、戦時中に東條批判を公然と行っていた石原莞爾がA級戦犯容疑を免れているのはその代表的事例と言える。

陸軍が「悪玉」となるのは米内によって証言されたからに他ならず、その意向の下に作成されたのが「独白録」である。米内はソと主導性を争う米との取引によって一部を見殺しにしたことになるが、日独伊三国軍事同盟の締結に反対して、英米には勝てないことを言明した大臣こそは米内であった（『明日のための現代史』上巻、第8章4③参照）。但し、そのシナリオは海軍が「善玉」であったかのような印象まで創り出し、現在まで歴史観に影響を与えてしまっている。

②免責と引き換えに何を失ったのか？

「東京裁判」はGHQ内部の政争を背景に、マッカーサーおよびG2と宮中・海軍による合作としての性格があった。開廷された裁判には、証人として幣原・若槻礼次郎など親英米派とされた人物や、連合軍と司法取引を行った田中隆吉《りゅうきち》（陸軍将校）などが喚問《かんもん》された。ほとんどの供述が天皇を擁護し、戦争責任を東條や武藤章《あきら》など少数の陸軍軍人とその協力者に担わせる証言になった。

また、満洲でソ軍に捕縛されてハバロフスクに拘留されていた愛新覚羅溥儀も証人として出廷したが、その証言は他の被告や判事からも自身の責任逃れに終始していると認識された。溥儀は戦犯としての訴追は免れたが、この後の五〇年に共産党によって収容所に収監された。五九年に釈放されてからは終生を植物園で庭師として過ごすことになる。

Ａ級戦犯に対する判決では、容疑者二八名のうち七名に対する死刑宣告と、一八名に対する禁固刑が確定し、一二月二三日に死刑が執行された。米の公文書では、戦犯の遺灰は米軍が横浜沖に散布したことになっている。

政治的役割を帯びた「東京裁判」には未決の戦争犯罪や、訴追されるべき問題が遺された〔米がソ軍との戦いに備えて訴追を免除した日本軍の生物化学兵器／強制連行／慰安婦／日米それぞれの無差別都市爆撃など〕。それらは共産主義排除と天皇の免責を求めて当初の裁判の性格を変えた結果として起きた問題である。そのため昭和天皇はこの後に国民へ戦争の反省を示す機会を度々求めることになる。そして、こうした東京裁判での駆け引きに隠れて、さらに大きな戦争責任問題が埋没してしまった。ソの戦争責任である。

ソは、独と共謀して侵略戦争を開始し、そのために連盟から除名されたにも拘わらず、戦争の途中から連合国の一員になり、終わってみれば戦勝国に位置付いて、戦犯を裁く側の立場に立ってさえいる。ソがナチと戦うことと引き換えに、ソが侵したポーランドやフィンランドへの侵略は見逃された。そのため、ソは連合国側にあってその後も平然と領土割譲を要求していた。

対日戦での犠牲を嫌った米は、ヤルタ会談での密約によってソが戦勝国に成りすますことを許した〔死期の迫っていたルーズベルトがヤルタ会談でスターリンと取引した経緯は『明日のための現代史』上巻、第11章３参照〕。連合国は日本が近代の戦争で朝鮮・中国から奪った領土の返還を求めたが、ソはその連合国の中で自国の領土拡張を追求した。ソが満洲やその他に侵攻したことには正当性などなかった。とりわけ千島列島は日本が戦争によって獲得した領土ではなく、ソが領有すべき根拠もない。そして対日戦は「日ソ中立条約」を無視して行われた〔これらの詳細や国際的背景についても同書上巻を参照されたい〕。ヒトラーとの枢軸を形成したスターリンは連合国側に転身したが、その後も戦争を通じて領土的野心を実現していった。

つまり、ソは帝国主義的な世界政策や、戦争違法化を破った事に対する反省などせず、その世界観を改めないまま勝ち残った国なのである（このことは二〇二二年現在のウクライナ侵攻の背景をなしていると考える。第14章3に後述する）。

そして、今や欧米との対立を公然化させることになったソは、四七年一〇月に欧州での共産党・労働者党の情報機関として「コミンフォルム」を結成することを公式発表した。ソを中心とする共産党系の連絡組織で、ユーゴスラビアに本部が設置された。戦前のコミンテルンのような革命の指導機関ではなかったが、マーシャルプランへの対抗を意識していた。また東欧の結束を強化するために「経済相互援助会議」（COMECON）も結成した。

ソのこうした動向を脅威として、四九年四月には西側の軍事同盟として、共産主義圏に対抗するNATO（北大西洋条約機構）が築かれた。北米および欧州諸国（マーシャルプランの援助を受ける国）の一二ヵ国が加盟し、ソへの包囲網を形成しようとしたのである。

3 「民主党」と「民自党」

①憲法九条は誰がつくったと言えるか？

片山哲が辞任した後に、連立政権を組み直して組閣した芦田内閣が四八年三月に成立した。芦田は外交官の出身で、連盟を中心とした国際外交を目指す「連盟派」の官僚であった。「連盟派」は戦争違法化を理念に、連盟が集団安全保障による秩序維持を果たしていく世界を目指そうとした（『明日のための現代史』上巻、第8章4②参照）。芦田はその後の一九三二年に政界に転身して政友会の党員となり、ジャパンタイムス社の社長も務めるなどした。戦時には鳩山と同様に大政翼賛会の推薦を受けずに選挙に当選している。

終戦とともに鳩山らと自由党を結党し、幣原内閣では厚生大臣に迎えられた。憲法改正に関わったのは続く吉田内閣時であったが、芦田は自由党の党員ではない吉田が鳩山の後任総裁となったことに反対して脱党した。芦田は進歩党と合同して「日本民主党」を結成し、総裁に就任したが、そうした経緯から芦田内閣は吉田ら自由党と対立した。

連盟派だった芦田は、戦後においても国連による平和維持を推進すべきと考えた。自衛のための軍事力を認めるかのような「芦田修正」はその考えと関連している。国際機構による平和維持＝集団安全保障は、秩序を乱した国に対して加盟国が制裁をすることで維持される平和を想定しており、加盟国には軍備があることが前提となるからである。将来に日本が国連に加盟できた際に、以後も全く軍備がなかった場合には、その時の日本が集団安全保障に役割を果たせないことになるかもしれないし、そもそも軍備なくして加盟が認められるのかも不確かに思われた。つまり、国連に加盟するための再軍備を考えていたのが芦田の立場であった。

そうした芦田の内閣の法相には片山内閣から鈴木義男（社会党左派）が留任した。戦前に東北大学で教鞭をとり戦争違法化や国際協調を講義していた鈴木は、四六年の選挙で福島から選出されて議員となった。そして芦田が委員長を務めた憲法の審議委員会では、憲法九条における平和への指針や、生存権の挿入を牽引した人物であった。

審議されたGHQ草案の九条には、何のために軍備が放棄されるべきなのかの精神がないように思われた。そのため鈴木は、九条は戦争自体に反対するもので、そのための戦力不保持であると定義づけた。これによって九条は敗戦した故のやむを得ない非武装ではなく、平和の愛好を宣言した上での軍備放棄となった。「国際平和を誠実に希求」するとした条文は、彼らによって研磨されたものである。またワイマール憲法の社会権に倣《なら》って、国民の文化的な生活の保障を国家に義務づける生存権や、国家賠償請求権も定められた。これらは衆院の小委員会が、国民の権利を保障しようと審議を尽くした成果と言える。

②日本の民主化はどのような性格か?

芦田内閣の成立に対して、吉田は片山内閣が不統一で崩壊したにも拘わらず、選挙をすることなく再び与党内で組閣をし直すことは「政権をたらい回し」にすることだと批判した。これに対して片山前首相は、内閣の崩壊は社会党内部の分裂を原因としたもので、連立内閣の政策そのものが行き詰ったわけではないので、芦田への政権譲渡は正当なものだと主張した。そして、GHQの民政局がこの片山の主張を支持すると、国会の中で首班指名選挙が行われ、芦田の組閣が認められたのだった。

すると吉田は、社会党との連立に反対して民主党から脱党した議員(幣原派)を取り込んで「民主自由党」(民自党)を結成した。民自党は、以後も芦田内閣に反対する若手議員らを糾合《きゅうごう》し、ついには第一党であった社会党を上回った。

芦田は冷戦により転換された占領政策に対応して、日本をアジアの工場として位置づけようとする米の意向をくみ取って、外資導入による経済再建を重視した。高揚していた労働問題についてもGHQに抑制させようとした。

共産主義との対立の観点から労働問題を懸念していたマッカーサーは、憲法によって一度は保障した労働者の権利のうち、公務員のストライキの権利については剥奪《はくだつ》しようと考えた。社会全体の奉仕者であるべき公務員には、自己の権利を追及する争議行為は許されないと根拠づけた。このマッカーサーの意向が芦田に伝えられ(「マッカーサー書簡」)、全ての公務員の争議行為を禁止し、団体交渉権も厳しく制限する「政令二〇一号」が発令された。

他方で、この過程では政府関係者の贈収賄事件が発覚し、警察による捜査が進められていた。復興金融金庫（復興のために政府の出資で設立された金融機関）から融資を得ようとした昭和電工による疑獄事件であるが、収賄側にはＧＨＱ民政局の高官の名前までもが挙がる一大スキャンダルとなった（「昭和電工事件」）。六月に贈収賄の事実が発覚すると、捜査は警察の手から検察へと移行した。警察では担当刑事が突如転任となるなどしたが、それには警察を捜査から排除しようとのＧＨＱの圧力があったと言われる。

結局、検察による捜査ではＧＨＱへの嫌疑はかけられることがなかったが、大蔵官僚の福田赳夫《ふくだたけお》や与野党の重役らも逮捕され、芦田首相も逮捕された。内閣は辞職せざるを得なくなったが、来栖赳夫《くるすたけお》（復興金融金庫の融資委員長）を除く政治家はみな無罪であった。また民主党はこの後に解党して、芦田らは重光葵を中心とする「改進党」の結党へ向かう。

③「ドッジ・ライン」は何を目的にしていたか？

「傾斜生産方式」では、政府が基幹産業となる鉄鋼・石炭産業に巨額の融資を行い、生産力の回復を図った。その資金は政府が設立した復興金融金庫から支出されたが、紙幣を増刷せねば資金を調達できなかったためにインフレを招いた（「復興インフレ」）。インフレは占領開始から既に始まっていたが、融資の規模を縮小すれば生産力が伸びなくなるため、復興の観点からむしろ融資は拡大された。そのためインフレは慢性化し、輸出が低迷したために生産も低水準に落ち込んでいた。

この経済状況の打開のため、ＧＨＱの金融政策顧問に任命された元銀行家のドッジ（Joseph Dodge）が、大統領特命公使として来日した。それまでは独に派遣され、破綻した銀行システムの再建に実績を上げていた。ドッジの招聘は、四八年二月から来日していた賠償調査団の団長・ドレーパー米陸軍次官（William Draper）によって提言されたものだった。

ドレーパー調査団は、独でナチが台頭したのは第一次大戦の賠償を過剰に課した反動であるとして、日本の賠償緩和を提言した。ＧＨＱが予定していた財界人の追放なども経済復興の妨げになるとして、方針の修正を求めた。他にもそれまでの政策を改め、デフレ財政・公務員削減・政府の補助金打ち切りを指導し、米からの投資を促そうとした。そして招聘されたドッジは「五大改革指令」に含まれた財閥解体の中止と、賠償金の緩和を骨子とした「ドッジ・ライン」を実施する。

ドッジラインでは、インフレを一掃するために政府の収入を越える支出を打ち切った。それまでのＧＨＱ民政局によるニューディール政策（補助金支出）を否定し、緊縮予算を組んだ。政府の支出を最低限度に抑える「超均衡予算」が採用され、一ドル＝三六〇円の固定相場が設定された。さらに支出削減のために公務員四二万人・民間人四四万人の解雇も実施し、政府は「傾斜生産方式」を転換することになる。また、コロンビア大学教授のシャウプ（Carl Shoup）ら税制使節団が来日して、地方の税収強化を主とした税制改革を指示した（「シャウプ勧告」）。

これらの政策の結果、インフレはおさまったものの、日本は四九年後半からデフレによる深刻な不況に見舞われて失業者があふれた。株価はそれまでの最安値を記録し、却って不況が長引いた。

また、共産主義追放の方針（ジョージ・ケナンの報告書・「合衆国の対日政策に関する勧告」）によって、労働組合を弾圧する一方で反共の労働組合の育成は求められた。ドッジラインによる解雇に対して労働組合による反対運動が起きたが、国鉄にまつわる怪事件（下山事件・三鷹事件・松川事件）が続発すると、それらは証拠のないまま共産主義者の犯行とされ、労働組合員や共産党員が逮捕された。こうした抑圧によって日本の労働運動は後退した。

４「国共内戦」――二つの中国

①中国が日本の占領政策に関与していないのは何故か？

ＧＨＱが日本の占領統治を進める傍《かたわ》らで、連合国の一角として大戦を乗り越えた中華民国は、戦後世界の秩序形成にほとんど関与できなかった。国内における国民党と共産党との内戦・「国共内戦」によってである。

中華民国の蔣介石（国民党政府主席）は、日中戦争の過程で中国共産党（中共）と提携したが、共産党を評価してはいなかった。共産党がソの指導機関でしかなく、自身らが目指してきた近代化の理念とも相容れないと認識したためである。戦前の一九二七年にも一度は提携を破棄して共産党軍の撃滅を図って戦った。共産党側は、敵が弱っている機を捉えて弱点を衝くといったゲリラ戦術の原則を打ちたて、蔣介石軍の攻勢を退けた。蔣はそうした共産党軍のゲリラ戦術に苦戦しつつも包囲戦を展開していたが、満州事変により中断せざるを得なかった。その後も日本軍の侵攻により、ついぞ共産党の撃滅は達成できなかった。

その間の三四年から三六年にかけて、中国共産党は蔣介石軍の追撃から逃れるために、国内で一万二千キロ以上にも及ぶ大移動を行った。この「長征」の中で主導権を握ったのが毛沢東である。一〇万人の兵力を数千人にまですり減らす逃避行だった。「長征」の最終目的地は共産党が根拠地として死守していた陝西省である。落ち延びた共産党は同省の延安を臨時首都として政府を立ち上げた。

延安の共産党政府は翌年から始まった日中戦争に際して、日本の侵略に抵抗しようと国民党に共闘を呼びかけた。蔣介石はやむなく提携した。国内の共産党と戦うことは日本との戦いを放棄することであるとの批判が出ていたためである。しかし、日中戦争の最中もなお共産党への警戒は解かなかった。他方、共産党は延安で土地改革による耕地の分配や、選挙を実施していった。豪農や富豪から取り上げた土地や資産を貧農らに分け与えた。そうした戦時下での人民主体の政治に農民からの支持が集まりつつあった。

国民党と再び提携すると、約三万に拡大された共産党軍（紅軍）が国民党軍に組み込まれ、国民革命軍「第八路軍」（後に第十八集団軍）として編制された。また共産党には他にもゲリラ戦を展開していた約一万の別部隊がおり（長征の際に華中・華南に残存した部隊）、それも新たに「新四軍」として合流した。八路軍・新四軍は日本軍との戦いを展開し、華中・華南で解放区を建設しながら民衆をゲリラ部隊へと組織していった。

共産党軍は四〇年の段階で、八路軍四〇万・新四軍一〇万に増強されており、その部隊をもって日本軍に大攻勢をかけた（「百団大戦」／『明日のための現代史』上巻、第10章5①参照）。日本軍に約五千の死傷者が出たが、共産軍は装備が貧弱で二万もの犠牲を出していた。そして日本軍が毒ガス兵器の使用などで報復に出ると、以後の戦線は膠着《こうちゃく》した。

中国側は日中戦争において、共産党軍が延安を拠点に華北で戦い、国民党が重慶を中心に華南で戦うように棲《す》み分けて日本軍と戦った。共産党の撃滅を望む蒋介石にとって、日中戦争にはソの支援も必要ではあったが、日本軍が共産党と戦う限りは日本軍が全滅することも望ましくなかった。四一年には蒋介石軍と新四軍との間で武力衝突が既に起きており、日中戦争に負けてはならないが、同時に共産党の台頭も抑制せねばならないのが蒋介石の立場だった。そして、共産党側も国民党との衝突は避けつつも、国民党が日本との戦いで疲弊するのを待っていた。

②中国共産党はなぜ政権を獲れたのか？

日本が降伏すると、蒋介石は日本軍の武装解除に乗り出した。日本軍の武装解除はその装備を中国側が入手することになるため、中国内で争奪の対象になった（一部は日本軍と戦闘となり日本軍には約七〇〇〇名の死傷者が出ている。中国側の被害は不明）。蒋介石は日本軍の武装解除は国民党軍が行うと共産党に通告した。しかし、国民党軍の支配の及ばない地区では共産党が武装解除を行ない、双方の対立が表面化するようになってきた。

八月末に、蒋介石と毛沢東による話し合いが行われたが（「重慶会談」）、交渉は極めて難航し、米の仲介を得なければ合意はできなかった。結果的に、内戦の回避を約した「双十協定」が締結されるが、翌年には破綻し、本格的な内戦に再び突入した。国民党と共産党の双方による「国共内戦」の始まりである。

蒋介石は戦争終結から都市部のインフレに悩まされ、支持も低下させていた。他方、共産党はソが占領した東北地方（満洲）に勢力を移し、ソ軍が日本軍から奪った武器の提供を受けるなどして反攻体制を強化した。その名を「人民解放軍」と改めた共産党軍は、四八年末には三〇〇万以上に増大し、蒋介石軍を上回った（解放軍とは国民党から人民を解放するとの名）。

但し、ソは必ずしも蒋介石を敵視してはいなかった。ソは日中戦争の過程で国民党との関係づくりを行っていたし、共産党との結びつきは強くはなかった。ソは蒋の存在なしには中国との関係が成立せず、中共も維持できないことを理解していた（蒋は二六年の「中山艦事件」を機に共産党の台頭を抑制し、国民党と共産党を仲介する要としての立場を得た。ちなみに蒋は、「中山艦事件」は共産党が蒋をソに拉致しようとした陰謀と主張していたが、共産党側にそうした計画はなかった）。

戦争終結直前の四五年八月一四日に、スターリンは蒋介石との間で「中ソ友好同盟条約」を締結し、ヤルタ協定で米と取り引きして得た旅順の租借や満洲権益などを蒋介石に承認させていた（ソが日本と戦う見返りとして米に要求した権益）。蒋介石はソが共産党ではなく国民政府を中国の合法政府と認めることで妥協したのだった。ソにとっての蒋介石は、密約で不当に得た中国権益を保障してくれる相手だったわけである。

蒋介石と毛沢東はソからの援助を取り合ったが、国共内戦はソにとって計算外に勃発していた。蒋介石がソに仲介を依頼すると、ソはそれを引き受けて毛沢東に柔軟な平和的手段による「平和攻勢」を採るよう説いた。ソと中共との関係が強化されたのは、国民党が撤退を重ね始めた四九年四月以降のことである。日中戦争で米英からの支援を受けて持ちこたえてきた蒋介石軍は、戦争が終結したことでその支援を失うと、共産党に対抗する力も失っていった。特に米からの支援が無くなったことが影響した。その間、共産党は満洲で日本軍の装備とソの支援を得ていった。弱体化した蒋介石軍は国共内戦に敗れ、台湾に逃れた。

ソが核実験に成功したことを世界に公表した翌月の四九年一〇月一日、中華人民共和国が成立し、大陸から逃れた国民党は、四九年一二月に台湾と福建省沖の二つの島（金門・馬祖）を統治する中華民国として独立を宣言した。

5　朝鮮戦争―五大国の障壁

核兵器の登場は大国間の全面戦争を不可能にしたが、同時に米ソが背後から途上国同士を戦わせる「代理戦争」という戦争形態を生み出した。

西側と東側の睨《にら》み合いによる冷戦は、アジアにおいては武力衝突を含む「熱戦」を繰り広げた。その最前線となったのは、日本が併合支配していた朝鮮半島であった。

①朝鮮が分断された原因はどこにあるのか？

四五年八月八日にソ軍が対日戦に参戦し、朝鮮半島・北部満洲・樺太に侵攻した。朝鮮は連合国間の

「カイロ宣言」で独立が予定されていた。ソ軍は八月二一日時点で平壌を占拠し、二九日までには北朝鮮の全域を掌握した。米はソが朝鮮半島全域を支配することを憂慮して、米ソ両国による半島の分割統治を提案した。北緯三八度線による南北の分割提案である。米軍は日本の支配機構を利用しながら南側を統治したが、ソ軍は日本からの解放軍として間接統治を実施した。結果として南北に二つの独立国家が発生することになり、李承晩《イスンマン》を大統領とする「大韓民国」（四八年八月成立）と、金日成《キムイルソン》を首相とする「朝鮮民主主義人民共和国」（四八年九月成立）がそれぞれ誕生した。

当初の米はソと協力して朝鮮に臨時統一政府をつくる予定でいた。国連も選挙による統一を促したが、北朝鮮側は選挙を拒否した。北の方が人口が少なかったからである。そして米ソ間が対立を深めるにつれ、朝鮮の分断も決定的となった。

朝鮮の分断は、日本が併合していたが故に冷戦の最前線となったことを意味している。米ソそれぞれの統治下で、別々の政治体制を敷いた南北朝鮮は、四九年に米ソ両軍が撤退した以後も対立した。

北の金日成は南への進軍を性急に求めた。ソの後援を得て軍備を増強していた北は、一挙に南を制圧できると見ていたのである。この時点のソは未だ核開発に成功していなかったため、核保有国である米との対立を避けようとしていたが、ソと中国共産党（中共）が国共内戦の後に同盟関係を成立させたのを見た北朝鮮は、公然と朝鮮統一を打ち出し、中ソに北を支援するよう要求し始めた。

スターリンはなおも慎重だったが、四九年八月に核実験に成功するとその姿勢を一変させた。五〇年一月からは北へ大量の兵器を支給し始め、南への軍事侵攻を認めた。ソは北の軍事行動に便乗して、旅順の占領を続けたいと考えたのである。旅順は日清戦争以来の係争地であるが、スターリンは戦時中より旧ロシア時代の領土拡張を求めていた。ソが戦後においても領土拡張を続けようとしているのは、既述の通り、ソ軍を対日戦に参戦させるのと引き換えにソの戦争責任が免責されたからに他ならない。

②朝鮮戦争は誰のための戦争だったか？

金日成は南に侵攻しても米軍は介入してこないと判断していた。実際にも北の侵攻は米にとって計算外だった。米は北の軍事力を過小評価していたが、北はソ軍の支援で優勢な軍備を保持していた。南には戦車などなかったが、北にはソ軍から支給されていた。その優勢を背景に、北は五〇年六月に一〇万の兵力で韓国に侵攻した。

一方、米軍は既に日本占領のための人員すらも半減させていた。軍事予算を切り詰めるための削減である。占領開始から約五年を経ており、占領に伴う経費が負担になっていた。そのため米には通訳や人夫が不足しており、また米国議会では野党の共和党が他国への干渉を嫌っていたこともあり、軍事介入には消極的だった。

侵攻が始まると北は三日でソウルを制圧した。二ヶ月目には朝鮮半島の南端の釜山《プサン》付近まで侵攻し、北の勝利は確定的と思われた。しかしこの状況に対して、米は米軍の投入を決定し、さらにマッカーサーを最高司令官とする国連軍を一六ヵ国から結成した。韓国軍は米軍の指揮下に入った。

マッカーサーは劣勢を挽回するために敵中上陸を立案した。北が占領する半島の真ん中に上陸し、北軍を分断する作戦である。敵前への上陸は危険を伴うが、大胆で英雄的な作戦と言えた。それはマッカーサーが次期大統領を狙ってのことで、太平洋戦争・日本の統治の功績の上にこの作戦を成功させて、世界的名声を得ようとしたのであった。

そして米軍に不足する人員は日本から賄《まかな》われた。米軍基地で働く日本人などに従軍の依頼があり、上陸作戦の輸送を担った。しかし、占領下にある日本から海外へ渡航することはできないはずの行為だった。かつポツダム宣言にも新憲法にも抵触する非公式参戦である。そのため、実際には日本人も戦闘に参加して五七名以上の死者まで出しているのに、その事実は現在も公表されていない。この隠蔽された米軍との非公式な関係は後のベトナム戦争にも引き継がれることになる。

上陸作戦が成功し、国連軍が満洲付近まで迫ると、マッカーサーは金日成に降伏を勧告した。国連では既に朝鮮の民主的な統一を目指す決議が採択されていた。ところが、そこに中華人民共和国の義勇軍が参戦してきた。二六万の中国軍が半島に押し寄せると、国連軍は数で圧倒され、戦局はまた一転した。

毛沢東が突如として参戦したのはスターリンが嗾《けしか》けたためだった。スターリンは毛沢東に対し、米の同盟国となった日本が今に軍国主義を復活させるので、その前に戦争に踏み切る必要があると唆《そその》かしたのである。北朝鮮を支援することで米をアジアに釘づけにし、その間に東欧の支配を固める算段であった。

こうしてソ・中・北はそれぞれの思惑と狙いから、相互に利用し合う駆け引きをしながら戦っていたわけだが、それは後に相互の不信感を生むことにもなる。

③なぜソ連は拒否権を発動しなかったのか？

朝鮮戦争は、結果的には金日成が中ソの同意を得て遂行した。しかし、ソは国連軍が韓国を支援するのに対して、国連安保理での拒否権の発動はしなかった（そもそもは孤立を懸念したソが「拒否権」制定を求めた）。米が主導して国連軍を派兵できたのはソの反対がなかったからである。

ソが拒否権を行使しなかったのは、まさに安保理における問題のためであった。安保理の五大国は旧連合国としての米英仏ソ中であるが、中華人民共和国が成立した結果、その中国の席に着くのが蒋介石であるのか、毛沢東に変わるべきなのかという中国の代表権の問題が生じていたからである。

当初は蒋介石の国民党が中華民国を代表する政府であったが、それがわずかに台湾を統治するにすぎない政府となった。そのため大陸全土を統治する中共とどちらを中国の代表とすべきかが問題となり、ソは中国の代表権を直ちに中共へと変更すべきであると主張した。それに対して米は強硬に台湾支持を続け、以後は台湾への軍事支援を行うようになる。

すると、ソは安保理をボイコットする戦術に出た。五〇年一月の安保理への出席を最後に、以後の出席を拒絶して代表権の移行を訴えたのである。またソは、日本の占領政策を審議する対日理事会についてもボイコットを表明した。

六月に朝鮮戦争が始まったが、ソが拒否権を発動して国連軍の派遣を阻止するには、ソの代表団が安保理に復帰して国民党の代表者を含む各国代表団と話し合わねばならず、安保理に再び出席しなければならない。しかし国民党を中国の代表とする安保理に出席し、その安保理を利用した審議や拒否権の発動をすれば、形式上ソは中華民国（台湾）を五大国の一員と認めたことになる。そのためスターリンは安保理に復帰して拒否権を行使することよりも、中共政府との関係づくりを選択した。そして、戦争には米をアジアに釘付けにする利点も見出されたわけである。

但し、ソは八月には安保理に復帰しており、果たしてスターリンがどこまで計画的に行動していたのかは明らかではない。ソが安保理に復帰すると、拒否権の発動を懸念した米は、安保理の議決がなくとも総会による多数決があれば軍事行動を決定できるとした「平和のための結集」を提案した。国連が世界の安全保障の義務を果たすため、総会が安保理に代わって軍事力を使用できるとした案である。そしてそれは総会で採択された。

当時の国連は六〇ヵ国の加盟があったが、そのうち社会主義陣営は東欧六ヵ国に過ぎず、総会では米が多数派を形成して決議できた。この採択により、事実上ソの拒否権は無効化され、朝鮮戦争は五三年まで継続されることになる。

第3章

戦後復帰の国際環境

1　社会主義とアラブ諸国—反主流の世界

ソとの対決が明らかとなった米の国内では、共産主義者の追放が求められた。大きなきっかけとなったのは、上院議員のマッカーシー（Joseph McCarthy）が国務省内に二〇五名もの共産主義者がいると告発したことである。これを機に米議会を中心とした「赤狩《アカが》り」（共産主義者の摘発・検挙）が発生した。ソの拡大や中国の成立に対する危機意識から、共産主義者をスパイや「非アメリカ的」な裏狩り者として弾圧した。その過激な弾圧運動は、政府だけでなく、軍やマスコミ、ハリウッドの映画業界にも拡大していった。

①世界は中国をどのように見ていたか？

一九四九年一〇月一日に建国が宣言された中華人民共和国では、毛沢東が主席に、周恩来が総理となり、中共が政治指導を行うことが定められた。大地主から土地を没収して貧農に分け与える一方で、それまで自立的に存在していたチベットと新疆《しんきょう》ウイグルについては「自治区」として統合した。しかし、成立当初の中共政府は共産党員ではない代表者も多く含まれており、建国の時点では未だ社会主義路線が決定づいていたわけではなかった。

そして、西側諸国もまたその中共とどのように付き合っていくかという判断を一致させてはいなかった。例えば、英は五〇年一月にいち早く中共政府を承認した。香港の租借のためである。米は承認の先送りを主張していたが、香港の維持のためには中共政府の合意が必要だった。その直後に英米はチベットを中国から分離して独立させようと画策したが、中国軍の支配は覆せなかった。そして中共は、翌二月に「中ソ友好同盟相互援助条約」を締結し、ソの経済援助を取り付けた。

この段階では、東西の対立陣が固定化されていたわけではないことが解る。中ソの相互援助条約には米への対抗姿勢が見られるが、英米間には一致した方針がなかった。GHQのG2などは対ソ戦が不可避であると考えており、共産主義国との全面対決を想定した。そのため米は中国への経済制裁を与え続けていこうとするのだが、これに対して英は、中国が共産化してもそれが必ずしもソとの統一行動をとる国家になるとは限らないと考えた。

英はスターリンと対立しながらも、毛沢東政権と上手く付き合うことができると見ており、つまり中国を西側に引き入れるか、それが不可能でも中立的な立場に置こうとしていた。当時の英がそのように判断したのは、社会主義国でありながらソの統制を拒否し、独自路線を歩み始めたユーゴスラビアの存在があったからである。

ユーゴはかつてのオスマン帝国領に属した地域で、ロシアとオーストリア間の係争地でもあった。ユーゴは第一次世界大戦の結果、バルカン諸国（セルビア・クロアチア・スロベニア／300頁地図参照）を統合して成立したが、第二次大戦中にクロアチア地域がナチに協力したことで分裂した（『明日のための現代史』上巻、第9章3②参照）。大戦が終結すると、ナチへの抵抗運動を指揮していたユーゴ共産党書記長のティトー（Josip Broz Tito）が再統合を果たした。

ユーゴは社会主義国として再建国したが、ティトーは必ずしもソとの関係ばかりを優先するわけではなかった。それまで連合国と共闘してナチと戦ってきたことから、戦後も連合国との関係を重視した。また自力でナチの支配から脱したとの認識から、ソがユーゴに対して指導的に振る舞うことを嫌い、ソの押しつけや不平等な経済関係を拒絶したのだった。

ユーゴの自立を懸念したスターリンは四八年にユーゴをコミンフォルムから除名し、翌年には友好相互援助条約も破棄した。ユーゴは社会主義路線を選びながらも、ソとは決別して独自の道を歩むことになり、国内で大幅な自治権を認める独自の社会主義をつくろうとしていった。一方、ソはユーゴの分離を契機に東欧の統制を強化するようになった。ソの支配圏内では社会主義の多様なあり方は否定され、ソ連指導部のやり方に一元化されていくのである。

そしてこのようなユーゴの例を見た英は、中国との関係を独自に定めたのだった。英の関心は戦前からの英連邦の権益が護られることにあり、そのためソの拡大阻止が大前提だった。これに対して米は、ソの東欧支配よりもむしろ中国の共産化を危険視しており、英の植民地主義にも賛同しなかった。そうした米の態度は英にとって好ましいものではなかった。但し、英が戦争の負担から立ち直るには米の援助がなくてはならず、そうした微妙な関係の中で冷戦は進行していたのである。

②パレスチナ問題はどのように起きたか？

中東では英の主導によってイスラエルが建国された。大量のユダヤ難民の行き場として「約束の地」を用意したが、そのためにパレスチナの地に居住しているアラブ人らが排除されていた（『明日のための現代史』上巻、第2章1②参照）。

戦後のパレスチナは英が統治していたが、現地の紛争が手に負えなくなったため国連に責任を転嫁した。四八年四月、国連はユダヤとアラブでパレスチナを分割する決議案を採決した。アラブ諸国は反対したが、過半数により可決された。しかし、それを不服とするアラブ側はイスラエルとの中東戦争を引き起こすことになる。

アラブとユダヤの対立は冷戦の進展と重なったために、米ソがこれに介入し、国際紛争に発展していった。国連の分割案に反対したアラブ諸国（エジプト・シリア・レバノン・ヨルダン・イラク・サウジアラビア／257頁地図参照）は採決の翌月には早くも軍事行動を起こした。シリア・レバノン・ヨルダンにはイスラエルの建国により追い出されたパレスチナ難民が逃れていた。

パレスチナ問題は、国連の最初の国際紛争の調停事案となり、また合意形成に失敗したことで最初の国際紛争にもなった。後に「第一次中東戦争」と呼ばれることになる戦争の勃発である（アラブは「パレスチナ戦争」／イスラエルは「独立戦争」と呼称）。

戦局では、王制や豪族連合を基盤とするアラブ諸国は連携が上手くとれず、戦力も脆弱《ぜいじゃく》だった。初戦は優勢だったものの、米の支援を受けるイスラエルに勝利することができず、国連の停戦勧告を受け容れた。イスラエルは当初の分割案よりも広い領域を確保して独立することになった。そしてユダヤ難民のために建国されたイスラエルが大量のパレスチナ難民を生み出した。難民キャンプでのテント生活を余儀なくされ、その中からゲリラが育ち、現在に及ぶ抗争となる。

エジプトでは中東戦争に敗れた影響から五二年七月に革命が起こった。王制に対する軍部のクーデターが起こされ、それを指揮したナセル（Jamal Abd al-Nasir）の指導によって共和国を成立させた。こうした中東戦争の影響は、他のアラブ諸国にも波及し、パレスチナを焦点に国際問題となるのである。

2　占領政策の転換

中華人民共和国が成立したことは、米の戦後構想に大きな修正を迫った。かつてのＧＨＱは親米的な蒋介石の中華民国をアジアの軸にしながら日本を統制しようと構想していたが、その計画は完全に覆された。それはまたＧＨＱの権力構造も変化させた。主導的であった民政局の後退と、マッカーサーの解任である。

①朝鮮戦争で日本の占領はどう変わったか？

朝鮮戦争に至る過程で、ニューディール政策がインフレ傾向を助長したとして否定され、緊縮政策（ドッジライン）が実施されるようになると、ＧＨＱの主導権は民政局からＧ２（参謀第二部）へと移った。Ｇ２が主導権を握るようになったのは、朝鮮戦争によって軍事的な要請が発生し、参謀部の役割が高まったためでもあるが、何より決定的であったのは共産主義者を追放する「レッド・パージ」（赤狩り）と、公職追放の解除である。

冷戦の顕在化と中共政府の成立により、米は日本に「反共の防壁」という新たな役割を求めた。民政局が実施した治安維持法の廃止や、特高警察の廃止などの民主化方針を転換し、共産主義弾圧に切り替えた。弾圧はＧ２の主導によって行われていくことになる。

一九五〇月五月、マッカーサーは以後の日本共産党を非合法化する可能性を声明した。共産党は前年の総選挙で二九八万票を獲得していた。マッカーサーの措置に反対を表明した共産党は、三〇日に皇居前広場で人民大会を開催したが、私服警官が潜入したとして騒ぎとなり、大会を監視していた占領軍との衝突事件を起した（「五三〇事件」）。

六月に朝鮮戦争が起こると、民間の教育機関や企業にも共産主義者の追放が指示された。このレッドパージは日本共産党とその支持者を対象に一万人もの失業者を生み出した。またGHQは、世論の左傾化を抑制するために右派勢力の復活を促して、公職追放を解除した。軍国主義の加担者として追放されたはずの政治家らは、日本を自由主義陣営（西側陣営）に位置付く独立国として国際社会に復帰させるための担い手となった。

朝鮮戦争は、共産主義に寛容と思われた民政局の立場を低下させたが、民政局の凋落《ちょうらく》は日本の戦争放棄の方針にも修正をもたらすことになる。非軍事化・民主化の方針は、経済復興を最重視する性格へと転換されたのである。そしてそれは、戦後の日本が共産圏の国々とは絶縁し、米に従属して自らの外交など展開しない国になる進路を指していた。

②日本はどうして戦後復興できたのか？

四八年一〇月、疑獄事件で総辞職した芦田内閣の後に、「民主自由党」を基盤とした第二次吉田内閣が成立した。吉田を反動的な人物と見ていた民政局は組閣の反対工作を展開したが、東欧で社会主義国が成立し、中共の伸張が顕著となる情勢の中では阻止できなかった。

吉田は組閣に手間取り全省の大臣を自身が兼任して内閣を成立させたが、翌四九年二月の総選挙では各省から官僚を立候補させて、公職追放で空白となった地盤に多量の候補者を送り込んだ。それによって単独過半数を制した吉田は内閣を改造して第三次内閣を組閣する。

第三次吉田内閣は、池田勇人・佐藤栄作らをはじめとする第一次内閣時の主要官僚が中心となって結束した。吉田政権を支える彼ら官僚出身の国会議員グループは「吉田学校」と呼ばれるようになるが、吉田は戦前からの政治家を嫌う一方で、官僚の政策立案能力・行政処理能力を高く評価していた。そして自身がマッカーサーに接近することで、ＧＨＱの各部局の頭越しに諸問題に対処していくのである。

吉田は総選挙では「公共事業の増大」および「減税・廃税」を公約にしていた。ニューディール政策による積極的な財政支出である。しかし、ドッジラインによって傾斜生産方式が否定されたことから、内閣は選挙公約を全面的に変更して緊縮財政に切り替えることになった。

当時の日本の財界や大蔵省には、不景気な中でのニューディール的な拡大政策に懐疑的な者が多く、内閣がドッジとの連携を進めることは歓迎された。民政局の政策は日本側においても否定されたわけである。緊縮政策の結果、戦後インフレは収束したが、但し緊縮は中小企業にとっては不利に働き、多くの企業が倒産した。しかし、日本は朝鮮戦争によって思わぬ景気に見舞われることで復興の機会を得ることになる。

朝鮮戦争で国連軍は日本を前進基地にした。北海道から九州まで爆撃・輸送の基地となった結果、日本は軍需物資の受注を一手に受けることになった。巨大な「補給庫」となった日本は爆弾から毛布に至るまで発注を受け、「朝鮮特需」と呼ばれる景気に見舞われた。国家予算に匹敵する巨額の資金（五八三〇億円）が舞い込んだのである。また、前線基地化した日本にはジェット戦闘機の修理などが発注されたため、ジェットエンジンや耐熱金属に関する技術が移転されもした。

日本の経済復興は占領下においてＧＨＱが指示した「経済安定九原則」とそれを実行するドッジラインによって再建されようとしていたが、そうした政策とは無関係に、隣の国の戦争によって復興した。しかも戦争の遠因である戦前の朝鮮支配の問題を置き去りにしたまま、同じ民族が殺し合う戦争を余所《よそ》に、経済復興を早々に行うことになったのである。かくしてデフレ不況による失業問題は特需によって解決された。そして非武装の方針をも転換する再軍備までもが行われることになる。

③再軍備は何のために行われたか？

日本の占領政策は反共政策に改められた。またその主要な課題であった経済復興は朝鮮戦争で達成された。米軍は横須賀の軍事利用を決定するなどして、日本は米の冷戦戦略の拠点に位置付くことが決定づけられた（横須賀は戦艦「長門」の建艦ドックなどがあった大規模な施設を伴う軍港）。

そして共産主義追放を方針化したＧＨＱは、在日米軍が朝鮮戦争に出征した後の日本の治安を警戒し、警察力の強化を求めた。戦力の空白化に伴う共産主義者の政権獲得を阻止しようとの対策である。

五〇年八月に「警察予備隊令」（政令二六〇号）が発令され、七万五〇〇〇人規模の「警察予備隊」の創設、および海上保安庁の増強（八〇〇〇人増）が行われた。警察予備隊の新設によって旧軍人が続々と復帰し、それは旧軍人に対する事実上の公職追放の解除となった。また朝鮮戦争では旧海軍がソ連製の感応機雷（接近する船に感応して爆発する機械水雷）の処理を担っており、海上保安庁の警備隊がその掃海《そうかい》部隊を前身に増強された。戦争への加担行為は憲法に違反するため極秘裏に実施されたが、海上保安庁は米軍から掃海の能力を高く評価されたのだった。

警察予備隊の創設はＧ２が主導した。Ｇ２は再軍備を必要視し、陸軍出身の服部卓四郎《はっとりたくしろう》（元参謀本部作戦課長）に「新軍」の編制を指示した。服部は自身を長とした約四〇〇名の編制表（「服部リスト」）を作成し、かつての上官で吉田茂の軍事顧問となっていた辰巳栄一《たつみえいいち》（吉田の英国大使時代の駐在武官・元陸軍中将）とも協議して、四個師団体制の新軍案を作成した。

再軍備は、米軍の司令官などからは強く求められたが、マッカーサーは強い反対を示した。再軍備は占領の性格をゆがめる上に、憲法改正が必要となるとして、特に空軍力の保持などは決して認めようとしなかった。Ｇ２と対立する民政局も旧軍人の復帰に反対し、新軍創設への干渉も試みた。軍人の復帰には、豪・比などからの反対も予想された。

憲法に違反するはずの再軍備は、憲法に抵触しないことを建て前として、国内の治安維持のためと説明された。最終的には、「戦力」にはならず但し将来的には増強できる予備的軍隊を創設するとした折衷案による軍備増強が定められた。日本国内でも米の押しつけに対する強い懸念や反対の意向が示されたため、マッカーサーは旧軍の正規将校は新軍には採用しないと明言することになったが、元将校らの存在なしには新軍の創設は捗《はかど》らず、結果的には旧軍の大佐以上（課長・連隊長の経験者）を中心に予備隊の創設が進められた。

旧軍の幹部を排除した当初の警察予備隊では、元内務官僚が長官になり、戦時中の見習士官が一等警察士（大尉）や司令官（中将級）になった。上級指揮官が不足しただけでなく、役職秩序も乱れた。訓練は米軍の軍事顧問団によって通訳を通して行われ、号令や敬礼の仕方も米軍式となった。また、警察予備隊の根本精神には「愛国心」・「愛民族心」を定めたが、天皇が介在しない「愛国心」は極めて新しいものだった。

④マッカーサーはなぜ大統領になれなかったか？

マッカーサーの上陸作戦によって戦線を押し返された北軍は満洲に避難した。追撃しようとするマッカーサーに対し、トルーマンは過度に北上すれば中国を刺激して参戦を招くのではないかと懸念し、北上を禁じた。しかしマッカーサーは中国参戦の可能性を全く否定して北上した。ところが中国軍は参戦し、多大な被害が出されたのであった。

これを一挙に挽回しようとしたマッカーサーは満洲への原爆投下を求めたが、それに対し、原爆を使用すればソの参戦までをも引き越しかねないと判断したトルーマンは、大統領権限によりマッカーサーを解任した。

しかし実際のところでは、トルーマンも原爆の使用を考慮していた。一時はソ軍が戦略爆撃機を極東に配備するなどしたため、トルーマンはグアム島に九発の原爆を輸送させていたのだったが、マッカーサーの暴走を憂慮してそれを知らせはしなかった。

中国軍の人海戦術で戦線が泥沼化すると、米は無差別爆撃を実施するようになった。以後の三年間で半島には戦時の日本への爆撃量を遙《はる》かに上回る爆弾が投下された。夥《おびただ》しい市民の犠牲を出して一進一退した戦闘は、三八度線付近で膠着状態となった。

金日成は半島全域が焦土となるのを避けるために休戦を求めるようになったが、毛沢東は戦争継続を求めて反対した。スターリンも毛に同調し、休戦を認めようとはしなかった。しかし、五三年三月にはスターリンが死去したことで、毛も休戦に同意するようになった。金日成からソに休戦が提起され、米ソ間で合意された。南側でも初めは李承晩が休戦を承服せず、半島の統一を求めた。それを米が説得し、李は米との相互防衛条約（共同防衛）を結ぶことを条件に休戦を認めたのだった。

朝鮮半島は米の爆撃によって北も南もなく焼き尽くされていた。五三年七月二七日に板門店《パンムンジョム》で事実上の休戦が合意され、戦争終結と同時に現在にまで至る朝鮮の南北分断を決定づけた（協定はあくまで停戦であり現在も戦争は継続している）。

他方、北にとっては勝てるはずだった戦争に勝てなかったばかりか、国土を焦土にして暫定的な休戦に留めただけに終わった。金日成は中ソに対する不信感を募らせ、自らも核開発に乗り出すようになる。戦争の継続と北の核開発は北東アジアの宿痾《しゅくあ》となる。

３　サンフランシスコ講和条約と日本の独立

朝鮮戦争の開戦時、日本の占領は既に約五年が経ち、本来的には講和による戦後処理を進めるべき時期にあった。特に最大の被害国である中国との講和は不可欠だったが、今や共産圏として米と対峙する中ソとの関係を見定めるのは困難だった。

講和条約は交戦国となった全ての国と行われる必要がある。しかし全ての交戦国との「全面講和」のためには、中ソといかに関係するのかを定めねばならない。この問題に対し、米は中国の国際社会入りを妨害するためにも、日本との講和は西側諸国だけが行う「単独講和」によって進めることを考えるようになった。

周恩来は、米の方針を日本の植民地化として認識していたが、朝鮮戦争に中国が参戦し、米中間での国際紛争となった時点で、中国が国際的に承認される可能性は得がたくなった。米が国連の多数派を形成していたためである。中ソ同盟が強化されるほど、日本の国際復帰は英米主導で進める方針へと進められるのであった。

①「全面講和」か「単独講和」か

中ソ両国が一九五〇年二月に締結していた「中ソ友好同盟相互援助条約」（国共内戦後の中がソの援助を取り付けた条約）には「日本の軍国主義復活への反対」が明記されていた。さらに、日本国内でのレッドパージ（共産主義追放）によってもソとの関係は悪化した。しかし、国連安保理での拒否権をもつソとの国交は、日本が国連に加盟して国際社会に復帰する必須条件だった。

そうした問題を含む講和に対して、与党（吉田内閣の基盤であった民主自由党は芦田派（民主党）の一部を取り込んで五〇年三月に「自由党」（吉田自由党）に改称）は、米の主導する自由主義陣営に位置づく国だけとの「単独講和」によって早期の占領独立と復興を目指すことを主張した。

対する野党・社会党は交戦国すべてを含む「全面講和」を主張した。日本の安全は国連の集団安全保障に求められるべきとして、冷戦に加担することに反対したのである。また、日本の復興には中国との貿易が必須であるにも拘わらず、「単独講和」ではその実利も失うことになるとして、全面講和でなければ国際復帰の要件を満たせないことを指摘した。

但し、党内で分裂する社会党は一致した反対論陣を張ることができなかった。革命を目指す左派は、米英の主導する自由主義陣営からは脱しなければならないが、右派は欧州型の議会主義の立場から自由主義陣営に留まって構わなかった。こうした社会党内の違いは、この後に自衛隊の存在をめぐっても生じることになる。

分裂しながら反対する社会党を余所《よそ》に、吉田内閣は米との関係を優先して単独講和を選択した。五一年七月には、米軍の将来にわたる駐留継続を認めて、日本も再軍備を行う方針が定められた。吉田は「全面講和は空念的」で非現実的であり、「危険思想」を蔓延させるものとして社会党の反対意見を非難した。また東大総長の南原繁が「全面講和論」を講演したのに対しても「曲学阿世《きよくがくあせい》の徒《と》」と罵倒した。

吉田は、池田勇人・一万田尚登《いちまだひさと》（財界代表）・徳川宗敬（参院代表／緑風会議員総会議長）らによる全権団を組織して講和会議へと向かった。閣僚のみならず、議会や財界からも代表者を得て全権団を組織したのは、超党派の体裁をとることで、単独講和が日本の総意であるとアピールしたものである。そのため吉田は社会党にも参加を呼びかけたが、社会党は全権団への参加を拒否した。

五一年九月四日〜八日に行われたサンフランシスコ講和会議は、米英両政府からの招請状を受けた五二ヵ国の参加によって開催された。中国共産党政府・台湾政府（国民党）・北朝鮮・韓国・モンゴル（蒙）は招請を受けなかったため参加していない。中国については共産党か国民政府かのどちらか一方のみを招待することが避けられた結果である。朝鮮についても同様だった。蒙はソの保護国となっていたことが原因であるが〔ソの後援によるモンゴル革命で中国から独立した蒙は、一九二四年にはソに続いて社会主義国家となった。首都をウランバートル（赤い英雄の都）に改称し、以後はソの衛星国として共産党による独裁体制が敷かれた〕、中国を招請せずに蒙を参加させることは避けられた。また、冷戦に巻き込まれることを懸念したインド・ビルマ・ユーゴスラビアは自ら不参加を選んだ。

そして講和の条約については、ソが中国共産党を支持する立場から調印を拒否した（千島列島の領有が確定しなかったことも拒否の理由／87頁に後述）。チェコとポーランドもソの決定に従ったため、調印したのは参加国のうちの四九ヵ国となった。日本の国際復帰は、こうした欠落を抱えた講和条約によって迎えられた。

②講和の条件は何であったか？

吉田が強行した講和の方針は、米との協議によって定められていた。朝鮮戦争が継続する中で、米側は占領が終了した後の日本の国防や再軍備をどうするか先決せねば講和はできないと考えた。そして米は、米軍が日本で不自由なく活動できる協定を作ろうと考え、その構想は五〇年九月には正式に決定していた。その上で、日本に冷戦での一定の役割を担わせるため、戦争被害国から日本に対する賠償請求を放棄させ、日本が再軍備を果たすまでは米軍が駐留することを講和の前提条件とした（「対日講和七原則」）。

その再軍備の問題を日本側と協議するため来日した特使がダレス（John Foster Dulles）である。ダレスは共和党の有力者で、後に安保条約の「生みの親」とされる通り、日本の再軍備を積極的に求める立場だった。来日したダレスは、五一年一月から翌月にかけて三度にわたり吉田首相と会談し、講和と安全保障について協議した。

米が示した対日講和の原則では、再軍備こそが講和の前提だったが、しかし吉田は再軍備に消極的な姿勢を見せた。経済復興を最優先にして、軍備には極力予算をかけないことを望んだためである。

吉田はダレスに対して、既に講和を達成していたイタリアの事例から、講和を急げば賠償が課せられ、その上さらに領土の割譲までもが要求される懸念を述べた。イタリアの事例を引き合いにして、敢《あ》えて講和を急がずむしろ占領期間を引き延ばすことで、負担の少ない講和の機会を見計らうべきと、ダレスに抵抗したのである。賠償の放棄を方針とする講和の原則が出されても、吉田はなおダレスの再軍備要求を拒否した。吉田は、自衛戦争のためであっても戦力や交戦権は持てないという憲法解釈の立場を変えようとはしなかった（「芦田修正」による解釈変更を認めなかった）。

朝鮮戦争の続く中でダレスはそれに強く不満を表わした。再軍備は講和の前提であり、それなくしては交渉もできないと、米軍駐留の継続とともに再軍備を条件付けた。やむなく吉田は一先《ひとま》ず五万人規模の「保安隊」を創設し、将来的に民主的軍隊に発展させるという妥協案を提示した（ダレスにとっては再軍備よりも基地の自由使用が重要であったとの指摘がある。また沖縄を根拠地とすれば核を搭載した爆撃機でカバーできるため日本の軍備が不要であったとの見方も存在する）。

これによって一応の合意が成立し、講和の具体的準備も進められることになった。つまり、米と意見の一致した交戦国との間だけで講和することになったのである。国会での吉田は、全面講和を求める野党に対して、それが非現実的だなどと反論していたが、実際には米との間で初めから単独講和の方針が決定されていたからだった。

③「戦前」は如何に継続したか？

サンフランシスコ講和条約（以下、「サ条約」）では、戦争状態の終結とともに、日本の主権回復と領土の規定が定められた。東京裁判の判決受諾（第11条）や、賠償放棄（第14条）も定められたが、日本の戦争責任に対しては言及しない「寛大な講和」となった。主要参戦国の賠償請求権は放棄され、賠償を求める国家とは個別に交渉することになった。ビルマ・フィリピン・インドネシア・ベトナムに対しては別途に国別交渉が行われることになる。吉田は予《あらかじ》めこれらの諸国の代表に対して、賠償の交渉には後日応じるので講和に調印してくれるようにと働きかけていた。そして、同条約の発効とともに日本は最大の被害国である中国との講和をしないまま国際社会に復帰するのである。

また「サ条約」の締結の同日、「日本国とアメリカ合衆国との間の安全保障条約」を締結した。所謂「日米安保条約」である。安保条約は前文と五条から成るが、内容としては日本が米陸海空軍の配備を許与し、米軍は必要な数の兵力を必要な期間にわたって駐留できるとしたものである。即ち、吉田・ダレス会談によって合意された取り決めによる条約である。

安保条約の体裁《ていさい》の上では、米軍は日本国内に介入し得るが、日本に対する援助は米軍にとっての義務にはなっていない。また、軍隊の配備についての規律は別途「行政協定」で決定するとした。その「日米行政協定」（「日本国とアメリカ合衆国との間の安全保障条約第３条に基づく行政協定」）の主たる取り決めは、米軍による特定区域の排他的・独占的使用（第３条）、米軍施設に対する原状回復義務と補償の回避（第４条）、米軍艦・軍用機による港湾・空港の自由使用（第５条）、米軍の租税免除・自由出入国（第９・12・13条）、米軍経費の日本側の負担（第25条）などの実務的な内容を定めたものである。

これらは講和条約とは別個に吉田首相個人の名において締結するものとされ、「日本国は武装解除されているので固有の自衛権を行使する有効な手段をもたない。『無責任な軍国主義』がまだ世界から駆逐されていないので、米国との安全保障条約を希望する」との理由説明が付された。「無責任な軍国主義」とは、ソおよび中国を指している。

東西冷戦の対立構造と朝鮮戦争によって、日本の占領政策は「非武装・平和主義」から、「再軍備・西側陣営の一翼」に転換され、日本の講和のあり方までが規定された。単独講和に踏み切った日本は、国際社会への復帰とその後の経済成長を得ることになる。それは多くの問題を置き去りにすることになったが、講和条約の締結で日本の占領は終了し、講和条約が発効する五二年四月にGHQが活動を停止した。

五月三日には日本の独立回復と新憲法施行を祝う祝典が皇居前広場で開かれた。四万人の群衆が集まったと言われる。新憲法を迎えることは、天皇が「象徴天皇」に変わることを意味したが、昭和天皇はこの祝典の場で国民の前に戦争の反省を述べたいと発言していた。東京裁判で明らかとなった南京事件などの犯罪は全く酷《ひど》いと漏らし、自身にも道義的責任があると語っていた。しかし吉田は天皇が「反省」を口にすることを認めなかった。新憲法の施行を機に退位を求める声があったため、それを口実に戦争責任や退位論が蒸し返されることを嫌ったのである（この経緯は初代宮内庁長官の田島道治《みちじ》の「拝謁記《はいえつき》」公開によって明らかとなった）。

象徴となったはずの天皇を前にすると、群衆からは期せずして「天皇陛下万歳」の声があがり、三唱が行われた。

4　日本の軍備

米は、極東ソ連軍に対抗して北海道の防衛体制を強化せねばならないと考えていた。またそれが太平洋上での米の国防自体にも影響すると認識していた。しかし、日本側にはそのような脅威認識はほとんどなかった。

ポツダム政令によって発令された「警察予備隊令」は、講和条約の発効後には失効することになっていたので、警察予備隊は一九五二年一〇月一五日に「保安隊」へと発展し、国内保安のための武装部隊となった。警察予備隊の装備は軽火器に留まるとされたが、保安隊には重装備化が認められた。ライフルや機関銃など米軍の余剰兵器が支給され、六〇年代までには大型機関銃・迫撃砲・通信機材なども支給されるようになる。

こうした「保安隊」への格上げは、警察力の不足を補うための「警察予備隊」がなし崩しに保安機関に拡大することを許したもので、それは憲法九条に矛盾するはずの自衛隊を成立させる前提となった。平和憲法の建て前すらも破られることになったのである。

①日本は再軍備の条件を何に求めたか？

五三年一月、米ではアイゼンハワー（Dwight Eisenhower）が大統領となり、二〇年ぶりに共和党の政権が樹立した。国務長官には対日講和の責任者であったダレスが就任し、アイゼンハワー政権は共産主義を敵視してソと対峙する強硬な政権として登場した。また予算局長官にはドッジが就き、朝鮮戦争で増大した米の軍事費を大幅に削減する方針が出される。

ダレスは保安隊をさらに増強させるよう性急に再軍備を求めたが、吉田はなおも反対していた。再軍備は経済の発展に伴って行うもので、そうでないなら米からの援助が必要だとの姿勢を崩さなかった。米側は援助だけを期待するかのような吉田の態度を批判した。

戦後の米は「マーシャル・プラン」によって欧州各国の復興のために多額の資金援助を行っていたが、朝鮮戦争が始まってからは軍事分野に絞った支援に切り換えていた。それが各国の再軍備を支援するための「ＭＳＡ協定」（相互安全保障法／米が同盟国の軍事増強を財政支援する法）である。このＭＳＡによって、日本に対しても援助を与えるのと引き換えに、日本が独自の防衛努力を行うことを義務づけようとしていた。特にドッジの緊縮財政の中で、米軍が陸上兵力を維持し続けるよりも、日本に防衛力を増強させる方が少ない費用で済むと考えられた。

しかし日本側には、米が再軍備を求めるならその分のさらなる経済援助を得たいとの期待があった。特に財界はＭＳＡが朝鮮特需に続く経済の浮揚策になることに期待しており、再軍備に費用を割くことを望まなかった。そのような日本に対し、米は以後の援助は再軍備を前提とした支援であり、単なる経済援助はもう行わないと告げた。そもそも「朝鮮特需」には米からの間接的な経済援助としての意味があったのであり、さらなる経済援助を引き出すことはできなかったのである。

それでも再軍備を極力行いたくない吉田は、日米間の意見調整のために池田勇人を渡米させた。五三年一〇月五日から三〇日にかけて、池田は国務次官補で極東問題を担当するロバートソンや、ドッジらと折衝した（「池田・ロバートソン会談」）。

国民生活を犠牲にするような負担は避けたいとする池田と、再軍備を求める米側との間では激しい議論が交わされた。最終的には、米の要求よりも小規模な再軍備に留めるが、その代わりに米の余剰農産物を日本が買い付けることで合意した。日本は五〇〇〇万ドルの余剰農産物を買い取り、米はその八割を日本の軍事計画への援助に使用し、残りの二割は日本の経済復興資金として払い戻されるという内容である。これらの取決のために、「日米相互防衛援助協定」・「農産物購入協定」・「経済的措置に関する協定」・「投資保証に関する協定」の「ＭＳＡ関係４協定」が調印された（五四年三月八日／五月一日に批准）。

池田が取り付けてきたＭＳＡの締結には日本国内の合意はなかった。最終的には国会で承認されたものの、野党は政府の秘密外交であると批判した。また再軍備についても意見が割れた。吉田の自由党への対抗を目指して結党された「改進党」（総裁：重光葵）は憲法九条の枠内で民主的自衛軍を創設し、米軍が撤退することを求めており、必ずしも再軍備を認めないという立場ばかりでもなかった（結党直後に合流した芦田は再軍備を目指す国民運動を進めた。芦田が集団安全保障のための軍備を認める立場だったのは先述の通り）。日本の再軍備はこうした意見対立の合間を縫って進められたのである。

②自衛隊はどのように創設されたのか？

池田の交渉で妥結された後も、軍備増強の具体的な規模は不明なままだったのだが、将来の防衛計画の立案も必要となったこともあり、日本は「保安隊」を「自衛隊」に改組して他国の侵略に対応する軍備計画を立てた。

五四年七月に防衛庁が設置され、陸海空の自衛隊が創設された。自衛隊の実態は、米軍の軍事力を補完する軍事力としての存在である。それは装備や訓練の内容から明らかだった。占領政策転換からの再軍備路線は、ついには憲法の理念との間にも矛盾を発生させ、違憲であるはずの軍事力を生みだした。

保安隊も米の軍事顧問団によって教育・指導されていたが、それは日本の地上部隊が米国流の軍事訓練を実施することを意味した。但し、様式については旧軍の形式を復古させている部分もある（例えば、敬礼は屋内の脱帽時にはお辞儀するが、それは米軍式から旧軍式に改められた振る舞いで、現在も継承されている）。

それでも陸上組織は全般的に米国式が採用され、米の主導によって成立した。しかし、それに比べて海軍力の復活は敗戦直後から海軍関係者らによって既に独自に取り組まれていた。米内海相や野村吉三郎らの主導により一定程度の独自性をもって設立されたのだった。それは指摘するまでもなく、東京裁判に至る過程で海軍が米の黙認の下に生き残ったからである。米内は海上自衛隊（海自）に「海軍伝統の美風を後進に伝える」ことを要望した。その海自が現在においてなお「海軍の伝統」を公言できるのは、陸軍に戦争責任の多くを負わせたことによるものなのである。海自では戦後も軍歌が歌われていた。五二年四月の平和条約発効と同時に、海上保安庁（警察部隊）から独立分離して海自の基となる警備隊（軍隊）が発足した（海自となるのは五四年七月。陸上部隊も同年に陸上自衛隊となった）。

米は再軍備の要請とともに、朝鮮特需が終わった後も日本のドル収入が激減することがないよう配慮するとした「特需保障」を吉田内閣に与えた。それでも緊縮財政が求められたために結局は失業者や企業倒産を発生させる不況に陥った。米の措置は、親米的な政党を支援するのと同時に、特需に依存していた日本の財界が朝鮮戦争後に共産圏との貿易を求めることがないようにする手段であった。こうした「反共産」の立ち位置を準備した上で、戦後復帰が迎えられていたのである。

5　自民党の誕生—「五五年体制」

公職追放が解除されて、鳩山一郎などの政治家が復帰してきたのは、講和条約締結の過程であった。鳩山や、東條英機内閣の閣僚であった岸信介《きしのぶすけ》が自由党に入党したが、彼らは官僚出身者が結束する「吉田学校」とその内閣を「側近政治」だと批判した。吉田は突如として衆議院を解散（「抜き打ち解散」）して対抗したが、選挙の結果では過半数は得たものの議席数を減らした。

成立した第四次吉田内閣では、国会で吉田が国際情勢の楽観的な見通しを述べたことに対して、社会党の西村栄一が冷戦を如何に楽観できるかと質問すると、吉田が「ばかやろう」とつぶやいたのが聞こえてしまい紛糾した。吉田に対する懲罰動議の採決が行われると、与党が過半数をとっているにも拘わらず動議は可決された。党内の鳩山ら反吉田派が吉田を守ろうとせずに議会を欠席したためであった。吉田はまたも衆院を解散したが（「バカヤロウ解散」）、「鳩山派」の二二名が自由党を離党し、政権は弱体化した。

吉田は第五次内閣を成立させはしたが、選挙ではついに過半数を割った。その上、造船に関する疑獄事件が起きた。幹事長の佐藤栄作に容疑がかかったが、内閣は佐藤を庇《かば》い立てようと、犬養健《いぬかいたける》法務大臣が指揮権を発動して捜査を打ち切らせた（犬養法相は犬養毅の次男。昭和電工事件で逮捕された芦田に替わり民主党総裁となった。民主党が分裂したため自由党に入党）。佐藤は追及を免れたが、犬養は指揮権発動の責で法相を辞任することになり、政権の維持はもはや困難となった。吉田は改進党との提携を模索したが、改進党の重光や芦田との間では政策でも人事でも折り合わず、ついに総辞職した。

吉田は政界を引退することになったが、脱党した鳩山は反吉田派を集めて改進党と合同し、新たに「日本民主党」を結党した。かくして五四年一二月には、この民主党を基盤に鳩山内閣が成立した。社会党の協力を得て（吉田内閣の打倒で一致）成立した少数与党であったが、鳩山内閣はそれまで吉田が路線化していた米との密着外交を否定し、「自主外交」と称して社会主義国との国交回復を掲げた。また「単独講和」から続いてきた米への従属を改めると唱えた。

鳩山の登場までには、国会やその他で吉田の姿勢がワンマンであるとの批判が高まっていた。吉田は遠慮の無い物言いで、それが頼もしいと国民の支持を得てもいたが、国会では野党議員を面罵《めんば》し、横柄な態度をとって見せていたことに批判が出るようになった。その反動もあって鳩山には大きな期待が集まり、「鳩山ブーム」と言われたほどの人気を集めた。しかし、「反吉田」の新党として結党された民主党は、自由党（吉田派）からの協力を得られず、議会でも法案を成立させられない状況が続く。

また内閣は社会党との間で衆院の解散を約束していたため、五五年一月に総選挙を実施した。その結果、民主党一八五議席、社会党一五六議席、自由党一一二議席となった。民主党は第二次鳩山内閣を発足させたが過半数には及ばなかった。その一方で、社会党はそれまで党内で右派・左派に分裂していたのが、徐々に団結するようになった。右左両派はともにＭＳＡが対米従属を決定づけるとして反対したが、さらに疑獄事件を隠蔽した吉田内閣を打倒すべきとの共通目標ができると、接近するようになった。そしてついには政権獲得を目指して統一するのであった。そうした社会党の勢いは民主党にも自由党にも危機感をもたらした。

片山・芦田の連立内閣が短命に終わった後、党内分裂を抱えた社会党が第一党になる見込みはなかった。両派の対立は殴り合いまで起こすほど酷《ひど》かった。そのため自由党は政権を失う心配などする必要がなく、もっぱら党内の派閥争いに傾注した。ところがその間に右派・左派は合同し、議席を伸ばしたのである。さらに社会党が躍進した背景には国際的な潮流もあった。明したが、その中ではかつての日本への強硬姿勢が転換され、国交回復が呼びかけられていた。両国は「日本との関係の正常化を望んでいる」と声明し、中国との間ではその直後から実際に民間貿易交渉が協議された。そうした潮流が社会党の追い風になったのである。

こうした社会党の伸張に対する危機感から、民主・自由両党の間には合同論が起こり、五五年一一月には「自由民主党」（自民党）を成立させることになった。首相の鳩山が総裁に就任し、議会の単独過半数を完全に制する保守政党として成立した。改進党の時の重光や芦田は、第五次吉田内閣との提携を拒否してはいたが、自由党との合同は必要だと考えていたわけである。つまり保守合同の発想自体は、自由党と改進党の間に既にあり、それが鳩山を担いだ民主党において実現したのであった。

以後の日本の議会では、自民党（保守）が与党として政権を担当し、社会党（革新）が野党第一党となる状態が恒常化していく（「1と1/2体制」）。保守政党としての自民党が単独過半数を維持して政権を獲り続けていくこの状態は後に「五五年体制」と呼ばれるようになる。

他方で、マッカーサーの指令とレッドパージで分裂していた共産党は、武力革命を放棄する方針を立てて再結束した（第六回全国協議会）。保守の合同勢力に対して、革新としての社会党と共産党が野党勢力として抵抗する構図ができた。

鳩山内閣は、大政党となった自民党が有利となる小選挙制度への改正と、ソとの国交回復を掲げた。五六年の参議院選挙では社会党が三分の一以上の議席を確保したために、選挙法案は参院において否決された。その後も国会では、対米従属と軍事化をめぐって保革が対立する。

6　日ソ外交と北方領土問題

日本が受諾した「ポツダム宣言」には日本の領土を日本列島に限ることが定められていた。それは主として植民地の放棄を意味したが、日本列島に地理的に連なる諸島の帰属については確定してはいなかった。一九四六年二月にスターリンが資本主義諸国との共存が不可能であると演説し、米ソ間の対立が明確となると、「ヤルタ協定」の全貌が米により明らかにされた。この時に初めて日本側は既にソが千島列島を領有するとの決定が下されていたことを知った（日本も終戦間際には南樺太と千島の割譲を条件としてソに米との和平交渉の仲介を依頼していた）。その後、日本の外務省は歯舞《はぼまい》島・色丹《しこたん》島は千島列島ではなく北海道の一部であると主張して二島の返還を要求していくのだが、千島列島の帰属問題は未決定のまま講和会議にもちこまれた。

しかし講和会議においても、ソの千島領有を嫌ったトルーマン政権は、千島列島の帰属を定めずに棚上げした。ソはこれを不服として講和条約に調印せずに議場を退出した。

その後、占領の終了に伴って対日理事会・極東委員会が解散すると、そのソ連代表部も解散したが、それは同時に日本がソとの外交チャンネルを喪失することを意味した（四八年に「民間貿易協定」として、樺太・千島の島民と朝鮮・満洲の居留民の扱いや、シベリア抑留将兵の引揚げをめぐる協議が行われていたが、正式な外交関係はその後もなかった)。ソにとっても日本への影響力を行使する方法が消滅し、日本の統治を全く米へ引き渡すことを意味した。そのためソは対日理事会の解散に反対していた。

ソとの関係は何より日本の国連加盟がかかった問題であった。拒否権をもつソが反対する限り日本は国連に加盟できず、現にそれまでソの反対を受けて加盟できずにいた。そうした問題から、鳩山内閣は日ソの国交正常化を表明したが、それはソの側から積極的に求められたものでもあった。鳩山内閣発足直後にソからの打診があったが、日本側ではむしろ外相の重光がソとの交渉に慎重だった。そうした重光の姿勢からも当初は進展しなかったが、五五年六月に再び漁業問題を焦点としてソからの打診があり、内閣はこれを機に対ソ交渉を開始した。

五四年一〇月の「中ソ共同声明」の後、一二月には中ソ同盟が結ばれていたが、そこでの中ソ両国は対日方針を一致させることを定めていた。そのため、ソとの国交が樹立されれば、中国との国交回復にもつながり得た。しかし、ソとの国交を求める外交は、日ソ接近を警戒する米との間にはさまれた状態で行わねばならない外交でもあった。

日ソ交渉はロンドンのソ連大使館で行われたが、講和の際に棚上げされた千島列島の帰属問題によって難航した。交渉の末、北方四島のうち歯舞・色丹の引渡しは認められることになったのだが、国後《くなしり》島・択捉《えとろふ》島をソが領有することを交換条件にしていたことから、米がこの交渉に強く反対してきた。そのために交渉は結局成立しなかった。また、「保守合同」で成立した自民党には、その保守的性格から対ソ強硬派の議員も少なからずおり、それらの問題から日ソ交渉は頓挫《とんざ》したのである。北方領土問題は現在にまで残存することになる。そしてソは日本の国連への加盟案に拒否権を発動し、日本の加盟を阻止した。

第4章

「第三世界」と「平和共存」

―冷戦の並行世界

1 「インドシナ戦争」―ベトナムの分断

ベトナム（越）でも日本の敗戦を機とした独立闘争が起きた。大戦が終結した一九四五年九月二日に、独立運動家のホーチミン（Hồ Chí Minh）の指導でベトナム民主共和国の建国が宣言されたが、戦前に越を植民地にしていた仏との間で戦争になった。

ホーチミンは仏の植民地下の越から諸国に留学したが、ロシア革命を知るとレーニンに師事《しじ》するようになった（それ以前の日露戦争では日本の勝利に励まされたと述べていた。／『明日のための近代史』、第8章3参照）。留学先の仏で共産主義を学び、二三年にコミンテルンの大会に参加すると常任委員に選ばれた。その後に中国で「ベトナム共産党」を結成したが、日本軍が「仏印」（仏領インドシナ）に進駐すると、越に帰国して抵抗運動を開始した。その際に結成した「ベトナム独立同盟」（ベトミン）は以後も現地で抗日戦を展開した。

かくして終戦の際に独立を宣言し、社会主義国を目指そうとしたのだが、それに対して仏は支配の回復を狙って独立を阻止しようとした。これによって四六年一二月から越の独立をかけた「インドシナ戦争」が起きたのである。

インドシナ戦争は、ラオス・カンボジアにも拡大し、旧「仏印」の全土に広がって長期化した。当初は仏軍が優勢であったが、次第に中ソが越軍を支援するようになった。中共政府の成立からアジアの共産化を恐れた米は、それまで仏の植民地主義を批判していたが、中国が越の支援を始めると、仏軍を援助し始めた。しかし仏軍は次第に越軍のゲリラ戦に悩まされるようになった。

ベトナム‐ラオス国境の盆地に布陣した仏軍が越軍に包囲され、窮した仏は休戦交渉を求めた。その交渉は、ジュネーブで国際会議として行われることになった。

拡大するインドシナ戦争を主な問題として、五四年四月からスイスでの「ジュネーブ会議」が開催された。米・英・仏・ソの四大国の他、中・印（インド）や南北朝鮮など一八ヵ国が参加し、インドシナ問題と併せて朝鮮半島についても話し合われることになった。

このジュネーブ会議に中国が参加したのは越との関係からであるが、それは社会主義圏でしか外交関係をもたなかった中国がはじめて参加した国際会議になった。またそれと同時に、米中が接触する機会にもなった。ところが会議では、米のダレス国務長官は、中国の主席代表の周恩来を無視し続けた。中共が中国を代表する存在ではないとの意思表示である。

そしてインドシナ戦争は、同会議の最中に仏軍が敗退したことで休戦協定が結ばれた。休戦は冷戦の緊張を緩和させたが、ベトナムは北緯一七度を境に南北に分断される結果になった。四大国が現地の要望を抑え込み、南北分断による休戦を決定したためである。米は南側に反共主義者を首相として擁立し、「新生ベトナム共和国」を建設した。これに対し、北側の「ベトナム民主共和国」はホーチミンを中心に社会主義国になった。

会議では、停戦中の朝鮮戦争についても話し合われたが、北朝鮮も韓国も双方の立場を譲らず、朝鮮問題には進展がなく終わった。

米は休戦協定の成立直後にＳＥＡＴＯ（東南アジア条約機構）を設立した。米・英・仏・豪・新・泰・比・パキスタンの八ヵ国による対共産包囲網の結成であり（マニラ条約）、ＮＡＴＯのアジア版である。条約に定めた地域への武力侵略が起きた場合には、共同で対処するとした内容で、中ソから南越を防衛する備えであった。

朝鮮問題と同様にインドシナ休戦も分断の犠牲を条件にしたが、それはアジアの緊張緩和を図るためのものだった。ベトナムの分断によって冷戦の対立はさらに構造化されたが、そうでありながら米英仏中ソの各国が現地の不満を抑えてまで平和共存による解決を求めたのは、各国がともに軍事費の負担から逃れたがっていたからである。

その中で、中国はインド・ビルマとも相互不干渉の平和協定を結び、近隣諸国との安定化を進めた。そしてその環境を背景に台湾との武力衝突を起こしたが、米は台湾を軍事的に擁護する立場を護り、そのため中国は台湾への侵攻まではできなかった。

２　「第三世界」の出現——「アジア・アフリカ（バンドン会議）」

終戦後の世界は、冷戦のみならず植民地各国が独立を実現する時代でもあった。アフリカやインド（印）で独立建国が起こり、深刻な内戦が起きた地域もあった。

戦後の印の独立運動は全土に波及し、これを抑制できなくなった英は撤退を決定した。そのため印は一九四七年八月に独立するが、今度は国内で宗教対立が起きた。ヒンディーとムスリムが独立の形態をめぐって対立し、分離か統一かが争われた。結局、ムスリム勢力は西インドとして分離独立することになった。これがパキスタンとなるが、両者はほどなく国境をめぐる武力衝突を起した（「印パ戦争」）。分裂の過程では、印の独立指導者のガンディーが両宗教の宥和を訴えて統一を求めたが、それが原因で暗殺された。

そうした印に対してジュネーブ会議を背景に接近した中国は、アジアの新興国の結束を求めた。米の冷戦戦略から自律性を護るために協力しようとの呼びかけである。米が中国を露骨に無視し、またインドシナ問題が大国の主導で決定されたことへの反動だった。中印の間では、平和共存や他国の不可侵・不干渉など定めた「平和五原則」が掲げられた。

さらに、印（ネルー首相）の呼びかけにより、五四年にセイロン（現：スリランカ）で開催されたコロンボ会議には、印・セイロン・パキスタン・ビルマ・インドネシアが出席し、アジア各国の自主独立を尊重することが謳われた。また、アジア諸国と同じく植民地支配に苦しめられてきたアフリカ諸国との連帯を求めることになり、「アジア・アフリカ会議」の構想が生まれた。

これを受けて、今度はインドネシアの主導によって、アフリカ諸国も含めた国際会議がジャワ島のバンドンにおいて開かれた。中印の「平和五原則」をさらに発展させ、冷戦に加担しないことを協議した。

開催国となったインドネシアは戦前には蘭印（オランダ領東インド）と呼ばれた植民地領である。その中では民主主義運動家のスカルノが独立運動を指揮していたが、弾圧によって度々逮捕・収監されていた。一九四二年に日本が侵攻すると、スカルノは日本軍に釈放され、以後は日本に協力することで独立を模索した。四五年に日本が敗退すると、八月一七日にインドネシア共和国の独立を宣言し、初代大統領に選出された。しかし、蘭は豊富な資源を手放そうとせず、四七年からは蘭との間で戦争になった（「インドネシア独立戦争」）。スカルノは苦戦したが、国連の場で植民地主義への批判が集まり、国連の調停によって独立が認められた。五〇年に改めて「インドネシア連邦共和国」となると、国内を単一国家としてまとめあげた。

そのインドネシアで開催されたこの「アジア・アフリカ会議」は、これまで植民地支配を受けてきた国々によって開催された初の国際会議となった。しかも、アフリカとの連携を唱え、実際にもエジプトのナセルらアフリカの代表を含めて、二九ヵ国の参加を得た。被支配国による国際会議など戦前には考えられないことであった。そして、それは東西陣営のどちらにも属さない「第三世界」を構成しようとする動きでもあった。

会議では、旧植民地諸国が独立後も旧宗主国から経済的な圧迫を受けていると告発され、帝国主義時代の大国による収奪が形を変えて残っているとの問題が提起された。欧米主導でしかなかった国際的な枠組みが、初めて第三世界によって築かれようとしていたのである。そしてこの中で日本は、植民地の旧支配国ながら招聘された唯一の国家だった。

すると、これらの動向を警戒した米が西側の同盟国に会議のボイコットを呼びかけた。ダレス国務長官は特に日本が共産圏と交流することを懸念した。中でも「反帝国」を訴えている中国が会議に参加していることを警戒したが、貿易の拡大を求める日本が、中国との関係づくりに向かう可能性は大いにあった。現に日本側は景気を浮揚させるには共産圏との貿易が不可欠で、特に中国との貿易を肝心と見ていた（実際に周恩来と接触した高碕達之助が後に日中貿易を実現させることになる／高碕は産業界出身の政治家）。

既に植民地での独立闘争を噴出させていた英仏はボイコットを求める米に対して、独立運動が抑え難いことを説得すると、米は今度は反対に会議に積極的に介入することで、諸国に反共産的な結束を求めようとし始めた。その結果、日本の会議に対する態度は消極的に縮こまり、高碕達之助ら政財界の代表者を送りはしたが、鳩山首相も重光外相も不参加を選んだ。アジア諸国からは日本の態度に失望する意見が出た。

しかし鳩山内閣は一方で、この会議が吉田路線（対米追従）から脱する国内向けのアピールになるとも見ており、アジアの赤化には反対だとしながらも、会議へは前向きに参加していたつもりだった。「自主外交」を掲げていたはずの鳩山内閣が、単に米に追随するわけにはいかないという自己認識はあった。

そして会議は、日本にとって戦後初めて東西両陣営の交錯する現場に中立的立場で参加する機会となったが、中国との関係改善なしには以後の平和や安定を得ることが困難であることを理解させる機会ともなった。それまで、米の戦略に位置づく他には方向性を見出せなかった日本が、米とアジア諸国との間に立ち、一定の役割を果たせる可能性があることを考察させたのである。なかでも、中国との交流は日本が「米国の手先」だとの印象を払拭《ふっしょく》し、新たな対米関係に向けての有用な手段にもなるとの見方が出てきた。

また会議は、アラブ諸国との接触の機会ももたらした。会議の後には、エジプト・イエメン・ヨルダン・イラク・レバノンの代表団が日本を訪れ、日本は産油国との関係を築き始めたのである。中東諸国にとっても日本が重要な市場だと認識された。

3　核開発と「平和共存」の交差点

第三世界が登場する裏でも米ソの核開発競争は継続されていた。一九五四年には米が水爆実験に成功した。水爆とは、原子爆弾を起爆に利用する水素爆弾である。原爆がウランやプルトニウムによる核分裂の連鎖反応を起すのに対し、水爆は水素などの核融合反応から巨大エネルギーを得る。その際、核融合に必要な高温高圧の状態を創り出すために原爆を用いるのである。原爆よりも製造が難しいが、その威力は広島・長崎型原爆の数十～数百倍とされる。現在までに、米・ソ・仏・中が水爆実験を実施しており、今も世界には米ロを中心に三万発の核弾頭が保有される（二〇一六年一月には北朝鮮が実験に成功したと発表したが水爆であったのかの確認はされていない）。

この水爆の実験が、太平洋のビキニ環礁（マーシャル諸島）で行われた。大戦で日本から接収した戦艦長門や、老朽艦を標的に水爆が使用されると、戦艦はたちまち撃沈した（現在も海底に沈んでいる）。そして、付近で操業していた日本漁船・第五福竜丸を巻き込んだ。被爆した漁船員は半年後に死亡した。ビキニは以前より核の実験場となっていたが、日本人が被爆したのは米が設定した危険水域の外だった（事件については106頁に後述）。

水爆開発の成功で、米は再びソを引き離したに思われたが、開発情報はソのスパイによって盗まれていた。ソは戦争前から米にスパイを送っており、米政府で高官になった者までいた。水爆の機密情報もソに流され、ソはその後九ヶ月にして水爆開発に追いついた。

核競争や、アジアで加熱する独立闘争など諸々の緊張を背景に、米英仏ソの四大国は五五年に首脳会談を開いた。開催地となったのはインドシナ休戦を協議したのと同じジュネーブであるが、今度は四大国のみによる会議である（四ヵ国首脳会談）。

ポツダム会談以来一〇年ぶりの東西首脳会談となった。ソ軍が東独を力で抑え込むなか、独の分裂問題や核開発が焦点となった。とりわけ米ソはお互いに危機感を募らせていたが、スターリンの死去後に第一書記となったフルシチョフは米がソと同じだけ緊張している様子を見てむしろ安堵した。そして同時に、あまりに強大化する核兵器が将来の戦争を実行不可能にするとの認識が共有されようとしていた。核兵器の保有は次の戦争への準備としてよりも、戦争の抑止に効果的であるとの評価に変わり、「平和共存」の動向が覗《うかが》われたのである。

欧州最大の課題とされていたベルリン問題については、ソが東独の維持を譲らず、具体的な成果はなかったが、「平和共存」路線が確認されたことは各国とも大きな収穫と思われた。バンドン会議で第三世界の台頭を見た四大国は、国際秩序の枠組みを維持するために何らかの合意が必要となったのであったが、それが「平和共存」に求められようとしたのである。つまり、第三世界の台頭こそが平和共存を促進させていたのだった。

4 欧州の戦後処理と「日ソ共同宣言」

①社会主義は実施されていたか？―「スターリン批判」

スターリンの後継者となったフルシチョフ（Nikita Khrushchev）は、自らの権力基盤を固めて第一書記となると、一九五六年二月の党大会において「スターリン批判」を展開した。スターリンの独裁政治は社会主義の理念などにはほど遠く、個人崇拝を強要し、粛正による恐怖政治だったと世界に暴露した。

レーニンの意に反してその後継者となったスターリンは、それまでの共産主義運動が目指してきた世界的革命を放棄して、一国だけで共産主義を貫徹する「一国社会主義」政策を提唱した後、政敵や反対勢力の大粛清によって絶対的な権力を掌握するようになっていた。フルシチョフ自身を含め、スターリンの側近らは必ずその恐怖政治に関わっていたのであり、スターリン死去後の権力闘争の中でのその批判は、フルシチョフの責任も問われかねない暴露だったが、それでもあまりに腐敗した体制を公表せずにはいられないとの判断があった。本来の社会主義を実施しようと公表したのである。

ソは深刻な物資不足と食糧危機に瀕していた。未開拓地の開墾を計画したが、工業への投資を最優先にしてきたソが新たに農業開拓を行うためには工業予算を減額せねばならず、それは負担に思われた。しかし食糧を広く分配できないことは社会主義への不信につながり、実際にも市民の不満を招いていた。都市では、大戦（独ソ戦）の被害から復興していなかったために住宅問題も起きていた。また若者層が戦争で失われたことから労働力も不足していた。そうした事情から、短期間で食糧事情を改善できる手段として未開拓地のカザフスタンや西シベリアの開拓が発案された。

ソの農業は、国営農場による生産を原則としたが、農民が自発的に組織した協同組合による集団農場（コルホーズ）も存在した。組合が生産手段を共有して大農経営を行い、生産物を分配するのである。農民は労働に応じた報酬を受け取った。集団農場の収穫物は一定の割合を国家に納めたが、残りについては自由に処分できるものとされた。他にも、地方などでは個人の居住敷地内での菜園や、家畜の私的所有などが部分的に認められる例もあった。

開拓計画は当初は成果を上げたが、次第に成長が落ち込んだ。労働力不足を解決しようと作業の機械化を試みたものの、生産手段を国有化する社会主義の原則に固執したためにスムーズに進まなかった。また新規開拓地に手当が附されると、それを不公平だと批判する声が出たが、広大なソ領の全土に巨額の手当や投資は行い切れず、上手くいかなかった。

「スターリン批判」は、一方で支配地域の東欧での暴動を呼び起こした。スターリンの支配体制をモデルに独裁的な政治を行ってきたポーランドやハンガリーで政府批判を招いたのである。かつてスターリンに失脚させられた指導者が復権するなどし、食糧不足を背景に自由選挙を求める労働者デモなどが起きた。デモは反ソ暴動へと発展していき、政情は極めて不安定になった。ソは軍隊を出動させてデモを弾圧した。

但し、ソは東欧への強圧支配と同時に欧米には「平和共存」路線を主張したのだった。財政状況の厳しさから、西側との緊張緩和を図るようになったのである。そして国内においても、フルシチョフはスターリンが戦争の危機を煽ることで権力を維持してきたことも暴露した。戦争の危機が迫っているかのようなそれまでの宣伝を否定して、核の時代となった今では、「平和共存」こそ合理的選択であり、西洋諸国と共存しながらでも社会主義は建設できると訴えた。

フルシチョフは五五年にはユーゴスラビアを訪問し、ティトー政権との関係も改善した。五月に西独がNATOに加入すると、これに対しては直ちに東欧八ヵ国との相互安全保障を定めた「ワルシャワ条約機構」を構築して対抗したが、しかし同時に西独との国交回復も行った。東独・西独の間の直接的な国交は認めなかったものの、ソと西独との国交が樹立され、それまでのスターリン体制を大きく修正する動きとなった。五六年にはコミンフォルムも解散した。

こうしたフルシチョフの「平和共存」が背景となり、英米仏ソの占領を受けていたオーストリア（墺）の占領統治も終了した。独との合併を二度と禁じるとした「オーストリア国家条約」が定められて、連合軍が撤退するとともに墺は永世中立国となった。ナチの占領地問題を引きずっていた欧州の戦後処理は、ソの和平路線を背景に概ね終了したのである。

②日本はどのように国連に加盟したか？

フルシチョフは「平和共存」による自由主義陣営との関係改善を求めたが、その中には日ソ関係の修復も位置付けられていた。自民党の結成（保守合同）を背景に頓挫した交渉は再開されることになった。

鳩山首相は、組閣の功労者であり党内の実力者でもある河野《こうの》一郎（農相／政府機構の改革を担っていた）とともに訪ソした。国交回復を最優先に交渉し、フルシチョフとの間で合意を得ることになる。

締結された「日本国とソヴィエト社会主義共和国連邦との共同宣言」（日ソ共同宣言）では、ソが日本の国連加盟を支持するとともに、戦犯容疑者を釈放・帰還させ、日本に対する一切の賠償請求権を放棄するとした。国交が回復され、以前からの漁業問題の解決を図るとともに、引き続き戦後処理のための平和条約締結交渉を行うとされた。

「日ソ共同宣言」による外交関係の回復により、日本は国連加盟を果たした。また日ソ間の経済交流が復活した。シベリアの豊富な森林資源や、欧州との連絡経路であるシベリア鉄道が利用可能となったことで日本は大きな経済的効果を得た。ソは日本を北東アジアの経済パートナーとして、対日貿易港となるナホトカの整備を行うなどした。「日ソ共同宣言」は日本にとっては「単独講和」問題を前進させ、フルシチョフの「平和共存政策」にとっては西側諸国との関係改善のきっかけにもなった。

鳩山らには、北方領土問題を一時的に棚上げしてでも国交を回復させ、日本が国際社会へ復帰する障害を先《ま》ず無くそうとの判断があった。そして、実際に五六年一二月に日本の国連加盟は実現する。但し、衝突すると思われた領土問題の交渉では、北方領土の全面返還であるのか、歯舞・色丹の二島返還であるのか、その点を不明確にしたまま交渉を進めていた。交渉の結果、ソは平和条約を締結した後に日本へ歯舞群島と色丹島を返還するとしたが、以後はこの二島返還で合意が成立したものとされ、国後・択捉の返還を領土問題として提起する機会は失われた。

その上、この後の六〇年に日本で「日米安保改定問題」（六〇年安保）が起こると、ソは歯舞・色丹の返還をも撤回することになる。北方領土付近の海域における拿捕《だほ》事件が以後も頻発するなどし、そのため国交を回復しながらも日ソ関係は再び冷え込んでいくことになる。ソにとっても、日本が西側諸国の一員になることは阻止できず、日本の親米的立場を転換するには至らなかった。

鳩山は共同宣言を締結して帰国すると引退を表明し、内閣は石橋湛山に引継がれた。

５　「スプートニク・ショック」

水面下で競われていた核開発において、ソの水爆開発は米の予想よりも早かったが、しかし核兵器を開発しても、ソにはそれを米まで打ち込むミサイルがなかった。米を直接攻撃する方法が無いなかで、米はソの周辺の親米国に核を配備する可能性があり、常にその危険に脅かされていたのであった。このように、ソが核兵器による抑止力を発揮させられないので、西側諸国はその隙《すき》に核の世界的な管理・統制を考えようとしていた。そして一九五七年七月に、原子力の軍事利用を防止するための国際機関IAEA（国際原子力機関）を設立したことで、ソの脅威が高まらないうちに原子力の平和利用を目指す国際的な取り組みを開始できたかに思われた。

ところが、ソは翌八月に大陸間弾道ミサイル（ICBM）の開発に成功し、次いで一〇月には史上初となる人工衛星スプートニクの打ち上げにも成功した。人工衛星の打ち上げはソが米に先《さき》んじたのみならず、核兵器を宇宙から世界の至る所に落とせるかのように思わせた。衛星は九六分で地球を一周した。

しかし、フルシチョフがその優位を世界に公言しながらも、同時に米に対して訴えたのは意外にも軍縮であった。核兵器の生産・使用の永久禁止と破棄を提案したのである。独ソ戦の被害からの復興が未だ進んでいなかったソでは、軍事技術を成長させはしても、その後に軍拡競争を行う負担は大きすぎると思われた。ソは国連総会でも軍縮を訴えて、ソ軍の大幅な縮小と核実験の停止まで実施した。ところが、米がこの提案に乗ることはなかった。

フルシチョフの提案にも拘わらず、米はむしろソの技術を恐れてミサイル開発を推進した。そしてスプートニク打ち上げの二ヶ月後に米も衛星打ち上げを試みた。しかし、実験はロケットの爆発とともに失敗し、その開発においてソに後れていることを印象づけるだけだった。

フルシチョフはソの軍事的勝利を確信した。それまで恐れ続けてきた米の脅威から解放されたことを喜び、毛沢東をはじめ共産陣営の各国代表を集めて祝典を開いた。以後はベルリン問題にも強い姿勢で臨むようになる。ソに科学技術で抜かれた米の狼狽《ろうばい》が軍縮の機会を逸《いっ》したのである。そして米ソ関係は、キューバ情勢を背景に、かつフルシチョフの訪米を境にして緊張に向かう。

６　「キューバ革命」と「ベルリンの壁」

南米のキューバでは、米の支援を受けたバティスタ（Fulgencio Batista）が一九五三年以来、憲法を停止して独裁体制を敷いていた。キューバは戦前からの独立国ではあったが、米資本に経済を牛耳られていた。政情不安の中で成立していた独裁政府に対して、カストロ（Fidel Castro）やゲバラ（Ernesto Guevara）ら若者らの反乱軍が立ち上がり、五七年からは政府軍に対する革命闘争が開始された。山岳地帯から蜂起した反乱軍は農民らの支持を得て、五八年末に首都への攻勢をかけると政府を打倒した。わずか十数人の若者から開始され、二年余で成功したキューバ革命は、世界中の若者に反響した。

翌五九年九月、アイゼンハワーはソとの関係改善のために非公式にフルシチョフを招待した。ソの代表の訪米は初のことであり、核競争による米ソ対立の緩和を世界に印象づけるものとなった。ところが、そのフルシチョフの機嫌を痛く損ねる事件が起きた。彼が強く訪問を希望していたディズニーランドへの訪問を拒否されたのである。

当時、開演四年目を迎えたディズニーランドは、各国の国家元首が訪れていた人気の施設になっていた。それが警備体制が整わないとの理由で実現しなかったのである。落胆したフルシチョフは彼のために開催された盛大な歓迎会で怒りを爆発させた。「本当に行くのを楽しみにしていたんだ！」と（帰国したフルシチョフはディズニーに対抗する「不思議の国」という謎のテーマパークを計画する）。

それが原因ではあるまいが、翌六〇年五月には米の偵察機Ｕ２（BlackBird）がソの領空を飛行して撃墜され、再び米ソの緊張は高まった。Ｕ２機は二万メートルの高高度から地上を偵察・撮影できる偵察機だった。米のスパイ飛行が明らかにされ、対決姿勢が浮かび上がったが、それ以上に高空を飛行するＵ２

を撃墜できるだけのソの防空力が明かにされたのだった。

米では大統領選を迎え、民主党のケネディが出馬した。共和党候補のニクソンがソの脅威を隠そうとするのに対し、ケネディはソの脅威に対処すべきことを訴えた。そしてこの選挙期間中にニューヨークで開催された国連総会ではフルシチョフとカストロが対面した。

米はキューバに経済制裁をしかけたが、カストロはそれまで米に依拠していた主産業の砂糖黍《さとうきび》の買い入れをソに頼った。そのため米は六一年一月にキューバとの国交を断絶した。直後に大統領に就任したケネディは、キューバに対しては前アイゼンハワー政権と同様にカストロらに反対する勢力を支援した。国外に亡命していた反カストロ勢力に援助を与え、彼らによるキューバ侵攻を援護したが、侵攻は成功しなかった（ピッグス湾事件）。作戦失敗によって米はキューバへの影響力を失い、また世界的にも非難を浴びた。ケネディ政権は大きく躓《つまづ》くことになった。

他方キューバでは、米ソのどちらかに付かねばならないかのような選択を嫌ったゲバラが、世界各国を訪ねて友好国の創出に努めるようになった。その後ゲバラはキューバを離れて革命運動を継続するが、以後のキューバは結局ソとの関係を深めていくことになる。

ソは六一年四月に有人宇宙飛行まで成功させた（軌道宇宙船ボストーク）。ガガーリンが「地球は青かった」と述べたのはこの時である。またも科学技術の高さを世界中に誇示した。米ソの対立が深刻化する中、キューバ情勢は緊張したまま交渉の余地を失っていった。就任から間もないケネディは、フルシチョフとベルリン問題も協議したが、ベルリンからの撤退を強気に求めるソとの間に合意は成立しなかった。そればかりか、ソは強硬手段に訴えて「ベルリンの壁」を建設した。西側諸国は戦争勃発を恐れてこれを黙認した。軍縮の機会を自ら逃した米が南米での外交に躓くと、欧州の分断が促進されたのである。

第５章　「戦後帝国主義」の登場

１　従属としての「反米」――自民党誕生の裏側

①「自主外交」は何を意味したか？――二つの「自主外交」

社会党の拡大を危険視した保守派の議員らが団結した「保守合同」（「五五年体制」）は、民主党（反吉田派）を中心にした運動であった。そのため自由党の吉田派と合同しながらも、当初の自民党の「自主外交」・「自主憲法制定」は、「吉田ドクトリン」としての「軽武装・日米協調」を批判するのと同時に、その批判が対米従属からの脱却として語られるという意味をもった。

引退する鳩山の後任には、石橋湛山《たんざん》通産大臣・石井光次郎《みつじろう》総務会長・岸信介《のぶすけ》幹事長のいずれも党の重役である三名が総裁選を争った。僅差で勝利したのは石橋で、池田勇人ら旧自由党系・吉田派の支持があった。石橋は岸を副総理兼外相に、池田を蔵相に就けて内閣を成立させた。旧民主党と旧自由党系のバランス人事である。ところが、石橋は翌月に病に倒れ、さらに翌月には辞任を余儀なくされた。そのため、石橋の後任として岸が総裁に就任し、一九五七年二月末に全閣僚を留任させて組閣した。

それまでに、吉田の引退後から自由党の総裁を務めていた緒方竹虎《たけとら》や、民主党の重役の三木武吉《ぶきち》が相次いで死去したことから、鳩山の側近であった河野一郎や、吉田学校の出身者が台頭した。そして幹事長であった岸も影響力を増していた。しかし、東條英機内閣の閣僚として戦犯容疑者であった岸が首相となることには反対や疑問視する声が多かった。

岸は東京帝大から農商務省に入省し、満洲の国務院高官となった官僚であった。満洲では、東條英機・星野直樹（国務院総務長官 - 事実上の満洲政府の最高位）・松岡洋右・鮎川義介（日産コンツェルン創始者）と並んで、軍・財・官の実力者五人に数えられた（満洲の産業を仕切る彼らはそれぞれの名前から「二キ三スケ」と呼ばれた）。このうち松岡・鮎川・岸の「三スケ」はいずれも山口県出身で姻戚関係もあった。

戦時期に翼賛選挙に立候補して政治家に転身し、東條内閣の商工大臣となり、石炭・鉄鋼の資源部門の重職を歴任した。満洲では、統制経済によって日本との一体型経済ブロックが企図され、資本家を排除した国家統制による重工業化が計画された。岸はこの統制経済を担う中心的な官僚だった。鮎川を満洲に招致すると「満州重工業開発株式会社」を創設させ、兵器・機械工業・自動車部門を鮎川に独占させた。それは、岸ら官僚が日産を中心にすることで、それまで満洲産業を統括していた満鉄から実権を奪い、満洲の産業開発を独占するためだった。満鉄の総裁は松岡だったので、松岡が満鉄の工業関連企業を日産に譲り渡し、一大コンツェルンとしたのが「満州重工業株式会社」だったのである。そして彼らの一族が石炭・鉄鋼・自動車・航空機・発電事業を傘下にした。

東條内閣の商工相になった岸は、満鉄調査会や満洲官吏であった人物らを基盤に「軍需省」を設置し、国内の軍需産業拡大を企図したが、人事において東條と対立するようになり、結果的に内閣を倒閣に追い込んだ（『明日のための現代史』上巻、第10章5②参照）。そのためA級戦犯の容疑がかけられながらも釈放され、公職追放が解除された後の五二年に政界復帰したのだった。

実弟である佐藤栄作とともに自由党に入党したが、岸の政治基盤となったのは商工相時代に結成していた議会同盟（「護国同志会」）だった。そして岸は、反軍的な吉田からは評価されなかった。開戦の詔書に判を押した経歴を持つ戦犯容疑者の岸は、戦後の自由主義を求める吉田時代の自由党では冷遇され続けた。

岸にとって東條内閣時代は負の経歴となった。首相となった最初の国会では、社会党の浅沼稲次郎から早速にも軍国主義時代の官僚であった立場を問われた。岸は「当時のことは十分に反省した」、「今日においては民主主義政治家として」務めると答弁した。

ところが、後には戦争の原因について「追いつめられて戦わざるを得なかった」と述べ、開戦についても「誠に止むを得なかった」と正当化するようになった。その認識には、国際秩序を破ったことや、侵略主義を改めることを約束して国際復帰するとしたポツダム宣言受諾への理解はなく、反省など見られない。

政界復帰後の岸は「日本再建連盟」を結成し、「反共」・「自主外交」・「米亜圏での通商経済発展」・「自主憲法制定」を掲げた。そして反吉田の急先鋒となった。

岸は「保守合同」に際しては、対米従属から脱却すると主張した。占領下の日本の議会政治が米の傀儡であり、今後は改めて議会政治のルールを立てねばならず、そうすることではじめて国民の信頼を得て、民主的政治が行えると述べたが、それは吉田路線の批判に他ならない。首相となった岸は「計画的自主経済」とともに「自主外交」・「憲法改正」を標榜し、安保条約の日米対等化を目指すとした。吉田のつくった安保は日本に片務的な内容で、米に従属的な性格なので、安保を改定して日米が対等の関係に立つと言うのである。

②自民党は誰がつくったのか？

米との対等関係を目指すとした「自主外交」は、鳩山内閣時にも着手されてはいた。鳩山内閣の重光（外相）は日本の真の独立のために米軍を撤退させ、独自の防衛力をもつことで米と対等の同盟を結ぶことを構想していた。即ち、安保条約の改定である。また重光と一万田（蔵相）は、経済政策の費用を増額するために、米へ払う防衛分担金から二一〇億円の削減を求めた。その交渉のために重光は五五年八月にダレスとの会談に向かった。

しかし、この「重光・ダレス会談」では安保の改定は先送りされた。米側から見れば、米との関係とは明らかに噛み合わない中ソとの関係改善＝「自主外交」を掲げる鳩山内閣が防衛費の減額を要求してきたことは、米を軽視するものであり、反米的な姿勢だと見なした。さらに、重光の訪米が正式に決まっていないうちに、日本の新聞は重光が防衛費削減のために訪米すると報道してしまい、それも米側の心証を悪くしていた。

しかし、当時の米は日本の要求を安易に無視することができない状況に陥っていた。その一つが前年の五四年三月に起きていた「第五福竜丸事件」である（95頁）。事件は原爆被害の記憶を新たにさせ、原水爆禁止運動・基地拡張反対運動・平和憲法擁護運動・日ソ国交回復運動などを大衆運動として呼び起こした。

米が日本国民の反米デモの抑制を求めると、日本側は一二月二七日の重光外相とジョン・アリソン駐日大使との会談で、事件の早期解決を図る見返りとして、戦犯の釈放を進めることを打診した。米はその交換条件を容れ、また被爆したマグロへの補償金を一括で支払うことで事件の早期解決を求めた。被爆者が亡くなった翌月のことである。会談の翌日、日本政府はマグロの被爆検査を打ち切ることを決定し、さらに翌週には米が「見舞金」二〇〇万ドルを支払うことで、賠償請求権を放棄する合意文書が作成された。被爆の認定や究明よりも戦犯の保釈が優先されたのだった。

米政府は、この事件をきっかけに日本に反米意識が生じることを懸念し始めた。他にも日本において、米のインドシナ休戦の処理が失策であったと見る向きがあるなどした。当時自由党幹事長だった池田などは、今後は中共と新しい関係をつくる必要があり「西欧一辺倒ではやってゆけぬ」とまで述べていた。

これらの状況から、日本の米国離れが起きたと認識した米政府は、対日政策の見直しに迫られた。そして、それまでの「経済力に見合う防衛力を配備する」とした再軍備を求める方針（NSC125/6）から、「日本の政治的安定に最大の優先度を置くべき」とする方針（NSC5516/1）に転換した。日本に圧力をかけることは有効でなく、再軍備を無理強いするよりも、日本に防衛の自主性を持たせることでアジアの安定に責任を負わせる方が良いと判断したのである（五四年に成立したＳＥＡＴＯへ日本を組み入れる構想だった／91頁）。そして五五年八月の「重光・ダレス会談」はその方針が日本政府に示される機会となった。

会談の席上で、ダレスは同席した岸と河野一郎に、保守政党が協力して大衆運動およびそれを指揮する社会党を抑制することへの期待を表明した。そして発表された「重光・ダレス共同声明」では、近い将来に安保条約をより相互性の強い条約に置き代えることが盛り込まれた。このようなダレスの意向を確認した岸の主導によって、この後の一一月一五日に自民党が結党され、「保守合同」が行われたのであった。

岸は安保を改定することで米による従属状態から脱するとした。また、米が日本のパートナーとしてアジアの発展に協力するとした。それは日本がアジアを主導し、米はそれを支える関係になるとの主張だったが、しかし実際には「保守合同」自体が米の要請を実現するものだった。日本を地域的安全保障体制に組み入れるため、米と「対等」の立場と、それに付随する軍備拡充の資格（義務）を与えていたのである。「全面講和」を意味したはずの「自主外交」はすっかり意味を変えてしまった。

2　顕現した「戦後帝国主義」

①日本はどのような賠償を行ったのか？

鳩山が中ソとの関係を構築するために掲げた「自主外交」は、吉田路線を否定する意味においては岸と共有されていた。戦前の経歴によって吉田から評価されなかった岸は、吉田政権を打倒せねば陽の目を見ず、そのための反吉田の看板が「対米自主」だった。そのため吉田政権が崩壊した後の「自主外交」には、「対米自主」としての意味は無くなっていた。そもそも岸は米側に保守合同を後援してくれるように打診していたので、その意味では当初より「対米自主」はあり得なかった。米にとっても社会党が政権に就くことを防ぐ保守合同は望ましく、それは何より日本の労働者の賃金を抑制することで緊縮財政を続けさせることに意味をもった。しかし、岸は国内では日本の主導で米・韓・台との関係を築くと主張し、反共を基軸にアジアと向き合う構想として「自主外交」を打ち出した。そして、五七年に日本の首相として初の東南アジア訪問を行い、次いで訪米した。

一九五八年には、翌年の参院選に備えた内政を立案し、五九年には「所得倍増」を公約として選挙を乗り切るとともに安保改定の準備作業を行うと、六〇年に強行採決によって安保条約を改定することになる。岸は、日本主導の外交構想について、「アメリカとケンカしちゃいかんし、ロシアともいかん、中国ともまあ出来るだけケンカせんようにして、東南アジア、インドネシアとかタイとかマレーとかを勢力圏の中に入れて、中型帝国主義になる以外にこの一億人を食わす方法はない」と述べた。

つまり、その「中型帝国主義」の確立のために、米と共同して東南アジアへの資本進出を図り、日本を盟主とした反共国家群として東南アジアを統合することでアジアを日本の勢力圏にしようと言うのである。

この発想には、戦前に自らが深くかかわった「大東亜共栄圏」の建設を、戦後の国際情勢の中で再定義して果たそうとする性格が見てとれる。

若い頃の岸は、社会主義運動に影響を受けた時期があり、国体（天皇制国家）を護持しながらも私有財産制を否定するべきだと考えていた。またその根本が「アジア主義」への憧憬であったことを自ら証言している。但し岸の構想には、再出発した戦後日本が国際社会に復帰する際の約定であった平和への誓いや、戦争違法化を破ったことへの反省がない。それが首相の立場につき、勢力圏（「勢力圏」の語も帝国主義の概念）を求めた。改憲による「自主憲法」を求めるのも、アジアへの経済進出のための圧力になる国軍を建設しようとしたものであった。つまり戦時の「大東亜共栄圏」を冷戦の観点から捉え直し、今度は米との協力の下でアジアの盟主になるとした「戦後帝国主義」と呼ぶべき構想であった。

しかもこの「戦後帝国主義」によるアジア進出は、「賠償」の名の下に進められた。ビルマ・インドネシア・フィリピンなど戦争被害国の一一ヵ国と賠償協定を締結したが、その賠償は相手国に直接行われるのではなく、まず日本政府が日本の民間企業に対して賠償額に相当する資金を提供し、企業がその資金を元手に現地に進出するというものだった。日本企業が現地で生産物や役務（サービス）・雇用を提供することで、間接的に相手国に貢献する「賠償」である。円借款などによる物品の援助も行われたが、それも企業進出の足掛かりであった。

②「賠償外交」は賠償か？

賠償を利用した岸の経済進出は、米の合意の下に進められるのだが、当初は米政府も岸の申し出に難色を示していた。岸の言うアジアの開発構想が抽象的で、米側が考えるような開発と一致するのか不明だったからである。「大東亜共栄圏」の焼き直しについて、岸の説明がはっきりしなかったのは当然であろう。

しかし、その岸の構想を駐日大使として赴任したマッカーサー二世（Douglas MacArthur II）が後援した。二世はマッカーサーの甥で、アイゼンハワーやダレスから信頼された外交官である。岸内閣が成立した日に駐日大使に着任しており、安保改定においても交渉窓口となった。

二世も当初は安保改定を疑問視したが、当時既に米軍基地に対する住民の反対運動が起きており（内灘事件・砂川事件）、流血事件にまで発展していた。また、米兵が近隣住民を故意に射殺したジラード事件などが起きていたことから、日本を対等に扱う態度を示さなければ反米感情が拡大すると憂慮した。そうした二世の働きかけから、結果的に開発構想についても米政府の援助を得たのだった。アジア開発銀行などの経済機構を使いながら、経済協力の名のもとに日米共同の資本輸出も進めていった。そのため、本来は戦時の被害に対する償いであったはずの賠償が、償いよりもむしろ賠償を通して日本の経済を復興させる性格となった。

当時は米が東南アジアに反共産機構・ＳＥＡＴＯを築き、アジアの統合によって集団防衛を構築しようとする過程だった。米の冷戦戦略によって、中国を封じ込め、東南アジアの共産化を阻止しようとする「反共」の経済圏を創出する動きである。そして米はその体制に日本を引き入れようとしていた。そのための軍事的な統合も進められようとする中で、岸政権は賠償を政治利用する「賠償外交」を展開したのである。

石橋の退陣によって首相になった岸は、予算承認までは石橋内閣の閣僚を留任させ、外相は自身が兼任した。それから東南アジアと米を訪問し、米では「日米新時代」をアピールして、「国際連合中心主義」・「自由主義諸国との協調」・「アジアの一員としての立場を堅持」するとの「岸外交三原則」を表明した。この三原則は戦後初の『外交青書』として示された。

またその中には、「バンドン会議」を背景に中国との関係改善を国連の枠組みの中で進めていく指針も含まれていた。中国の国連加盟は次第に各国に認められようとしており、中国が加盟すれば日本も国交を樹立することが必要と思われた。日本にとって中国を承認しないことが既に得策ではなくなっていたのである。

岸は赤化を防ぐことを名目にアジア開発を進めようとしたが、それは米の冷戦戦略に適っており、その下に日本がアジアへの主導性を握ろうとする格好の口実になった。米に対しては、中国がアジアに進出するより先に日本が参入すべきだと述べた。しかし実際には、「戦後帝国主義」の中で資源提供地の役割を負ったアジア地域はなおさら経済基盤が未発達となり、それは共産主義が浸透する可能性をむしろ増やしていた。日本の経済復興の負担が東南アジアにシワ寄せされれば、赤化の可能性は増大するのである。とりわけ国内動乱が激しかったインドネシアはその焦点となった。米は、スカルノ政権を存続させることが赤化防止になるとして後援したが、現地では国民の反米気運が高まり、共産圏に接近しようとしていた。

３　「安保改定」の国際的環境

①米国はなぜ安保を改定したのか？

岸は訪米から帰国すると内閣改造を行い、閣内から旧吉田派を排除した。一九五八年の総選挙では議席数を維持し、第二次岸内閣を発足する。翌年に控えていた参院選に向け、景気対策・国民年金制度の創設・減税を掲げた。年金制度は社会党の法案を取り入れたもので、これによって年金制度がつくられることになる。そして同時に安保改定のための法整備に着手した。

岸は外相に財界の有力者だった藤山愛一郎を起用した。経済官僚であった岸は財界の藤山とは戦前からの関係があったが、特に東條英機内閣の倒閣運動をともにしたことで関係を深めたとされる。岸は、今後は経済に重点をおいた外交を行うべきで、外相には経済を理解して国際感覚のある人物が要ると述べた。先に中国から民間貿易の打診があり、五五年にはその使節団が来日していたことから中国との通商は財界からも求められていた。また藤山にはフィリピンとの賠償交渉をまとめた業績があった（講和締結時に合意した賠償の諸条件に関する交渉で、特に借款の条件が焦点だった）。藤山の起用は特に中国との関係構築を目的にしたというが、外相に党人を起用できなかったという見方をすれば、岸がそれまでの吉田派とも反吉田派とも異なる経済政策を計画していたことを覗える。

そして実際に藤山が担ったのは、ダレスとの秘密会談によって、アジア開発と抱き合わせとなった安保改定の協議であった。岸にとっては安保を対等にする装いが大切だったが、米にとっては対等化が議会からの政権批判につながり兼ねなかった。そのためマッカーサー大使が米側の主要な関係者を説得して回った。それが日本を米側につなぎ止めておく方法なのだと説得したのだった。

当時の米はアラブ諸国との対立を抱えていた（中東戦争を背景にアラブ諸国の結束があった／186頁に後述）。イラク王国で革命が起こって親英政権が打倒され、イラク共和国が成立したが、イラク共和国はNATOとの連携を否定して共産圏とも関係を築こうとした。中東での対共産機構METOが結成されたばかりで、イラクはその中心地のはずだった（257頁地図参照）。

また革命の影響から、レバノンでもムスリムによる反政府運動が起きた。ムスリムと対立していた親米のキリスト教政権（マロン派）に対する「レバノン暴動」である。米は出兵してこれを鎮圧したが、アラブ諸国は米の軍事介入を非難し、撤兵を求めた。そのため米は国際的な支持を得る必要に迫られ、ダレスは日本の支持を求めていたのである。ダレスはほどなく死去するが、改定交渉の背景にはこうした環境があった。

②なぜ弾圧法規をつくっているのか？

国内では、岸によって警察官が職務質問する際の権限を強化する「警察官職務執行法」（警職法）の改正案が国会に提出された。それには、容疑の段階で対象者を拘束しても構わないとする「予防拘禁」が含まれた。まるで戦前の特高警察のような過度な弾圧法規に対し、新聞・雑誌からは批判が噴出した。安心して生活などできなくなる予防拘禁に対して「デートもできない警職法」などと批判報道が出ると、国民の抗議運動も起きた。党内においても多大な批判が出たばかりか、閣僚でも岸派に属さなかった者が三名も辞職した。閣僚らは、岸から警職法の改正を事前に聞かされてもいなかった。

さらに岸は学校教員の統制を図った。まず教育委員会を任命制にして文部省の意向を下達する性格に変え、その上で教員の「勤務評定」を義務づけた。教員の態度や業績を評定し、それによって昇給や人事を行うのだが、不明な評価基準によって公務員たる教員の活動を制約するものだった。教職員の組合が砂川事件や水爆反対運動の推進力になっていると認識されたため、労働運動や反政府的な言論を抑圧したのである。勤務評定による統制は後に勤評闘争を引き起こすことになるが、権力によって給与を握り、教育と言論の自由を侵害したのである。

警職法について、岸は過半数を制する国会で法案を通せると楽観視していたが、党内で離反者が出ると反対派の取り込みを行わざるを得なかった。先に排除した旧吉田系の池田勇人を通産相に任用することで内閣への協力を取り付けた。五九年の参院選において「所得倍増」が公約になっているのは、それを看板としていた池田を閣僚に迎えたためである。池田の取り込みは旧吉田派の支え無しには岸内閣の政権運営が覚束ないことを示したが、それにより一旦は安定を取り戻した岸は、衆院における審議が終わらないうちに新条約の強行採決を行い、渡米して新条約を調印した。

強行採決によって決定された「新安保条約」は、日本の戦略的地位の重要性を背景に、形式上では米との共同防衛を相互に義務化するものだった。ソを事実上の仮想敵国にしていた。日本の軍事力の増強も義務づけられており、また米が外国で戦争を行えばほぼ自動的に巻き込まれることになると懸念された。沖縄や小笠原の返還は含まれていないままだった。その上、審議手続きを省略して強行採決を計る岸の強引な議会運営のやり方に批判が募り、大規模な安保改定反対闘争が巻き起こった。

軍事同盟を意味する新条約には、中ソからの懸念の声も上がり、国内の社会党・共産党が「安保改定阻止国民会議」を開催して反対運動を展開した。また前年から起きていた九州の三井三池炭鉱の労働争議（労働者の大規模解雇をめぐる戦後最大の労働争議）も焦点に含まれた。しかし、政党の間では安保の改定内容に反対するのか、改定自体に反対するのかについての合意形成ができていなかった。なぜならば、そもそも単独講和による国際復帰を批判していた社会党・共産党は、安保条約の廃止を目指していくような改定ならば賛成だったからである。

反対運動はむしろ国民の間で加熱し、五九年一一月にはデモ隊の一部が国会に乱入した。翌六〇年一月には約七〇〇名の学生が、調印に向かう岸の訪米を阻止しようと空港ビルに立てこもるなどした。調印の後も批准（国会承認）をめぐって国会が紛糾した。社会党は条約承認の採決を阻止しようと衆院議長を監禁した。五月一九日、岸は衆院における安保特別委員会の審議打ち切りを強行し、警官隊を動員して議長の身柄を確保し、社会党議員を排除したまま本会議を開会した。そして新安保条約を自民党単独で可決した。これによって安保改定は阻止できなくなったが、反対運動はなお一層継続された。

折しも米軍のU２偵察機がソに撃墜される事件（101頁）が起き、米ソの緊張からなおさら改定の反対は強まった。U２が厚木基地にも配備されていることが判り、核戦争に巻き込まれる懸念が現実味を帯びていた。岸はそうした反対意見との議論をせぬうちに採決を強行したのである。

日ソ間に国交が生まれ、中国との貿易が起こる中で、強行採決による安保改定は中ソの激しい反発を招いた。ソは日ソ共同宣言で約束した歯舞・色丹の返還を無効にした。

③サイレント・マジョリティー「声なき声」の横領

岸の安保改定は、安保条約を永続的な日米同盟に変える意図を含んでいた。ダレスがアイゼンハワーに宛てた秘密メモでは、岸について「あらゆる兆候からみて、岸は戦後日本に出現したもっとも強力な政府指導者だ。彼は米と全面的なパートナーシップを築きたいと願っている。日米同盟を永続的なものにするために、現在の関係を再調整する時が来た」と述べた。日米の従属的な関係を永続化するために安保条約を改定することは米側の意向になっていた。岸が強行採決を図ったのも、六月一九日に予定されていたアイゼンハワーの訪日に間に合わせるためだった。現職の米大統領の初の訪日になる予定であった。

国民の反対デモはアイゼンハワーの来日阻止にも向けられた。強行採決の一月後には安保改定が自然承認されることが決定していた。反対闘争の中にはそのことを理解しておらず、なお改定を阻止できるものと思ってデモに参加する者もあったが、闘争自体が目標としたのは、もはや民主主義を守るために岸政権を打倒することであった。

ところが岸は、デモ隊が国会を取り巻く中で、「わずか二キロ離れた銀座通りでは、いつも通り若い男女が歩いている」として、国民の多数は新条約に賛同している、または安保問題に無関心なのだと嘯《うそぶ》いた。但し、一方では右翼活動家で暴力団の顧問でもあった児玉誉士夫《こだまよしお》に依頼して左翼集会を襲撃させた（児玉は特務機関の出身で、戦時に海軍の物資調達で蓄財し、その資金は自民党結党にも供された。右翼活動家が黒塗りの街宣車を使用するようになったのはこの時をきっかけとする）。就任当初の岸は自身の戦前のイメージを払拭《ふっしょく》しようと、国民の「声なき声」を聴く政治家になると言っていたのだが、今や国民の多数から直接的な反対の声が上がらなければ、それを「賛成」にすり替えて開き直り、「声なき声」を横領する政治家になった。

その後もデモ活動は鎮静せず、岸内閣への反対闘争として展開され続けた。大統領の訪日準備のために米の報道官が来日したが、数百名のデモ隊に包囲されて立ち往生し、米軍のヘリで脱出する事件がおきた（ハガティー事件）。六月一五日には学生のデモ隊が国会へ突入し、機動隊と右翼暴力団がデモ隊に突入した。激しい暴行が加えられ、重軽傷者多数を出した。この時はラジオで「警官隊のすごい暴力」が中継され、その記者までも警官に暴行された。その混乱の中で東京大学の大学生・樺《かんば》美智子が警官との激突によって圧死する事件が起きた。そして予定されていたアイゼンハワーの訪日は阻止された。

岸は、後に「いよいよ首相を辞めようと決意したのは、『アイク訪日』を断ると決めたときだ。このとき私の肚《はら》は決まった」と語った通り、大統領訪日を断念すると同時に総辞職を決意した。国会を取り囲むデモを無視した首相は、米大統領に対しての責任は取った。警備に不安を抱えてのアイク訪日は強行できなかった（岸は自衛隊出動まで要請したが防衛庁長官が反対した）。大統領だけでなく、それを出迎えることになる昭和天皇の安全も不確かに思われた。米政権は国民の激しい抗議を起こした岸の資質を疑うようになり、そしてマッカーサー二世もベルギー大使へと転任していった。

4　深化した対米従属

①「新安保」の新しさは何か？

岸は安保改定に合わせた憲法改正も企図したが、一九五九年の参院選において野党が三分の一以上を占めて、憲法改正に必要な三分の二の議席数に到達しなかった段階で改憲の見込みを失った。そこで岸は、安保条約にできるだけ軍事的性格を与え、既成事実化した軍事同盟を口実にして、なし崩し的に改憲することを目論んだ。つまり、軍事同盟が既に存在する状態にしてしまい、その実態に合わせて改憲しようとしたのである。しかし、岸内閣の退陣後に組閣した池田は憲法の維持を表明した。岸が安保改定を根拠に描いた筋道が継承されることはなかった。安保闘争は改定を阻止することはできなかったが、「戦後帝国主義」への直進的な進路を塞いだ点には意義があった。

改定された安保条約では、相互協力の名の下に経済協力も規定されることになった。それは「両国の国際経済政策の食い違いを除くことに努める」とした条項となり、安全保障問題に留まらず経済政策の進路までをも規定した。安全保障条約の中に「経済協力」が盛り込まれるのは前代未聞と言え、日本の対米依存を発生させる根源となった。「締約国は、その国際経済政策における食い違いを除くことに努め、また、両国の間の経済的協力を促進する」との条文は、「相互協力」の名の下に米が日本に諸々の要求を行うことを正当化する法的根拠となるのである。

また新安保の対象は日本の領土ではなく極東の平和と安全であるとされた（「極東条項」）。それは必ずしも日本の脅威でなくとも安保を発動させる意図を持ち、かつそれは相互の義務となったので、日本は自国の防衛とは無関係の事態に際しても出動せねばならない。結局、日本の領土の一部を基地として米軍に自由にさせる保障を与えることが日本の防衛になるのだとする装いで、米の世界戦略の下に日本を従属させるという米の利益が確保された。結果として、日米関係は新安保を軸に軍事面のみならず政治・経済のあらゆる分野において、米の要求に日本が同調する関係として成立した。

②自ら結んだ不平等条約—「地位協定」

新条約に伴い締結された「地位協定」では、米軍の「治外法権」が広範に認められた。日本の領土でありながら、米軍人とその家族・軍属までもが出入国管理と外国人登録の外におかれ、米の船舶や飛行機は自由に日本に出入することができる。それだけでなく、米軍基地および区域内では、警察権は米軍によって行使され、日本側は立ち入ることすらできない。米軍の関係者が刑事事件を起こした場合にも、日本側の裁判権が認められていない性格がある。現在も続くこれらの取り決めは、国内にも拘わらず日本の法令が適用されないことを自ら認める不平等条約である。つまり、安保改定の結果、日本の対米従属は却って深まったのである。

五七年一月に群馬県の米軍基地で起きたジラード事件では、日本人主婦が故意に射殺されたが、当初は犯人であるジラードの捜査や身柄引き渡しが進まなかった（当地では実弾射撃訓練が行われており、演習地は立ち入り禁止になっていたが、近隣住民は薬莢《やっきょう》などの金属類を集めて換金するために立ち入っていた。目撃者の証言から故意に射殺したことが判り、米軍への批判の声が社会的に高まった）。

社会的批判を背景に、最終的には日本の裁判に服することで決着したが、その際ジラードへの処罰を最大限軽くすることを条件に身柄を日本へ移す密約が日米間で結ばれていた（九一年の米の秘密文書公開で判明／九四年の日本の「戦後対米外交文書公開」でも明らかとなった）。つまり安保の不平等性は、事件からも既に明らかだったにも拘わらず、その米への従属を改定によって進めたということである。

戦犯として拘留されていた頃に冷戦が表面化したことを知った岸は、世界情勢が険悪化すれば、自身が復権できる機会になるかも知れないと冷戦を歓迎していた。政界に復帰してからは、米大使館に頻繁に顔を出しては自らを親米派として売り込んだ。吉田を米の傀儡として批判しながらも、自身は吉田以上に親米派であろうとしていた。

諸外国には「国連中心主義」だと表明しながら隠れて「帝国主義」を打ち出し、民主主義や議会政治のルールを立てると言いながら国会での審議を無視して、民主的政治で国民の信頼を得ると言いながら強行採決によって国民の声を無視した。そして、米への従属から脱すると言いながらも地位協定を創り出したのである。

第6章

世界観が生み出す対立

1 「アフリカの年」とアジアの亀裂

日本で安保が焦点となっていた頃、第三世界は動揺を抱えながらも台頭しつつあった。それまで冷戦と無縁に思われたアフリカも米ソ対立の舞台となっていた。一九六〇年には一七ヵ国もの独立があり、「アフリカの年」と呼ばれた。それが冷戦に関わるのは、独立した諸国が国連に加盟したからである。総会の四分の一をアフリカ諸国が占めるようになり、国連決議を左右する存在となった。そして、中でも懸案となったのがコンゴにおける内戦であった。

ベルギーの植民地から独立したコンゴは、親米派の大統領と、親ソ派の首相との間で政府が二分されていた。その政治的混乱の中で軍部が反乱を起こすなどしたため、分裂の危機に瀕した。六一年に米のCIA（中央情報局）が首相を暗殺して親米政権を創出しようとしたが、混乱が増しただけの結果になり、以後内乱が収束することはなかった（「コンゴ動乱」）。六五年にクーデターで実権を握ったコンゴ軍のモブツ

(Joseph Mobutu) が、米の支援を受けて独裁的な軍事政権を打ち立てた。コンゴ動乱は収束し、その後七一年には国名をザイールに変更する(303頁地図参照)。

また他方では、印のネルーが冷戦に加担しないとする「非同盟主義」を掲げ、ユーゴのティトーと、エジプトのナセルとの間で「非同盟諸国首脳会議」の開催を決定した。第三世界の集結が図られ、目指すべき進路が求められたのである。

バンドン会議で議長を務めたスカルノも「非同盟諸国首脳会議」に加わり、第三世界は国際舞台での存在感を増した。しかしインドネシアは国内では貧困問題に見舞われていた。議会が混乱し、体制が動揺し始めたことから、スカルノは軍部と共産党の勢力を基盤に独裁体制を築いた。憲法を改正し、終身大統領になると同時に首相も兼任した。その体制は、ムスリム教徒の多いインドネシアにおいて、民族主義と共産主義を軍部と鼎立《ていりつ》させる特異な体制となった(「ナサコム体制」)。

六三年に、マレーシア連邦が成立し(英連邦に含まれた近隣の諸島が合併して建国)、国連に加盟すると、スカルノはこれに反発してマレーシアと断交した。マレーシアの独立は、英が帝国主義的再編によってアジアを分断するものと見たのである。国連はスカルノに和平を提案したがスカルノは拒否した。六五年には国連を脱退するが、スカルノの行動は国内や第三世界においては反帝国主義の姿勢として高く評価された。

2 「もはや戦後ではない」の意味

安保改定と引き換えに倒れた岸内閣の後継として成立したのは池田勇人内閣であった。大蔵官僚であった池田は、第一次吉田内閣の石橋湛山蔵相により次官に抜擢され、一九四九年から七度の選挙で全てトップ当選した。吉田内閣では佐藤栄作も鉄道次官に就任しており、両者は次官会議の主要メンバーとなる。これが後の「吉田学校」の原型となり、池田はその代表的存在となった。

池田には戦前の大蔵官僚として軍事予算を成立させていたことへの痛烈な反省があった。それもあって池田は岸内閣期の強権性を修正すべく、選挙においては「低姿勢」・「寛容と忍耐」を謳った。その結果六〇年一一月の総選挙では大勝し、政権では公約の「国民所得倍増計画」が民間の設備投資を誘発して高度成長を実現することになる。

池田内閣の主要な施政は、「所得倍増」の実施と、外交においてはアイク訪日阻止によって心証の悪化した対米関係を修復しつつ、アジア諸国との戦後問題を処理することであった。敗戦によって一九三五年当時に立ち戻ったとされた日本の経済水準は、五一年頃までには戦前のＧＮＰ（国民総生産）の水準を取り戻した。それは「朝鮮特需」の恩恵であったが、その後も五五年の大豊作によって好景気に見舞われた。池田内閣はこの好景気を政府政策として伸張していくのであった。

五六年の「経済白書」において「もはや戦後ではない」と語られたことが知られているが、しかしそれは日本が既に発展したという意味の言葉ではなかったことには多くの誤解があるようである。

「戦後日本経済の回復の速やかさには誠に万人の意表外にでるものがあった。それは日本国民の勤勉な努力によって培《つちか》われ、世界情勢の好都合な発展によって育まれた。〔中略〕経済政策としては、ただ浮き揚がる過程で国際収支の悪化やインフレの壁に突き当たるのを避けることに努めれば良かった。〔中略〕いまや経済の回復による浮揚力はほぼ使い尽くされた。なるほど、貧乏な日本のこと故、世界の他の国々に比べれば、消費や投資の潜在需要はまだ高いかもしれないが、戦後の一時期に比べれば、その欲望の熾烈さは明らかに減少した。もはや「戦後」ではない。我々はいまや異なった事態に当面しようとしている。回復を通じての成長は終った。今後の成長は近代化によって支えられる」

つまり「もはや戦後ではない」の意味は、今後はそれまでのように簡単には発展できなくなるとの警告であった。世界情勢の「好都合な発展」という条件付けが無くなり、伸び代《しろ》も減っていく中で、一層奮闘せねばならないとの危機感から出た言葉なのだった。

しかし、結果的には「経済白書」での緊張感とは裏腹に好景気が連鎖していく。五五年の大豊作から食糧難を脱すると、「朝鮮特需」を元にした好況が三一ヵ月間にわたって続く「神武《じんむ》景気」が起きた〔神武は初代天皇（人皇《にんのう》）の名とされ、有史以来の好景気という意味で付けられた。当時は「神武以来《このかた》の○○」が流行語となった〕。家電の「三種の神器」が普及し始めた。好景気は一旦は収束したが、五八年からは約四二ヵ月間にわたってさらなる好景気「岩戸景気」を迎えた〔神武景気を越える景気として「天岩戸《あまのいわと》神話」から付けられた〕。神武景気での利潤を元手にした民間の設備投資が連鎖的拡大を見せたことで長期の好況が促されたのであった。

「岩戸景気」は日本経済に構造変化をもたらした。それまで主要な産業部門であった石炭・海運産業に代わって、鉄鋼・化学・石油精製が大きく成長した。それに伴い技術革新による産業構造の転換が起き、電機・精密機械部門、自動車産業の成長も促された。重化学工業品の輸出が倍化し、先進国への輸入が拡大した。サラリーマンや労働者の収入が急増したことから、国民の一部には「中流意識」が広がった。そしてさらなる「いざなぎ景気」への拡大へ向かう。

3 「キューバ革命」から「キューバ危機」へ

①核戦争時代の駆け引きは如何に緊張を生んだか？

米がキューバ革命を妨害しようとした六一年のピッグス湾事件（102頁）の後、キューバは社会主義を宣言し、反米姿勢を明らかにした。以降は、ソや東独との関係を強化していく。こうした情勢から、ソは一九六二年一〇月に核弾頭の搭載が可能なミサイルをキューバに配備するとの決断を下した。米のキューバへの介入が、ソとキューバを敵に回すのを決定づけていた。米はＮＡＴＯ体制の中でトルコにミサイルを配備してソに向けていたため、それへの対抗でもあった。

米が偵察機によってキューバ上空を撮影すると、そこにはソ連製の中距離ミサイルがあり、ミサイル基地が建設されようとしていた。そしてソは、海上輸送によってキューバにさらなるミサイルを運び込もうとした。

ケネディ政権ではミサイル基地の完成前に先制攻撃すべきとの声が高まった。しかし、軍からは先制攻撃をしてもミサイル基地の破壊に至らず、報復を受けることが必至であるとの報告が上げられた。またこの前年に「ベルリンの壁」が建設されており、既に「平和共存」は崩れていたため、米が軍事行動をとればソは西ベルリンに侵攻することが予測された。それは米のために欧州が被害に遭うことを意味するのであり、できない選択だった。しかし、何もせずに座視すれば米を射程にするミサイル基地が建設される。キューバに核兵器が搬入されれば米の防衛は不可能となる。とは言え、米が先制してキューバに侵攻や空爆を行っても、ミサイル自体は既にキューバに持ち込まれているという状況ではキューバからの報復攻撃も避けられなかった（実際、カストロはソの反対を押し切ってでも報復行動に出る確率が高かった）。いずれにしても強行策をとれば破滅が必至と思われた。

極限的な緊張状態の中でケネディが選択したのは、キューバ近海の海上封鎖（臨検）によってミサイル搬入を阻止することだった。これに対して、そもそも米が欧州に配備したミサイルによって脅威を受けていたソは、米の行動は内政干渉だと非難し、ミサイル運搬を強行すると表明した。キューバも海上封鎖が主権の侵害だと米を非難した。既にソの艦船はキューバに向かっており、海上封鎖を突破すれば全面戦争となる可能性が出てきた。こうした核戦争勃発をめぐる駆け引きが続いた一三日間が「キューバ危機」である。

緊張が続く中、ソからの電文が届いて和平案が出された。米がキューバに侵攻しないことと、トルコに配備したミサイルを撤去することと引き替えに、キューバのミサイル基地を撤去するとの提案である。フルシチョフによる水面下の打診であった。しかし、米側がその返答をする前にキューバ上空で米の偵察機が撃墜される事件が起きた。これによってケネディ政権の内部で軍が先制攻撃を主張し始めた。沖縄に核ミサイルが配備され、戦争の準備が進められた。ソも核の発射準備を行った。極度の緊張に達し、核戦争に最も近づいた時間であった。

最終的にケネディの判断によって米からの攻撃は否定され、フルシチョフの提案を受け入れることが決定された。すると、ソはキューバからミサイルを撤去するとのラジオ発表を行って応答し、核戦争の危機は回避された。

②「キューバ危機」では誰が何を得たのか？

ソにとってのキューバ危機は、米がキューバを攻撃しないという約束と、自国に突きつけられていたトルコのミサイル撤去を取り付ける機会となった。キューバ危機以前よりも、ソの国際政治環境は改善されたのであり、ソは一三日間の交渉によってそれを手に入れたことになる。

ケネディの判断によって核戦争が回避されたとの評価がされがちだが、そもそもフルシチョフには核戦争の考えはなかった。ところが米では攻撃を焦る意見があり、沖縄のミサイル部隊などには誤って核攻撃命令が出されていた。現場の指揮官の判断により攻撃は止められたが、核戦争は紙一重で起こり得たのである。

事件の最大の教訓は、指導者間のすれ違いで戦争勃発の可能性があったということであり、相手の意図を誤解すれば不必要な破滅も自ら招きかねないという事実である。そしてキューバには既に多くの核弾頭が運ばれており、米はこれを把握していなかった。誤算だらけの中でもしも米が先制攻撃などしていたら、取り返しのつかない被害が発生していた。またその判断の誤りによって世界中が巻き込まれていたかもしれなかったのである。これは現在においても教訓たり得る。

事件以後の米ソは、緊張緩和（デタント）を模索するようになった。両首脳が直接通信できるホットラインが設置され、米ソのトップ間が直接対話できるようになった。固唾《かたず》を飲んで見ていた世界でも、核兵器の開発競争に歯止めが必要であるとの教訓が共有された。翌年には「大気圏内外水中核実験停止条約（部分的核実験停止条約／最初の核実験制限）が締結される。

しかしながら、これらの教訓はまたも現地を置き去りにしたまま解決したかのように広まった。米ソの和解はキューバの頭越しに成立していたのであり、ソのミサイルもキューバ側には何の相談もなく撤去されたものだった。東欧支配を重視するソにとって、西半球で米を刺激することには利点がなかったのである。キューバ側では、フルシチョフに対する不信感が抱かれた。

またソの国内でもフルシチョフの対応が妥協的で弱腰であったとされ、それがもとでフルシチョフは党の幹部から辞任を求められ、六四年に失脚する。「スターリン批判」以降フルシチョフは度々反対派の抵抗を受け、それを退けてきたが、ついに辞任に追い込まれた。以後はソの歴史からも抹消される。

4　東京オリンピック、そして「祖国か、死か！」

好景気に沸いていた日本の経済は一九六四年に開催された「東京五輪《オリンピック》」と、それを背景に起きた「いざなぎ景気」（皇室の祖先神の名）によってさらに押し上げられた。そして、その後に本格化したベトナム戦争による「特需」が、またも持続的な経済成長を与えた。

五輪のための東海道新幹線・首都高速道路・国立競技場や日本武道館の建設による需要を契機として、世界でも飛び抜けた長期の好況となった。池田内閣は世界銀行から借り入れを行い、公共事業のための建設国債を発行するなど、政府によって民間の設備投資を誘発させた。つまり経済成長の政策化を図ったのであり、それが「所得倍増計画」であった。

東京五輪は復興の威信をかけて開催するとされ、外国人観光客の招致にも力を入れた。買い物で手の塞《ふさ》がった観光客のためにタクシーに自動扉が導入され、ホテルにはユニットバスが創られた。東京の美化が進められたが、但し建設需要は一方で東京への一極集中と経済格差を生み出した。五輪のための開発にばかり資金を投入し、生活向上は置き去りになった。生活インフラの整備は東京ですら乏しく、立ち退きも行われた。高度成長は生活者の貧困を犠牲にして成立していた。その上、建設需要がなくなると不況となり、政府は赤字国債に依存するようになった。

かくして開催された五輪では、ギリシャからの聖火リレーが行われた。日本の意向で戦時に侵攻したアジア各地を通るルートが選定された。実は一九四〇年に東京五輪が予定されていたのだが、日中戦争の遂行のために中止していた。それは初めて開催都市が招致を返上した例で、五輪の歴史を傷つけた。その後、戦後初の五輪には日独は参加できなかった。そのため東京五輪は平和国家として生まれ変わったことを証明するものとされた。リレーの最後の走者に選ばれたのは、四五年八月六日の広島で誕生した当時一九歳の青年だった。

東京五輪はそうして反戦と平和を主張して開始された。しかし、その会期中に参加国でなかった中国が核開発に成功したことを発表した。平和の祭典は世界を一つにはしていなかった。

そしてこの六四年の一二月、国連総会ではキューバ危機の後も革命運動で南米諸国を奔走していたゲバラが米への非難演説を行った。米の干渉を非難し、全世界の国民に向けて社会主義建設の支持を求めて、諸国の人民は日々「祖国か、死か」との叫びを上げているのだと訴えた。その後、ボリビアで革命運動を続けていたゲバラは六七年にＣＩＡに暗殺される。

5　派閥政治のはじまり

石橋湛山内閣の蔵相であった池田は次の岸内閣に留任したが、岸の内閣改造によって閣外に出された。池田の派閥・「宏池会《こうちかい》」はその時に立ち上げられた。元々は派閥的な集まりではなかったのが、石橋内閣の閣僚になった池田と佐藤との間で旧自由党の人脈は分裂し始めていた。

宏池会は、大蔵官僚を中心に経済政策を検討する集団として成立し、大平正芳《おおひらまさよし》、黒金泰美《くろがねやすみ》、宮沢喜一《みやざわきいち》の他、経済アナリストらが宏池会を名乗るようになる。宏池会は成立と同時に自らの機関紙を発行して公然と旗揚げされ、自民党の派閥政治の原点にもなった。

宏池会の内部には、「木曜会」と呼ばれる経済の研究会があり、「所得倍増」もこの研究会から登場した。「吉田学校」出身の池田は、占領期においてドッジラインを実施した蔵相としての経歴から、緊縮財政を主義とする官僚政治家と思われがちであったが、「一〇年後の国民生活をヨーロッパ並みに」すると宣伝し、経済活動に不可欠な道路・港湾などの建設を五輪の関連事業として推進し、それを優先とはしながらも生活インフラの充実を図ろうとした。

それらの公共事業は、産業高度化にともなう農村の余剰労働力を招き入れ、工業部門においては石油エネルギーの大量供給を促した。さらに、割安で輸出に有利な円の固定制を背景に貿易を促進した。

主要なエネルギーはそれまでの石炭に代わって、世界的資源開発のために中東から安価で入手可能になった石油になった。「安い石油」と「安い円」は原材料の輸入に好影響を与え、日本の輸出は輸入に倍化した。工業生産を支えるために電力供給量が増大すると火力発電が水力を上回った。臨海部には発電所が次々と建設された。そして一九六五年までに日本の対米貿易が黒字に転じることになる。

6 「一九四〇年体制」―高度成長の礎

「高度成長」には戦前からの連続性があった。日本では、企業が資金を調達する際に、政府が銀行を通じて統制する「間接経済」を基礎とした。それは戦時に戦争資金を確保するための構造で、それまで企業が市場から直接資金を得ていた方式から転換したものだった。企業が株式や社債によって自ら資金調達するのに比べて、間接経済では銀行が介在するために大蔵省の影響力が高まった。

戦時には、重工業や化学工業に重点的に資金が配分された。政府の「生産力拡充政策」による増強である。これからの部門は特に戦時期を通して成長していた。例えば、鉄鋼生産設備は三七年時には三〇〇万トンであったのが、終戦時には五六〇万トンにまで成長しており、それを担っていた技術者・労働者も池田政権期には生存していた。また、機械・自動車・飛行機部門における戦前の下請制度も戦後へ引き継がれた。他にも、戦時の「産業報告会」を母体にしてつくられた「企業別組合」は、その後日本の特徴的な組合のあり方となり、金融機関と系列企業の結合を促進して日本の企業グループを形成していく。そして、日銀の金融政策も統制経済の性格を残しながら実施されるのである。

これら戦前の経済体制・「一九四〇年体制」による特徴や傾向は、日本経済の高度化を進める途上で敗戦を迎えたために、表面的には断絶されたかに見えた。しかし実際には高度成長の土台となっていたのである。結果、経済規模は戦前水準の二倍に達した。

五輪開催と同じくして、日本はＩＭＦ（国際通貨基金）８条国に移行し、国際的なメンバーシップとして世界の通貨体制に参入したのである（ＩＭＦ８条国に入ると、途上国として保護されていた貿易上の待遇や、自国の輸出に有利なように為替を操作する為替制限の撤廃が義務づけられる。即ち、途上国扱いの解除を意味している）。

7　日韓の歴史問題と韓国の革命

①「竹島（独島《ドクト》）問題」はどのように出現したか？

池田内閣期の最重要課題には韓国との関係正常化があった。韓国とは一九五二年以来の一〇年以上にわたって交渉されていながらも賠償問題をめぐって紛糾し、国交樹立はできていなかった。五三年の交渉では、日本の主席代表となった外交官の久保田貫一郎が、日本の支配が朝鮮の発展に寄与したところもあると発言したことで、植民地統治に対する反省が全くないものと韓国側の怒りを買って以後の交渉は見通しを失った。

また、李承晩はサンフランシスコ講和条約発効の直前であった五二年一月に、国境線を独自に設定して日本の経済水域を否定し（「李承晩ライン」）、日本の漁船を拿捕するなどしていた。

朝鮮王朝の家系の出と言われる李は徹底した反日政策をとった。戦前の李は、日清戦争によって朝鮮の官僚制度（科挙）が廃止された

李承晩ライン

ことから英語を学習して記者となった。韓国が日本に併合されてからは米に亡命して、終戦まで独立運動を継続していた。第一次大戦後の「三・一独立運動」時に上海で臨時政府の樹立を宣言すると、国際的な承認は得られなかったが、その大統領に選出された李の名声は各地で高まった。そうした経歴や米での人脈から南朝鮮の代表となった李は、反共・反日を主張して一二年間の長期政権を担う。

「李承晩ライン」は現在まで続く「竹島問題」を表面化させたが、その原因は「サ条約」の過程にあった。朝鮮戦争の最中、李承晩は講和条約への参加を希望した。しかし、南側だけを国際会議に招聘することはできず、また連合国の一員でなく参戦国でもなかった韓国を調印国として参加させることはできなかった。その影響から日本海側の日本の漁船操業区域はGHQの裁定によるものとなった。

「サ条約」の領土規定では、竹島は日本の領土として扱われた。初期の案では「日本は済州島、巨文島、鬱陵島及び竹島を放棄すること」(四七年三月一九日)とされたが、これに対して日本が竹島は正当な日本領だと主張すると、駐日政治顧問(W・シーボルト)も日本の主張が正当であるとの判断から、領土案は再考された。その結果、日本の保有領土の項に竹島が記載されることになった(四九年一二月二九日)。そのため日本が放棄するべき地域は「済州島、巨文島、及び、鬱陵島」(五一年六月一四日)に改められた。

これに対して、李承晩はダレスとの会談で、対馬の領有権をも主張し始めた(七月九日)。そしてそれが聞き入れられないと、今度は、済州島・巨文島・鬱陵島・竹島の他に、「パラン島」なる所在不明の島の放棄を要求した(七月一九日)。李の要望に対して、米は「竹島は韓国領土として扱われたことは無く、一九〇五年以降日本領である」と回答した(「ディーン・ラスク書簡」/八月一〇日)。そして「サ条約」では「日本は済州島、巨文島、及び、鬱陵島を放棄すること」と記された。

「サ条約」は、五二年四月二八日に発効予定であったため、李はその一月に「李承晩ライン」を設定したのであった。以後は、竹島に警備隊を常駐させ、実効支配を続けてきた。日本は五四年から国際司法裁判所に付託することを申し出ているが、韓国はいずれも拒否している。

②北朝鮮と韓国ではどちらが強いのか？

日本では、五九年一二月から在日朝鮮人の北朝鮮への帰国措置を実施した。李承晩はこれを阻止したがった。北への送還は北の労働力を拡充する上、人質にもなり得たからである。しかし反日の闘士として国交を拒否していた李には在日朝鮮人の北送を止める術はなかった。

李承晩政権は米からの多額の資金援助の上に成立していたが、議会を無視して憲法の改正を強行したり、政敵にスパイ容疑をかけて処刑するなどの独裁が目立つようになった。六〇年の大統領選挙では不正まで行い当選をでっちあげた。これに対しては学生デモを発端に大規模な反対闘争が起こり（「四・一九革命」）、最後にはデモの鎮圧を命じられた軍隊までもが政府に抗した。政権は瓦解し、李はハワイに亡命した。六五年に死去するまでハワイで生活するが、韓国に残った息子家族は一家心中した。

李承晩追放の後には、大統領不在のまま事態収拾が図られた。独裁への反省から集団指導体制がとられて、新たな大統領（尹潽善《ユンボソン》）を選出したが、政権が安定するより早く軍事クーデターが起きた。集団指導体制が内部で分裂し、統合できないことへの不満がクーデターの原因であった。そして何より北への脅威認識が募っていた。

北では金日成が自身への個人崇拝を確立しつつあったが、朝鮮戦争後の復興に急いで取り組み、その結果、北のＧＤＰは韓国を越えたのだった。また、それまで北は朝鮮戦争での経緯から孤立しがちであったが、六一年には中ソと同盟を結び、共産圏での関係を再編し始めたのである。

北の脅威を背景とした韓国の軍事クーデターでは、陸軍少将の朴正熙《パクチョンヒ》が部隊を率いてソウルを占拠した（「五・一六革命」）。米軍が動員を検討したが、内乱が拡大すれば北につけ込まれると懸念したユン大統領が介入を拒否した。

成立した軍事政権は、李承晩時代の反日政策を転換し、日本との国交樹立に着手した。国内では民主化を弾圧する圧政を敷いたが、同時に朴の号令一下で日本と韓国との戦後処理は一挙に進んだ。

過去の日韓交渉で最も争点化した賠償については、外相の大平正芳と金鍾泌《キムジョンピル》（朴に次ぐ軍事政権の実力者で情報機関ＫＣＩＡの長）との極秘交渉で、日本側が無償・有償を含めた五億ドル分（韓国の国家予算の一・六倍）の資金や生産物を提供することで妥結した。その意味は、和解のための金額が予《あらかじ》め定められ、それを条件に合意したということである。この後六五年に成立する「日韓基本条約」には、韓国の請求権については「完全かつ最終的に解決」したと明記されたが、韓国の国会で強行採決により批准したものだった。

朴政権は開発資金を元にした大規模な国土開発を求めた。ケネディ政権は当初は軍事政権を警戒したが、ＣＩＡは韓国に強力な反共政権が成立することを優先した。キューバ情勢に窮していた米は最終的には朴政権を承認し、朴も米との関係強化を公約した。日本の資金による戦後処理は、最貧国であった韓国の経済復興をもたらすが、その事実は歴史認識の齟齬を一層もたらすことにもなる。

8　ベトナム戦争と東西の分断

一九六一年八月一三日、一夜にしてベルリンを東西に分断する壁が出現した。有刺鉄線で仕切られていた東西ベルリンはコンクリートで塗り固められた。東側からは西への逃亡者が相次いだが、ソは監視や銃殺によって厳重に取り締まった。人の移動する自由が国際政治によって奪われた。

そして、アジアの分断点の一つであるベトナム（越）では、国内統一を求める運動に米が介入したことで、以後一〇数年にも及ぶ戦争状態が続くのである。

①なぜベトナムで戦争が起きたのか？

越は、大戦終結から一〇年にして独立したが、インドシナ休戦（ジュネーブ会議）によって南北に分断された（90頁）。北越にホーチミンを代表とする共産党政権が成立したのに対し、米が南越を支援して、北の勢力が波及して来ないように努めていた。米を後ろ盾に成立した南越の政権（ゴディンジェム政権）は反共の独裁体制を築いたが、その独裁政権による圧政に対しては国内の不満が蓄積した。そして、六〇年に独裁政権の打倒を目指す、「民族解放戦線」（米側はベトコンと呼んだ）が結成され、祖国の統一を主張すると、北越がこれを支援するようになった。そのため南越の中で、共産主義運動を行う勢力と、親米派との間での内乱が始まったのである。

米は南越に軍事顧問を送るなどして戦闘に参加し、戦争段階へと拡大させた。南越の住民を鉄条網で囲んだ「戦略村」に移住させ、共産主義運動から現地住民を隔離した。囲い込むと同時に監視下に置いたのだが、しかしその不自由さが却って現地人に反米意識と共産主義への期待を持たせていった。

②米国の世界認識は正しかったか？―「ロストウ路線」と「ドミノ理論」

池田内閣の所得倍増計画は、岸内閣時に焦点となった安保問題・外交問題を棚上げする形で押し出されたが、その背景には「反共工業国」として日本を育成する米の経済戦略が存在していた。

朝鮮戦争以後、米は反共産国を育成する戦略を展開した。途上国を経済発展させれば、その国は民主化するものと考え、開発資金を投下した。経済学者のロストウ（Walt　Rostow）による理論に基づいた考えであった。発展途上国に大規模な資本と先端技術を導入し、現地の雇用力を増強させれば、それに伴い民主化するとした共産主義への対抗策である。ケネディ政権はこれを「ロストウ路線」として方針化した。

またその背後では、一国の共産化を許せばドミノ倒しのように革命の連鎖を許すことになるとした「ドミノ理論」が米の危機意識を増長していた。米は南越の共産化を許せば、東南アジア全域が共産化するとのドミノ理論の想定によって、南越への介入を絶対視していた。ソから中へ、中から北朝鮮・北越へと続いているドミノ倒しを止めねばならず、その停止点こそが南越であるとしたのである。

しかし、これに対して南越に発生した〝ベトコン〟は北越とソの支援を受け、最新兵器をもって反攻してきた。米はこの戦争に五〇万の地上兵力を投入することになる。

安保改定問題で亀裂の生じた日米関係の修復を求めた池田は、ケネディとの直接会談で同盟関係を確認するとともに、「ロストウ路線」を受け容れた。その影響から、対米輸出の黒字が定着し、外貨の保有量も増加した。対米黒字は長期化する好況と並行して激増し、ドルが日本に大量に流入すると、それに反比例して米の経済は沈下した。ベトナム戦争が泥沼化していく中で、日本が獲得した外貨は海外投資へ向けられたため、日本の経済成長は次第に米から警戒されるようになっていくのだが、ケネディ政権期に推進された「ロストウ路線」にとって、日本は反共産国のモデルであり続けていく。

9　高度成長の光と影

米の経済戦略の中で高度成長を遂げながら、池田内閣は未だ国交のない中国との貿易関係の促進も図った。「単独講和」と、台湾との「日華平和条約」調印によって、中共政府との公的接触は不可能になっていたが、「日中友好協会」をはじめとする民間レベルでの交流は既に存在していた。

①日中の交流は何に影響を与えるか？

鳩山内閣でソとの国交が回復されたことから対中関係にも展望ができ、外務省では国交正常化に向けて動いていた。しかし、その後の岸内閣時の諸問題から対中関係は膠着状態になっていた。

池田は、国会において中国との関係改善による貿易増大を歓迎すると発言し、交渉の再開を求めた。中国側も応答し、周恩来が「貿易三原則」〔政府間協定締結・個別的民間契約の実施・個別的配慮物資の斡旋〕による友好取引案を提示してきたことから、六二年一一月に高碕達之助が経済使節団団長として訪中し、「日中長期総合貿易に関する覚書」が締結された〔バンドン会議に出席した高崎が周恩来と交流していたことがきっかけとなった〕。

両国が連絡事務所を設置して、半官半民の取引を政府が保証する形式とした。正式な国交のないまま民間貿易を推進する方針が採られたわけである（「ＬＴ貿易」）。それぞれの輸出品目は、日本の鋼材・化学肥料・農薬・農業機械・農具・プラントおよび技術、中国の石炭・鉄鉱石・大豆・トウモロコシ・豆類・塩・錫であった。

貿易開始により両国の貿易規模は一挙に拡大し、六六年度は総額二億ドル超の取引となった。対中貿易は、最大の戦争被害国でありながら正式国交のない中国との交流を促進する反面、日本国内で中共政府に不利益な報道をする事などは制限されるようになった。さらに、日本が台湾（中華民国）を独立国家として認めることも制限され、台湾は日本に対する態度を硬化させた。

日中貿易に対して、米はそれを憂慮しながらも、結果としては認めざるを得なかった。ドッジライン以来、米は日本に緊縮財政を行いながら再軍備をするよう求めてきたが、それは矛盾する課題の押しつけであった。その上さらに中国との貿易を認めなければ日本が「米国離れ」を起こすと懸念されたのである。米が十分な援助を与えられないのであれば、日本に中国貿易を認めるより仕方ないとの判断があった。

②池田内閣の外交政略とは何か？

池田の貿易関係の進展を望む態度は、米の「社会主義圏の封じ込め」戦略の枠中で中国との交流を図っている性格から、「対米協調」・「経済自主」の「政経分離」方式と評価されてきた。

確かに、池田は朴正熙政権への経済援助を行うことを重視しており、それは米の戦略に適った方針であった。タイ（サリット政権）との間でも、戦時中にタイから借入れた資金の返済が問題になっていたが、借入額に相当する五六億円を返済し、さらに九六億円分の物資の供与などを決定した。

ビルマとの間でも、その要望に応えて援助を実施した。ビルマとは岸政権が五四年に賠償協定を締結していたが、他国の賠償に比して少額だったことから、ビルマが追加賠償を求めてきたのである。それに対し、池田政権はビルマを中国から離間させる狙いもあって無償供与と借款による経済援助を約束した。また一方、マレーシア紛争が起きていたインドネシアに対しては、池田はスカルノ政権を支持した（120頁）。

これらはいずれも反共政策として実施されたものであったが、但し池田は米の言いなりでこれらを行っていたのではなかった。

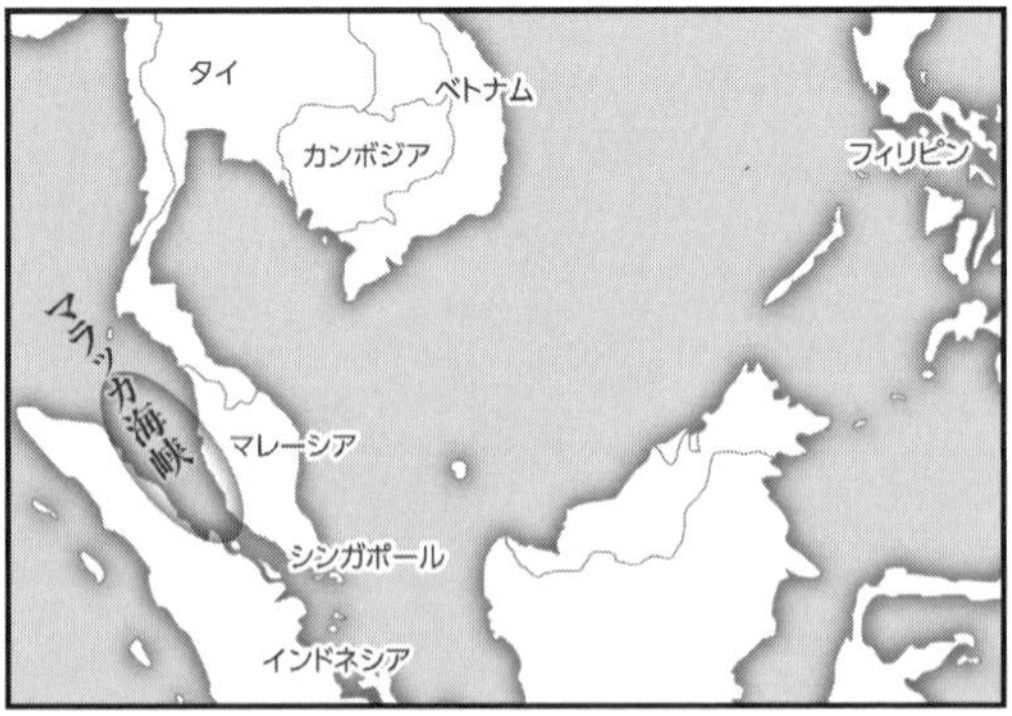

マラッカ海峡

マレーシア紛争では、米は自由主義陣営が一体となってスカルノに圧力を与えたいとしたのを、池田はそれがスカルノを共産陣営へと追い込むことになるとして反対し、援助によって引き込む方策を選んだ。池田は、東南アジアを赤化させないためには、その周辺の台湾・比・印・泰・ビルマ・マレーシアを経済的に強化すべきと考えた。またインドネシアとの関係には、重要航路であるマラッカ海峡の安全がかかっていた。池田はスカルノへの支持を止めようとせず、結果的には米もそれを理解した。池田は「一〇年後の国民生活をヨーロッパ並みに」するために、自由貿易体制の主要な担い手になることを目指した。「所得倍増計画」は、七〇年代にかけて日本が資本主義世界で第二位の経済国になる結果をもたらす。それはこの後の佐藤栄作政権にも続く「ロストウ路線」の本格的導入による経済成長と長期持続化によって成された。

しかし、その陰で岸政権が改定した「新安保」はいつの間にか政治の焦点ではなくなっていた。また「反共」に隠れて、戦後補償を棚上げしたままアジア諸国との連携を進めようとしていた問題をも潜《ひそ》めてしまった。これらの問題は、日本を自由主義陣営に取り込もうとする米の戦略の一環として現れたのであり、国内では沖縄への負担の押し付けが隠されているのであった。

そして「東洋の奇跡」とまで言われた高度成長は、その代価として社会問題を発生させた。太平洋沿岸地域を目覚ましく発展させ、急激な工業化を進めた結果、大気汚染（スモッグ）、水銀・カドミウム・騒音などに見る環境破壊問題や、住宅難・通勤難など交通事情の悪化といった都市問題、そして若年労働者の都市への流出によって起こされた地方の過疎問題が発生した。高度成長とはそれら全ての犠牲の上に成立した経済発展であった。

第7章 価値観の相克する世代 ―支配と民主化

1　反戦運動―世界の青春時代〝Love & Peace〟

①ケネディ暗殺で何が変わったか？

南越では、戦争を終結させられない政府に不満を募らせた現地の軍部がクーデターを決行した。米は南越政府を見限ってクーデターを起こした軍の方を援護し、新政府の樹立を支援したが、政情はなおも安定はしなかった。ケネディは次第に越からの撤退を考慮し始めた。ところが、ケネディはそこから三週間後の一九六三年一一月二二日に暗殺された。遊説のためのテキサス州ダラスのパレードで銃殺されたのである。事件は殺害の数分後には全米で報道され、ほどなく日本を含めた世界中でテレビ報道された。

副大統領のジョンソン（Lyndon Johnson）が政権を後継すると、ジョンソンはベトナムからの撤退を白紙に戻し、戦争を推進した（一説では戦争継続のためにケネディ暗殺が仕組まれたと言われる。ケネディの弟も後に大統領候補になって戦争に反対すると殺害された）。そして翌年八月に、米の艦船が北越軍からの魚雷攻撃を受けたとする「トンキン湾事件」が起きた。米は直ちに報復に出たが、実際には米が被害をでっち上げた事件であった。北越からの民族戦線に対する支援を断ち切りたい米は、北越へ攻撃できる口実を求めて被害を装ったのである。米は先ず北越の領海を侵犯してみせて攻撃を誘発したのだが、北越軍からの攻撃はなかった。そのため今度は被害を自作自演した。この「トンキン湾事件」を口実に、米は翌六五年二月から、北への爆撃・「北爆」を開始した。南越の内乱であった戦争が、北越に拡大されたのである。

北越は、北爆による直接攻撃を受けるようになったが、なおも民族戦線への支援を止めなかった。南越には民族戦線による「解放区」が設置され、米軍はそこにも爆撃を加えたが、それは南でのさらなる反米感情を生み出した。南越の農民たちが米から離反する一方で、北越からの支援は日毎に強化されていった。

②「テト攻勢」は何を変えたか？

六八年一月、北軍と民族戦線は旧正月（テト）の日に、南越全土でゲリラ部隊を一斉蜂起させる大攻勢を敢行した。占領下において突如として攻勢をかけられた米は、大使館をはじめとした政府機関を占拠・破壊された。米軍はこれに対してもさらなる爆撃で報復した。しかし、罠に満ちたジャングルでゲリラ戦を展開する北軍への致命打にはならなかった。対して北軍は現地住民も動員し、昼夜を問わぬゲリラ戦術で米軍を消耗させた。米は戦闘規模の縮小に迫られ、和平交渉を呼びかけた。テト攻勢が米の方針を転換させたわけである。

そして、ベトナム戦争はテレビ放送によって即時に世界中で報道された。軍服を着ていない越兵と市民の見分けがつかない米軍は誰彼構わず攻撃していた。罪のない人々までが犠牲になっていることが映し出されると、米国内では、政府が主張してきた正義が虚飾であったことを知った国民が反戦運動を行うようになった。徴兵の対象となる大学生らによる反対運動だったが、彼らは大戦後のベビーブーム世代の若者層であった。

そうした中、ボクシング世界ヘビー級王者のモハメド・アリは徴兵を拒否し、戦争の不正義を訴えた。世界王者の徴兵拒否には賛否両論あったが、その影響力を恐れた政府はアリからボクサーの資格を剥奪した。アリは世界一の実力を持ちながら七年間も不当に王座を奪われることになるが、反戦運動を行う若者は徴兵カードにアリのサインを求めるなど、米政府との戦いを始めたアリを支持した。アリは不正義に立ち向かう象徴的存在となっていった。

民主主義を護るために共産主義と戦うことが正義だとの米の価値観は、平和運動により破壊されようとしていた。各地で反戦集会が開かれ、黒人差別の撤廃を訴えていた公民権運動とも連動した。非暴力によって公民権運動を指導したキング牧師が暗殺されると、大学生らの反戦運動は過激化し、全米に拡大していった。そしてそれらも報道を通じて世界中に広まるのだった。運動はさらに激化し、世界中の若者の間に拡散した。

2 「プラハの春」―世界中が求めた自由

ベトナム戦争への反対運動に端を発し、一九六八年は世界中で同時に若者が闘争した。西独で起きた若者層による反戦運動は、かつてナチを支持した親世代への反発としての性格をもっていた。数万人を動員し、世界でも最も過熱化した運動となった。若者はキューバ革命をモデルに新たな価値観を求めた。価値観の世代間格差が世界中で生じていたのだった。

若者の反発は、東欧の社会主義国でも同じく起きた。ナチから独立したチェコスロバキアはソの影響を受けつつも報道の自由が容認され、社会主義と自由との両立が目指された国だった。その首都プラハを中心に民主化が促進し、社会主義国におけるその現象は「プラハの春」と呼ばれた。しかし六八年八月、そのプラハに突如として七〇〇〇台もの戦車が押し寄せた。民主化を危険視したソによる弾圧である。市民は非武装のまま戦車に立ち塞がって抵抗したが、街は占拠された。

キューバ危機で失脚したフルシチョフの後任となったブレジネフ（Leonid Brezhnev）は、社会主義圏の利益を護るために各国の個別の利益は犠牲にしてもやむを得ないとの「ブレジネフ・ドクトリン」（「制限主権論」）を表明した。それは社会主義内部に亀裂をもたらしていく。

他方、仏では学生らの反戦運動に、賃上げを要求する労働運動が合流し、ドゴール大統領の退陣が求められた（「パリ五月革命」）。ドゴールとは、大戦期にナチによって仏が占領される中、英に亡命して独への抵抗を続けた軍人である。パリ解放の後、大統領となった。

そのドゴールは、米ソが支配する世界秩序に異議を唱え、諸国の独立によって多様化しつつある世界の中で仏の地位を築こうとしていた。六〇年には原爆を開発し、六四年には中国を承認すると、ソにも接近した。そしてＮＡＴＯからも離脱すると、「米の干渉を排除した欧州」を打ち出した。ベトナム戦争での米の行動にも反対していた。しかし独自の大国化は仏の経済を疲弊させ始め、労働者らの反発を招くようになった。これに対しドゴールは総選挙に打って出て、自派の大派閥によって勝利した。これで運動は下火になったが、ドゴールの政権基盤は揺らぎ、後のミッテラン社会党政権への布石となった。

パリの運動では、ゲバラとともに毛沢東の肖像が掲げられていた。それは貧者を導いた英雄と評価してのことだった。毛沢東への評価は幻想であったことがこの後に明るみに出るが、価値観や権威を否定する運動が世界的な現象となっていたことが解る。

そして、西独は東欧諸国との国交を結ぶ「東方外交」を展開し、東独との関係改善も進めた。七二年には、相互に国家承認し、翌七三年には東西ドイツは国連に加盟を果たした。

反戦運動の元凶となった米政府は威信を損ね、民主党政権の内部でも反戦の声が高まった。越からの撤退は避けがたい課題になった。

3 「ニクソン・ドクトリン」とアジア

①「日韓基本条約」は如何に成立していたか？

池田が病のために退陣すると、後任総裁には佐藤栄作が指名された。佐藤は岸の実弟で、鉄道省の官僚であった。池田が宏池会を旗揚げしたのに対し、佐藤は「周山会《しゅうざんかい》」と呼ばれる派閥を形成する。佐藤内閣は官房長官を佐藤派の橋本登美三郎《とみさぶろう》に据えた他には、池田内閣の全閣僚を留任させて発足した（池田内閣の官房長官は鈴木善幸）。

岸の弟でありながら、早くから吉田との交流があったために「吉田学校」に属した佐藤は、吉田と岸のそれぞれの後援を得られる立場にあった。そして党内の有力者だった河野一郎や大野伴睦《ばんぼく》といった他の派閥の領袖《りょうしゅう》が死去すると最大派閥を形成した。池田から後継指名を受けたのもそれらを背景とした。以後、佐藤はそれまでの最長在任期間を記録する首相となる。

施政においては、「社会開発」・「新全国総合開発」（国土開発の体系化）など環境問題を政策課題に掲げた。高度成長の負の遺産を批判することで、池田内閣を乗り越えようとしたものだった。その手法は、佐藤の政策ブレーン集団（Sオペレーション）によってつくられ、側近の愛知揆一《あいちきいち》やジャーナリストの存在を背景に、「日韓基本条約」の締結、「農地保障法」の成立、労働者の団体権の保護（「ＩＬＯ八七号」の批准）などを実施していく。

韓国との外交では、池田内閣期の賠償交渉を前提に国交を樹立した。韓国が請求権を放棄する代わりに日本が借款《しゃっかん》を供与するとした「日韓基本条約」と「四協定」（漁業協定、請求権・経済協力協定、在日韓国人の法的地位・待遇協定、文化財関係協定）が調印された。

「日韓基本条約」では、「韓国を朝鮮における唯一の合法的政府とする」（第三条）とした。韓国政府の施政を北緯三八度以南に限るとした国連決議を背景にしたものだったが、それは韓国との国交樹立のために北朝鮮の存在を否定すると表明することでもあった。また、かつての「韓国併合条約」（一九一〇年）の無効性が相互に確認されたが、支配の加害と被害については明記されなかった。

この日韓での合意の背後には米からの要請があった。米は「反共政策」として朴正熙の軍事政権を支援し、日米韓の三国での結束を求めた。ベトナム戦争を背景に、日韓両国による米への支援体制が求められ、そのために日韓の正式な国交を必要とした。それは日本の経済力を韓国に振り分けて、日本に自由主義陣営の中での経済的役割に貢献させるためである。

当時の韓国は経済的困窮が目立ち、インフレや失業が問題になっていた。朴正熙は、計画的な経済成長を実現するために外資導入を求め、日本の資本を確保しようとした。何より当時は韓国よりも発展していた北朝鮮への脅威があった。そのため米の要請に応じる姿勢を見せ、日本の戦争責任問題に理解を示しながら国交樹立を認めたのだった。

一方、日本にとっても韓国は未開拓の市場としての価値があった。朴の軍事独裁政権を日本の資本によって補強することで、日本を中心とする東アジア経済圏（「戦後帝国主義」）を作り上げる観点からも、韓国との国交回復が必要だった。そのため、岸信介もこの過程に深く関わり、後に様々な汚職の疑惑を生むことになる（その一つが「統一教会」との関係である）。

こうしたそれぞれの思惑や動機から、日韓関係においては賠償問題が直《じか》に取り上げられることなく、日韓双方の妥協の結果として、賠償は「賠償」としてではなく「経済援助」として行われた。そして実際に、日本の経済援助と「ベトナム特需」が韓国に「漢江の奇跡」と呼ばれる高度成長をもたらす。

②スカルノの失脚でインドネシアはどう変わったか？

池田内閣はインドネシアとの関係を重視してスカルノを支持したが、共産党と協力する特異な「ナサコム体制」(120頁) の上に立つスカルノ政権が、果たして反共勢力となるのかの判断はつかなかった。そうした中で六五年九月末日、ついに反共産党を掲げる軍人がクーデターを決行した（「九三〇事件」／スカルノの側近の軍幹部誘拐および殺害事件）。

事件によりナサコム体制による協力関係は崩れ、スカルノは実権を軍に奪われて、軍を率いたスハルト少将が政権を奪取した。しかもクーデターが共産党による陰謀であったとされ、共産党員を一掃しようと五〇万～二〇〇万人ともいわれる大虐殺が起きた。

共産党員の多かったジャワ島やバリ島では民間人の手による虐殺事件も起き、全土で大暴動となったが、それらの弾圧こそ共産党の排除を望む軍部の陰謀だった。実際には軍内の左派が起こしたクーデターを、共産党の陰謀であるとして排除の機会に利用したのである。

軍を掌握していたスハルト少将は、スカルノ大統領から治安回復の権限を与えられたことで大統領を代行するようになった。以後は六六年に国連への復帰を果たすと、六八年にはついにスカルノを追い落として二代目の大統領になった。政権に就くと従来の親共産的な外交を転換し、親米外交による開発路線（近代化）に傾斜した。スハルトによる共産排除は、「第三世界」としての立ち位置を捨てて、米のアジア戦略に組み込まれることを意味した。米や西側はスハルトが「アジアにおける共産主義拡大を止めた」と評価した。また軍は日本に対して新政権への援助を求めた。池田政権の方針から日本が一番関係の良好な国であると認識していたためである。佐藤はスハルトへの政権委譲を反共の観点から歓迎した。何よりインドネシアを中国から隔絶することに期待された。

スハルトは、外国資本の積極的な導入による石油資源の開発を中心に独裁体制を敷いた。強大な陸軍を背景に国内では統合を進め、外には米の指導の下に反共産連合としてのＡＳＥＡＮの結成に貢献した。ＳＥＡＴＯに変わる反共連合である。スカルノ時代の反マレーシア外交は改められ、ベトナム戦争に介入する米を支援するようになった。

③沖縄返還の要件とは何か？—共和党の外交政略

米がベトナム戦争を泥沼化させる中、佐藤内閣は政権発足からほどないニクソン大統領（Richard Nixon）との間で「日米共同声明」を発表した（六九年一一月）。佐藤は共同声明の中に米軍が占領を継続している小笠原と沖縄の返還を盛り込ませた。ベトナム戦争の重要基地である沖縄の返還は困難と見られていたが、米政権の交代によりベトナムへの武力介入が見直されるに従って、沖縄の返還も検討されるようになった。

佐藤は予《かね》てから沖縄返還を積極的に主張しており、前のジョンソン政権との間で既に交渉を行っていた。米側は難色を示したが、「沖縄の祖国復帰が実現しない限り、わが国にとっての戦後は終わっていない」と述べた佐藤は、外務省の正式ルートに並行して、ホワイト・ハウス高官との非公式交渉を重ねた。その結果、六七年の日米首脳会談で返還自体は合意に達した。現地の沖縄で基地反対闘争が激化していたことも米側に返還を検討させる要因だった。六八年には、「サ条約」第三条に基づいて、米軍の核兵器貯蔵施設として使用されていた小笠原も返還されることになった。

しかし翌六九年、沖縄返還が正式決定される前に、米の政権は民主党のジョンソン政権から、共和党のニクソンへと交代した。ニクソン政権の外交は、大統領補佐官・キッシンジャー（Henry Kissinger）によって掌握され、その外交手法は非公式のうちに展開する「隠密外交」と呼ばれた。

佐藤は返還の実施に向けて、改めてニクソン政権との返還交渉を行うことを表明し、また米軍所有の核兵器の扱いに対しては「核を製造せず、核を持たない、持ち込みを許さない」とする「非核三原則」を打ち出した。佐藤の実兄・岸信介は首相在任時に、当時のアイゼンハワー政権で副大統領を務めていたニクソンとの交流があったので、佐藤は「非核三原則」を掲げて、「核抜き・本土並み」を沖縄返還の方針として表明しながら、岸を特使として米に派遣し、返還実施のための予備交渉を進めた。

ニクソン政権は、「日米共同声明」に先立つ六九年七月に、それまでの冷戦戦略を転換する「ニクソン・ドクトリン」を発表していた。その内容は、以後の米は同盟国に対する援助（核の傘）は提供するが、安全保障に関しては当事国自身が責任を果たすことを求めるとして、それまで米がほとんど全面的に担ってきた極東の安全保障に対して、その負担の分担を要求し始めた。ベトナム戦争を見直すとともに、アジアでの軍事的負担を軽減し、その軽減の分を同盟国に補塡《ほてん》させようとの方針である（基本的にはダレスの構想であり、共和党の方針と言える／キッシンジャーはダレスの弟の部下であった）。

この「ニクソン・ドクトリン」は、以後はアジアへの介入を選択的に行い、米の利益にならない場合には関与しないとの意向を示している。それには共和党の方針を再構築した意味があるが、「日米共同宣言」もそれを前提にしており、沖縄返還もそこに含まれた。そしてそれは「非核三原則」のあり方をも規定した。

共同宣言の当時、大陸間弾道ミサイルや、核ミサイルを搭載できる潜水艦が実戦配備されたことによって、沖縄に核を配備する意義は減少しつつあった。そのため、米にとっては沖縄に核を持ち込めるか否かよりも、「ニクソン・ドクトリン」による新戦略の上で沖縄を自由に使用できることの方がはるかに重要となった。

但し核の持ち込みをしないというのは表面上のことで、キッシンジャーからは非公式ルートを通じた「密約」の打診があった。交渉のために佐藤は米に異例的に四日間もの滞在を必要とした。その結果、沖縄返還と引き換えに米軍の核の持ち込みを黙認する密約が作成された。核を搭載した米軍艦が日本に寄港することを黙認せよとの要請はケネディ政権時に既に寄せられていたが、それがニクソン政権により確定されたのである。

そしてさらに、米の繊維産業を保護するため、日本の繊維製品の輸出を自粛するようにも要求してきた。佐藤は密約に対して、繊維問題には踏み込まず、核の持ち込みだけを受け容れた。沖縄返還は合意されたが、この繊維問題に関する密約は後に佐藤政権の存続に関わる重大問題に発展することになる。

④日本の社会福祉政策は誰が考えたか？

沖縄返還交渉が進む中、七〇年三月からはアジアで初の国際博覧会・「大阪万博」が開催された。延べ約六五〇〇万の入場者を記録し、巨額の黒字を上げて、高度成長を誇示する盛儀《せいぎ》となった。博覧会の名誉総裁を明仁皇太子が務め、佐藤は名誉会長となった。「人類の進歩と調和」をテーマに掲げた万博は、日本が米に次ぐ経済大国となったことを象徴した。そして、万博の盛況は同時期に展開されていた「七〇年安保反対運動」をかき消しもした。一〇年を期限とした「新安保」が七〇年に自動延長されることになっていたことから、これを阻止しようと運動が起こり、学生の間においても全国的な広がりを見せた。しかし、左翼運動は佐藤政権による徹底した取り締まりや弾圧を受け、ほどなく退行していった。

他方で、内閣は「公害対策基本法」を成立させた。だが、その内容は抜本的な解決策ではなく、経済発展を前提とした上での環境対策になっていた。公害を発生させた企業の責任については言及がなかった。そのため鉛公害・光化学スモッグ・ヘドロ公害など、その後も各地で公害が発生し、住民運動が急速に拡大した。こうした状況に陥ると、内閣はようやく公害立法の全面改正を表明し、「環境庁」を新設した。

議会では野党が過半数に及ばない状態が恒常化した。野党は佐藤内閣に対する対抗手段として、裁判所や自治体（社会党・共産党の支援地域）を根拠地にした。それらは憲法で政府からの「自治」・「独立」を保証された場所だったからである。地方自治体では、社会党・共産党の支援を受けた多数の首長が登場した。沖縄返還の合意がなされた日米会談の後、佐藤は衆院の解散総選挙において野党に大差で勝利したが、六三年の地方統一選挙では、横浜・大阪・北九州・仙台など各地の市長が当選した。東京でも公害問題を焦点に、美濃部亮吉《みのべりょうきち》（戦前に「天皇機関説」を唱えた美濃部達吉の子）が都知事になると、政府と対立する構図を積極的に描き出す「美濃部都政」を展開した。政府の公害対策は、その美濃部都政を真似《まね》たものだった。

佐藤内閣と対立する「革新自治体」として自らの立ち位置を定めた美濃部は、七一年にも「ストップ・ザ・サトウ」を掲げて都知事に再選され、自治体側から行政サービスを実現させる潮流を形づくっていく。しかしこの流れは、この後の石油危機によって都の財政が危機に陥ると途絶えていった。革新派は医療の無償化などの福祉政策の拡充を掲げていたが、それは財政なくしては実現不可能だった。その後の東京都は自治省の監督下に入り、都知事にも自治省ＯＢが就くようになった。

岸内閣での年金制度や、この佐藤内閣の公害対策のように、自民党は野党の政策を取り上げることで延命を図っていたことが分かる。

４「ニクソン・ショック」二つの衝撃

①不正と裏切りの長期政権は何をしたか？

佐藤政権は発足時より安定した体制の上に成立したが、一九六六年には閣僚の不祥事事件が相次いだ

（「黒い霧事件」）。政・官・財を巻き込んで汚職が行われたことから「構造汚職」と呼ばれ、野党の追及を受けた。国会運営に窮した佐藤は一二月に召集された衆院を初日で解散した。不祥事を隠蔽するための解散によって迎えた総選挙では、自民党の敗北が予想されたが、結果はわずかに議席を減じたのみで安定多数を確保した。

六八年の参院選からはタレント候補を擁立し人気取りをするようになった。作家の石原慎太郎や、五輪で活躍した女子バレーの監督・大松博文などの擁立である。その後もニュースキャスターや歌手・落語家などが出馬した。議席を確保するためだけに候補にされたのだった。

佐藤は第三次改造内閣に至るまで、決して国民の支持率も高くないながらも政権を維持した。しかし、盤石な政治基盤を揺るがすことになるのが、先の密約での「日米繊維交渉」問題であった。

繊維交渉での輸出規制は沖縄返還の交換条件だった。ところが実際に交渉が開始されると、大平正芳通産相は米の要求に抵抗し、輸出を自粛しようとはしなかった。大平は「日本からの輸出による米側の被害はない」・「被害なきところに規制なし」と主張した。交渉が紛糾したため、佐藤は通産相を宮沢喜一に代えたが、宮沢も同じように抵抗を続けた。彼らは佐藤から密約を知らされていなかったのである（大平・宮沢はともに宏池会系）。そのため米の要求が理不尽な干渉に思われ、日本の繊維業界のためにも撥《は》ね除《の》けようと努めていたのだった（対米貿易が黒字に転じて以降、鉄鋼については既に自主規制していた）。

佐藤は繊維についての密約を重要視していなかった。六九年時の日本の繊維製品のシェアは米の総生産高の一％程度に過ぎなかった。そのため沖縄返還の条件としては軽視したものと見られる（佐藤には繊維に関しては合意の認識がなかったとも言われる）。対して日本では繊維が基幹産業の一つだった。ところが、米側にとってのそれは金額の問題などではなかった。ニクソンは米国南部への選挙対策として、繊維業界に対して外国製品の輸入規制を図ることを約束しており、公約の実施がかかった政治問題だったのである。

ニクソンにしてみれば沖縄返還の見返りとして当然に守られる約束にも拘わらず、佐藤は約束を守らなかった。

交渉が難航するうちに密約の存在も漏《も》れ伝わることとなり、佐藤は密約の秘密保持にも失敗した。佐藤は新たな通産相として自派の田中角栄を起用すると、田中は輸出に自主規制をかけ、国内の繊維産業には補償金を給付することで納得を引き出した。日米交渉を決着させた。しかし、密約保護の失敗は佐藤に対する米の信頼を失わせた。そして、その影響は以下に展開される「ニクソン・ショック」となって返って来ることになる。

②「電撃訪中」とその背景―米中ソと日本

七一年六月一七日、東京とワシントンで「沖縄返還協定」の調印式が同時に挙行された。そしてその直後の七月、キッシンジャーは「隠密外交」により突如として中国を訪れて「米中和解」を演出した。さらに翌八月には金‐ドルの兌換《だかん》停止をテレビ・ラジオで突然発表した。この二つの変動が「ニクソン・ショック」である。

冷戦下において、ある日突然に公表された「米中接近」は歴史的な出来事となった。七月一五日にニクソンの訪中計画がテレビ放送されると、その衝撃は全世界を駆け巡った。ニクソンは翌年二月に実際に訪中することになるが、この米中接近も「ニクソン・ドクトリン」の一環であった。

ニクソンの政治課題は、ベトナム戦争を終結させることと、戦争によって疲弊した経済の再建だった。そのために、中ソの二つの敵対国との関係を改善することで、硬直した冷戦構造に緊張緩和・「デタント」（雪解け）をもたらして新たな世界秩序の確立を図った。そしてベトナム戦争を終結させるために、北越に影響力を持つ中国の協力を模索したのである。

一方の中国はソとの関係を悪化させつつあった。共産主義の方針をめぐる「中ソ論争」をきっかけに関係悪化が始まり、六九年にはついに武力衝突まで起こした（珍宝島事件、160頁に後述）。そのため中国は、ソを牽制《けんせい》する目的から対米関係の改善を求めるようになっていた。七一年四月の卓球の世界選手権で米中が非公式に接触したのをきっかけに開始された民間交流・「ピンポン外交」が前提となり、米中接近は図られた。

ニクソン・ドクトリンは、中国との関係を改善し、米軍をアジアから撤退させるものではあったが、「国益と国力の冷徹な計算に基づく大胆な外交の再編」と評される通り、決して米の主導性を手放そうとするものではなかった。

ソが米に匹敵するほど核戦力を上昇させていたことから、米は六九年からソの軍事力との均衡を保つための「核軍備管理交渉」（ＳＡＬＴ）を行っていた。それは米ソの弾道ミサイルの保有数に制限を設けるもので、その際ソとの交渉を優位に進めるためには、米が中国に接近することで中ソの対立を助長することに利点があったのである。実は沖縄返還も米中和解のために、中国を米の核攻撃の対象から外すというシグナルになっていた。そうした関係の中で、佐藤政権は繊維交渉によって自ら日本を蚊帳《かや》の外に押し出していた。

そして七一年一二月にバングラディシュ独立戦争（「第三次印パ戦争」）が起きたことで、中国を軸にした対立構造はアジアの勢力バランスを緊張させた。東パキスタンとして統治されていたベンガル地域が自治を求めてパキスタンと対立すると、パキスタンと対立するインド（印）がベンガル側を支援した。印がソを後ろ盾にすると、中国は反対にパキスタンを支持することでソに対抗した。

ソは五〇年代から印に多額の支援をしており、「第二次印パ戦争」（五六年：第一次と同様に国境をめぐる戦争／92頁）の折りには仲裁役を担ったが、その後も後ろ盾となり、印は親ソ国になっていた。七一年八月には「印ソ平和友好協力条約」が結ばれたが、それは中国との間に国境紛争を抱える印ソ両国が協力関係を打ち出したものだった。これに対して中国はパキスタンを支持したのである。

印ソ条約を背景にバングラディシュの独立戦争が起きた時、米はパキスタンを支持しながら、裏で中国が印を牽制することでソに圧力がかかるように導こうとした。米が中に接近すれば、中は印に介入しやすくなり、それがソへの圧力になるからである。つまり米中接近には、印ソに対して中パが同盟化するよう促す効果も見込まれたのであった。

そしてソとの兵器制限を交渉したＳＡＬＴ交渉は翌七二年五月に妥結した。米中接近を圧力にしたデタントの推進であった。

③「電撃発表」と変動為替相場制―「ブレトン・ウッズ体制」の終焉

米中接近によるショックが冷めやらぬ八月一五日、世界はまたも衝撃に襲われた。「ドルと金との交換（兌換）の停止」・「物価と賃金の凍結を柱とする新経済政策（ドル防衛声明）」・「一〇％の輸入課徴金の暫定的設定」を突如発表した「第二のニクソンショック」である。

金兌換の停止は、ベトナム戦争の負担と輸入超過による財政赤字への対策だった。それが日本にとって問題だったのは、高度成長の輸出を支えていた「安い円」（一ドル＝三六〇円のレート）の維持が不可能になり、日本経済に大きな影響が出るにも拘わらず、この決定と発表が日本への事前通告なしに行われたことであった。日本への配慮を無視したニクソン政権の電撃訪中・電撃発表は、佐藤内閣の体面を潰《つぶ》した。日本は米のパートナーなどではなかった。明らかに密約反故への報復と思われた。当時の駐米大使（牛場信彦）によれば、ニクソン政権には日本にだけ輸入課徴金を課そうとする動きも当初にはあったという。

大戦後から、世界経済はＩＭＦ（国際通貨基金）とＩＢＲＤ（国際復興開発銀行）の二つの機関が運営する体制（「ブレトン・ウッズ体制」）の下で、ドルを基軸の通貨にしてきた。国際的に通貨の価値を安定させるため、金と交換できる通貨を米ドルだけにして、固定相場によって各国通貨の価値を定めていた（金本位制）。その金本位制に基づいて、各国が自国の通貨を米ドルと連動させる体制が「ブレトン・ウッズ体制」で、西側諸国はその体制の中で経済発展を遂げてきた。

この間、米は国際収支の黒字と豊富な金の保有によって金本位制をリードしてきた。ところが、ベトナム戦争で国家財政の半分にも及ぶ巨額の戦費（年間五〇〇～八〇〇億ドル）を支出すると、金の保有量が世界経済の規模に対して不足し始め、ドルによる兌換が不可能になっていった。各国が輸出で得たドルを金に交換すると、米では金の海外流出が続いて、金ドルの兌換を続けることが困難になったのである。復興した日本や西欧州の国際競争力の上昇も背景にあった。

そのためニクソン政権はドルの兌換を停止し、「変動相場制」（需要と供給の市場原理に基づいて為替相場を決定する）への移行を図った。その後、七三年までには世界各国が変動相場制に移行し、日本も移行を果たした。ニクソンショックはその後の世界経済の枠組みを大きく変動させ、国際秩序を再編した。

④佐藤栄作政権の偽証―嘘と談合政治

七二年五月一五日、沖縄返還が実現した。日本が独立を遂げた五二年以降も米軍の占領が続いた沖縄には「琉球政府」が設置されていた。米陸軍の下部に位置づけられたが、六八年に住民が自治権を求めて運動し、公選による主席の下での自治機関になった。その主席を務めていた屋良朝苗《やらちょうびょう》が返還とともに沖縄県知事となった。

密約保護の失敗によって、米政権との間に修復し難い溝をつくった佐藤は、沖縄返還の筋道をつけたとして、それを機に退陣することを早々に表明した。そもそもの繊維問題は日米間の紛争の種になるほどの比重を持っていなかったにも拘わらず、折しも進行していた沖縄返還問題に関連づけられたために過度に政治問題化したのであった。

その後の七四年には「非核三原則」に対してノーベル平和賞が贈られた。実際には核を持ち込ませるのに、嘘によってノーベル賞を受けた人物など他にいたであろうか。

またこの間には、自民党が裁判官の人事にまで介入しようとした「司法の危機」事件も起きた。春闘や勤務評定反対闘争（勤評闘争）などで公務員の労働権を認めようとした裁判官に対して圧力がかけられたのである（「全逓東京中郵事件」・「都教組事件」・「長沼ナイキ事件」）。裁判官の個々の信条にまで介入する政府に対して、司法の独立を侵す行いだと批判が噴出した〔佐藤が「黒い霧」のみならず、法相の指揮権によって不正を隠蔽した前歴は85頁に見た通り。／また佐藤政権下で国会議員となった石原慎太郎が九九年に都知事となると、都立校での勤評制度（人事考課）が強化されて全国に定着し、現在に続いている〕。

さらに安定政権の陰では、与党の使途不明金も現れた。官房機密費・国会対策費という費目である。国会で三分の二を占める自民党の優位な状況から、野党とのなれ合いが発生し、野党議員を料亭で接待したり、賄賂を贈ったりすることで談合が成立した。その上で国会では強行採決を行い、野党が反対してみせる予定調和の政治である。

談合政治の原因には野党の多党化が挙げられる。宗教法人・創価学会を母体にした公明党が六七年の総選挙から登場し、当初は社会党や民社党（社会党右派が独立して結党）との共闘を掲げながらも、水面下では政権に追従した。佐藤は六六年に創価学会会長の池田大作と会談しているので、初めから演出された国会闘争もあったと考えられている。

5　「文化大革命」―中ソの対立と「米中接近」の背景

突如として起こされた米中接近の背景には中ソの対立があった。共産世界の内部で起きた中ソ対立は、フルシチョフが展開したスターリン批判から発生していた。西側諸国との関係改善を目指し「平和共存」を唱えたフルシチョフに対し、毛沢東はスターリン路線を擁護する立場から、フルシチョフの方針を共産主義の理念を曲げるものとして批判した。

一九六〇年には対立が表面化し、ソは中国に対する核開発の技術援助を断った。さらに翌年には中国が交流を深めたアルバニアへの排除政策を行い、周恩来はフルシチョフの東欧政策を批難した。さらに六二年に中国とインド（印）の間で国境紛争が発生すると、ソは印に武器を支援した。また同年の「キューバ危機」において、中国はソを「冒険主義」・「社会主義的帝国主義」だと批難し、この段階で中ソの対立は世界的に知られるようになった。

特に中印の国境紛争には、第三世界が大国間中心の世界に異議を唱えるバンドン会議以来の結束を断ち切った意味があった。中国は五一年にチベットを併合したが、五九年になるとその支配に対してチベットの仏教徒らが反乱を起し、駐屯していた人民解放軍を攻撃した（「チベット反乱」）。チベット仏教の指導者・ダライラマ一四世が印に亡命して政府を樹立したことで沈静化するのだが、亡命を受け容れた印のネルーが中国を批判すると、バンドン会議の元になった中印間での「平和五原則」が破られることになった。これが中印国境紛争の火種となる。

六二年一〇月、双方が国境に軍を進出して衝突すると、厳寒のヒマラヤ高地で夏服のまま戦った印軍は壊滅的被害を出して敗北した。窮地に立たされたネルーが頼ったのは、米のケネディ政権であった。米が支援に乗り出すと、中国は休戦を宣言して撤兵したが、印は冷戦に加担しないとする「非同盟主義」を貫くことができなかった。第三世界の台頭を最も阻害していた米を頼ったのである（ネルーは六四年に死去。ダライラマは現在も亡命を続け、中印国境は未だ画定していない）。中印の紛争によって、印と建国以来対立していたパキスタンが中共を支援し（四七年の「印パ戦争」以来の対立）、中国はソと一層敵対した。六四年にフルシチョフが失脚すると、中国はその失脚を祝うための代表団をモスクワに派遣した。ソの新指導部と会談したが、関係改善には至らなかった。

ソでは、ブレジネフが政権に就いた後も食糧不足の悪化を改善できなかった。農村に資金が不足すると国庫から貸し出されたが、返済ができない場合でも社会主義の建て前から破産はさせられないため、各地の農村が返済不能のまま借り入れを繰り返した。返済は単に繰り延べになるだけなので、次第に国家財政の負担になっていった。また、各産業においても、作業ノルマに対する資金が支給されたが、作業さえ行えば生産量に拘わらず賃金を受け取ることができたため国民には生産意欲がなかった。最低賃金を保障する制度が熱意を失わせていたのである。農村では生産量を水増しして虚偽の報告を行うなどの不正まで横行した。食糧不足は解決されず、ソはこの後の七三年までに穀物輸入国となる。

中ソ対立は、ソが経済的に停滞していたことから激化しなかったのだが、一方の中国でも国内を破滅的に疲弊させる「文化大革命」が起こる。

①中国の愚行・「文化大革命」とは何か？

「文化大革命」（文革）は、毛沢東の指導の下に「労働者階級による文化」への革新を求めた運動であるが、その内実は権力闘争を背景に煽動された暴動である。フルシチョフがスターリンの独裁を糾弾した時、毛沢東はそれが自身に降りかかることを憂慮した。そのためフルシチョフを批判した毛は、共産主義の理念を忠実に実行すべきとして独自路線を打ち出そうとした。「共産主義は現代最高の思想」と喧伝し、全人民が軍隊と結合することを目指す「毛沢東理論」によって暴力革命を肯定したのである。その主張に基づく運動が、六六年から一〇年にわたって繰り広げられるが、実際には経済混乱を招いて失脚しかけていた当時の毛が復権するために行われたものだった。

ソとの対立が進行する裏では中国でも食糧危機が起きていたため、毛は五八年から「大躍進政策」と称して農業・工業の大増産を計画した。ところが過度な目標数値が経済の混乱をもたらすばかりで、却って餓死者を続出させる大失策となった。各地に造らせた粗末な製鉄施設が粗製を濫造《らんぞう》し、農村では人肉食事件まで起きた。毛は自身の失策を認めざるを得ず、五九年四月に国家主席を辞任した。中国が六二年一一月に日本との間に民間貿易の実施を定めたのには、それまでの深刻な物資不足があったのである（LT貿易：135頁）。

新たに国家主席となった劉少奇は大躍進政策が失策であったことを表明し、鄧小平（総書記）とともに経済の好転を計るため、資本主義・市場経済を部分的に導入した。現在に至る「改革開放路線」の端緒である。

資本主義の導入によって経済は回復の兆しを見せたが、これに対し毛はそれが共産革命の堕落だと非難した。劉少奇らの進める政策が資本主義的な修正によって私益を図るもので、革命を失敗に終わらせると主張したのである。それは自身が返り咲くために劉らを追い落とそうとする動きだった。六六年七月、七三歳の毛は長江（揚子江）を泳いで渡ってみせた。健在ぶりをアピールしたのである（川幅は一五㎞と報じられた）。

そうした毛が革命理念を保つように呼びかけると、学生・青年や華僑の一部が同調し、自ら「紅衛兵」と称して組織化した。またこれがラジオで放送されると「紅衛兵」は地方の貧しい青年層を捉えて全国的に組織され、革命の名の下に暴徒化していった。若者らにとっては、親世代が起こした革命を自身らで行い直そうとするものであったが、当時の地方青年らは、充分な教育を受けられていなかった者たちだったと言われる。

　統制の無い紅衛兵の暴力は単なる暴動として各地に広まり、党の組織や行政機構を破壊した。行政が機能しなくなり、公の場で知識人らに非難を浴びせる「批判大会」が行われた。学問は革命精神に合わないと、公衆の面前で知識人に辱めを与えたのである。それは貧しさに喘《あえ》ぐ地方青年が、資本家の富を許さないという意味での平等性を訴えたものだった。

　教師や自身の親族にまで批判が及び、家族までが密告の対象となった。子が父母をも密告し、密告された者は処刑された。教育機関はさらに機能しなくなった。ついには国家主席の劉少奇までも公の場で非難され、後には監禁されて死去することになる。毛沢東夫人の江青は文革を推進しようと、劉少奇がスパイだとの批判を浴びせ、紅衛兵を煽った。江青は、有能で知られた劉の妻も投獄した。劉は歴史から抹消され、代わって軍事官僚の林彪が毛沢東の後継者として指名された。

　中国の知識人らを中国社会から駆逐した文革は、数千万もの死者・自殺者を出しながら、地方の青年や農民・労働者を社会の表舞台に推し上げた。謂《い》わば「無学の層」を社会の基準にして、中国国内の知的蓄積や伝統までをも自ら破壊したのである。

　そして文革は共産党を毛の私党にしたのと同時に、共産主義運動の分裂を招いた。暴行や虐殺に対し、日本共産党が反対の意向を示すと、中共は日本の共産党を敵視するようになり、文革の打倒目標に「米帝国・ソ修正・日本反動・日本共産」を挙げた。暴力革命を否定した日本共産党は結果的に中国と断絶することになる。

「自己批判」が強いられる「批判大会」

韓国でも一部の知識人が文革を支持したものの、多くは毛の保身による暴挙と見なした。北朝鮮もソへの接近を選択して、中国と対立する立場をとった。また毛沢東主義と差別化を図るように、「主体思想《チュチェ》」（北の独自的な社会主義としつつ金日成への個人崇拝を求める思想）を喧伝するようになる。

ソとの間では、「紅衛兵」による暴動がソ連大使館にも及んだ他、国境紛争も起こり、六九年三月には中国領における珍宝島（ダマンスキー島）において衝突した。ソからの国境侵犯が頻発していたため、中国軍が待ち伏せて攻撃したものだった（当時全長七四〇〇㎞の世界最長の中ソ国境で中洲の多くはソが占有していた。国際法では河川上の国境線は主要航路の中央線を境界とし、珍宝島は中国側の領土だった）。これを機に中ソ間の国境紛争が各地域で噴出することになる。

また文革はチベットにも及んだ。共産主義的ではないものは全て破壊しようとする文革はあらゆる宗教や教義を否定するため、紅衛兵はチベットでも破壊活動を行ったのだった。諸問題が解決しないまま、ベトナム戦争が侵攻する傍《かたわ》らで中国は世界から孤立していった。

文革は毛の死去（七六年）まで継続された。中国は八〇年に「文化大革命は重大な誤りであった」と自ら否定することになるのだが、こうした文革と中ソ対立、そして孤立した中国の危機感が、ニクソンの電撃訪中の前提条件になっていたのである。

②何が「米中接近」を生み出していたか？―中国代表権問題

文革は中国を衰退させたが、一方では中国はこの間に国際的地位を向上させてもいた。中国は七一年に台湾に替わって国連の常任理事国となったのである。

日本はソの平和共存の方針によって国連に加盟したが、その後の国連では、六〇年代に独立したアフリカやカリブ海諸島（西インド諸島）の諸国の加盟が続いていた。そして中国の場合には単なる加盟ではなく、台湾政府との間で「中国」の代表権（安保理の五大国のポスト）を争う問題であったことから代表権移行が求められた。

代表権の移行は、総会の三分の二以上の承認を必要とする重要議案として扱われた（一般議案は過半数／米が中国加盟を阻止するために代表権問題を重要議案に指定した）。ソは中共政府の成立以来その代表権の移行を求めたが、米が反対してきたために実現していなかった。ところが、加盟国の増加にともない米は三分の一の勢力すら形成できなくなるという変化が起きたのである。

七一年一〇月、アルバニアが中心となって中共政府の中国代表権を認める決議案を提出し、中国は常任理事国となった。それは中共政府が中国の唯一の合法的な代表となり、台湾から代表権を剥奪することを意味した。中国は六〇年代から友好関係を結んだアルバニアを通して決議の根回しをしていたのだった。またアラブ諸国も中国を支持した。中国は長らく三分の二の賛成を得られずに来たが、巨大な中国大陸に成立している中共政府を認めないことはむしろ不自然ではないかとの見方が広まっていた。

キッシンジャーが北京を電撃訪問したのはその直前の七月のことであったが、それは国連で米が少数派に転落したこともまた背景にしていたのである。

米は中国への接近を定めてからも、台湾の追放までは考えていなかった。そのため国連総会では最後まで中国の加盟に反対している。しかし、総会では台湾代表が表決より前に議場から去り、国連からの脱退も表明した。米政権は、岸信介に台湾が国連に留まるように説得を依頼するなどしたが脱退を引き留めることはできなかった。そのため翌年二月にニクソンが訪中したことは、これまで中国の加盟に反対し続けていた米が承認に転じたことの表明でもあった。それは、中ソ対立と文革の問題を抱える中国と、ベトナム戦争の長期化に悩む米との合意点であり、米中接近は台湾の追放と引き換えに成っていた。

日本は米とともに最後まで反対票を投じたが台湾追放を阻止できず、翌七二年には中国との国交正常化を目指すことになる。従ってアルバニア決議案の採決は日本の対中外交の転換点にもなったと言える。訪中したニクソンが米中関係の正常化に踏み出すことを発表すると、その声明の中では、台湾が中国の一部であるとする中共の立場を支持するとした文言が含まれた（「上海コミュニケ」）。そして台湾海峡から米軍を撤退させるとした「最終目標」がニクソンドクトリンに基づいて発表された。しかし、それ以前の佐藤内閣との「日米共同声明」（六九年一一月）では、台湾の安全は日本の安全にとって極めて重要との「台湾条項」（台湾防衛を目的に安保を発動する）を定めていたのであり、米の声明は明らかな矛盾を抱えていた。

6 「近代化論」と「明治百年」

米が一〇年もかけてベトナムに介入したのは、ケネディ政権の基本政策となっていた「近代化論」に基づく判断からだった。「近代化論」とは、ロストウ路線を支柱にした理論で、つまり第三世界を自由主義陣営に取り込むには、その国に開発資金を投入して近代化させればよいとした冷戦戦略である。そのため米は負担を顧みずに途上国を支援せねばならないと考え、現地の近代インフラの整備に注力した。米の危機意識を必要以上に醸成していたドミノ理論には、東南アジアの共産化は貿易を通じて日本に波及するとの考えを含んでいたため、近代化論はまたドミノ理論とも連結して米に硬直した世界観を植え付けた。

近代化論には独自の「経済発展段階説」があり、国家は「伝統社会‐離陸準備‐離陸‐成熟‐民主主義」の段階を進むとの歴史観も含まれた。近代に至る歴史を発展段階で把握しようとするのは、マルクス主義歴史観に対抗したものだったが、その中ではいずれの国家も近代化すれば最後は民主主義化するシナリオになっている。そしてアジア・アフリカの旧植民地諸国が独立を果たしていく中で、ソに先駆けてその開発を進めることで影響力を行使できると考えられた。つまり、第三世界へのソの影響力を食い止め、欧米的な国家に作り上げていく方法を示したのが「近代化論」だった。それらが経済学者のロストウによって唱えられると、ケネディ政権に採用され「ロストウ路線」として成立したわけである（ロストウ自身も特別補佐官に起用）。

「近代化」を唯一の指標とする近代化論は、単線的な進路のみで歴史が語られることになるのだが、この近代化論の有効性を最も示す好事例を提供したのは、他ならぬ日本であった。かつて野蛮国であったアジアの小国が、近代化を進めたことで今や〝欧米的〟な先進国となったという先例を示すからである。

つまり、高度成長を達成したという結果を前提に、近代化の達成がサクセス・ストーリーとして語られ、開国以降の歴史が全て近代化のためにあったように肯定されていく。明治維新は「正しく」始まり、「一九三〇年代に脱線したものの、戦後は軌道修正したことで高度成長を遂げ、正しい民主主義国家の姿になった」との歴史観が形成されることになる。かくして、歴史は近代化に当てはまるものだけが登場する「成功物語」となり、高度成長をもたらした「朝鮮特需」・「ベトナム特需」などの世界とのつながりは捨象されてしまう。だが当時の佐藤政権は政府を挙げてこの見方を賛美した。それは政府主催の記念式典として公式化されることになる。

六八年一〇月二三日、明治維新の百周年として「明治百年記念式典」が開催された。天皇皇后をはじめとする皇族や、各界を代表する約一万人が出席し、佐藤首相の式辞・国家斉唱・衆参両院の議長と最高裁判所長官による祝辞・ＮＨＫ交響楽団の演奏があった。三権の長が出席するまさに国家の公式行事が、一つの歴史観の下で開催されたわけである。

式典は「明治百年準備会議」によって計画された。その「会議資料」（内閣府）によれば、式典挙行の目的は、

①明治維新が国内外の諸問題に直面しながらも、国家百年の大計に立って近代国家への道筋を確立した偉業を高く評価する。
②維新の改革と、近代化の原動力となった先人の国民的自覚と聡明と、驚くべき勇気と努力、そしてその所産である事績に感謝する。
③過去の過ちについては謙虚に反省する。
④今日までの百年間における他に類例を見ない発展と繁栄を評価する。
⑤他方で、高度の物質文明が自然や人間性を荒廃させている現実の是正の必要を痛感し、青少年の物心両面の努力と精進に期待して、この百年の経験と教訓を活かし、国際的視野に立って新世紀への決意とする。

とされ、これらが「明治百年を記念する基本的態度」（『官報』）とされた。

式典の当日は学校などで同種の行事が行いやすいように敢《あ》えて休日にはしなかった。日本武道館で挙行された式典はテレビ・ラジオで全国に発信されたが、国家公務員に対しては公務に支障がない限り公務の手を止めてテレビを視聴するようにとの人事院による指令も発せられた。まさに国家公認の歴史顕彰事業であった。

「明治百年を記念する基本的態度」は、「民族の誇り」や「愛国心」を涵養《かんよう》しようとの態度であるが、それだけでなく佐藤政権の施政と合致する目的性が見て取れる。「基本的態度」では、近代化を遂げたことが何よりも高く価値づけられ、そこから近代化政策の起点としての「明治維新」が賞賛される構造になっている。しかし、それと同時に経済発展によって自然環境の破壊に触れているのは、池田内閣の負の遺産として社会問題を提起する佐藤施政と結びつけられていることが解る。しかも、負の遺産の説明は巧妙に「人間性の荒廃」と並べられており、それは安保改定闘争以来継続されていた学生運動などへの批判となっているのである。

「明治百年」は反戦運動や労働争議が過熱化していく中で準備されたが、それ以前には右翼テロが頻発しており、「岸信介負傷事件」（六〇年七月／新総裁就任レセプション）・「浅沼稲次郎社会党委員長刺殺事件」（一〇月／総選挙のための演説）・「中央公論社社長邸家人殺傷事件」（六一年二月）・「池田首相遊説殺傷未遂事件」（六三年）などが起こされた。佐藤はこれらの右翼テロが、左翼の大衆運動に影響されたものと見なしていた。実兄の岸に対する抗議デモが大きくなったために、右翼がそれに競ってテロを起したと言うのである。だからこそ負の遺産と左翼運動を並列して記し、政府への反対デモが公害問題と同様に解決されるべき課題なのだと意味づけた。「是正の必要を痛感」すべきだと、左翼運動への批判的な認識をも規定しようとしているのである。

7 『坂の上の雲』―ロストウ路線の投影

「近代化論」の影響によって、維新から高度成長までの発展は「近代化」の成功とされた。その認識の中では、米の冷戦戦略の影響や戦争の「特需」は意識されることがなく、かつ正しさを装って意味付けられた。この点では、戦後の復興に「世界情勢の好都合な発展」があったと自己分析した一九五六年の「経済白書」（もはや戦後ではない）に比べて、歴史認識が退行している。「基本的態度」では、「過去の過ちについては謙虚に反省する」と言いながらも、「明治時代から一続きに正しい進路を進んだ百年間」という視点が、侵略戦争を「一時的な脱線」として片付けさせてしまう。また大正時代はデモクラシーの言葉のみ残して単なる「つなぎの時期」のような印象にしかならない。そして近代が発展の一方でどれほど国民の権利を抑圧したのかについても、「成功物語」の中で捨象されてしまうのである。

しかし、日本の歴史を讃える近代化論は、実に当時の日本社会に受け容れられた。戦争や戦前の価値観が全て誤りであったのだとして自身の過去をも否定された層には、挫《くじ》けていたところを救ってくれる議論だったからである。それは特に戦争遺族が家族の戦死を「無駄死にだとは思いたくない」気持ちを容易に捉え、高度成長はその犠牲の上に成り立っているのだとの言説を生み出した。

また知日派で知られたライシャワー大使が近代化論を宣伝した。大使は戦前の東京生まれで、大正時代の日本を知る学者だった。日本の近代化の「成功」を語り、「大正デモクラシー」を高く評価すると、ライシャワーは世間で大いに人気を博した。

米は、ロストウ路線による東アジア戦略として、朴正煕政権の経済政策にテコ入れし、ベトナムの統一運動に介入したが、その陰では日本が近代化論の有効性を提示していたのだった。

こうした「明治百年」によって、最も顕彰されたのは維新志士であったが、それは多分に佐藤や岸の出身地である長州の志士が賞賛される意味をもっている。そして、維新顕彰の影響から、明治維新をテーマとする出版物の刊行も促された。その代表作が、司馬遼太郎の『龍馬がゆく』の刊行や、『坂の上の雲』の連載であり、大仏次郎の『天皇の世紀』であった。『坂の上の雲』の題名がそのまま示しているように、日本は着々と坂道を登り、「成功した明治時代」を描く視点は近代化論の中の視点に他ならない。

★「歴史小説」で勉強してはダメなのか？

歴史小説が史実でないとして批判されることがあるが、筆者個人は大いに読まれれば良いと思っている。それがきっかけとなり歴史に関心をもつことなども大切だと思うからである。但し、歴史小説は「小説」なのであり、それは文学作品であって、歴史学とは全く異なる手法と考え方で創作された物語であることは理解されねばならない。その意味で、歴史小説と名乗って書かれている作品に対して、史実でないなどと批判しているのは筋違いとの意見もあろう。史実が描かれていないことなどは当たり前で、あたかも事実のように描かれているのはむしろ筆力として評価されるべきとも思われる。また、本来そうしたことの判断は読者がつけるべき問題である（とは言え、司馬の作品などにおいて創作ではないかのように書かれていることは検討されるべきであろうとは思う）。面白くない史実より、面白い創作を書くのが小説であり、そうでなければ優れた文学作品にならない。そもそも小説家は史実を書こうなどとは思っていないし、少なくともそんなことで勝負してはいないだろう。それらもまた読者が判断すればよいことだが、しかし歴史学から見た場合に、何が問題であるのかは確認すべきと思われる。

先《ま》ず一番の問題点は、登場人物が全て「現代人」だということである。その時代にあるはずもない概念や知識によって、私たちが後知恵で得たはずの結果に向かって話が進んでいく。その時代の認識などは勉強や訓練をせねば解らない。だから小説が現代人に合わせて書かれるのはまた当然である。その筆法は、「もし自分がその歴史的人物だったら？」という空想へ導き易く、臨場感を与えることにも有効である。しかしそれは文学の世界に入り込むのであって、歴史を検証しているのではない。

もう一点は、とかく主人公のお陰で歴史が動く話に作り替えられている点である。小説は主人公がいて成立する「物語」であるため、多くの場合には主人公の活躍が描かれるが、その主人公に魅力をもたせるために天才的・英雄的な人物として描かれがちとなる。歴史事象の動因が何かと主人公に帰され、その天才性や英雄性に求められるのである。そうするとその史実の他の成立要件は無視されることになり、読者の認識は史実からはどんどん遠のいていく。

また主人公に対比される引き立て役もつくられがちで、何者かを悪役にしてしまうことも度々である。それが感情移入まで引き越し、読者に当事者性まで与えてしまうと、まったくの「作品」（虚構）であるのに「自分は歴史に詳しい」との誤解まで強く植え付けることになる。しかも出来事の背景や理由は至極単純となり、実際の複雑な因果関係が読み解かれることがなくなってしまっているにも拘わらずである。例として『坂の上の雲』で言えば、実際には全く想定した戦いなどできていなかったにも拘わらず、主人公らの智恵で乗り切った成功物語に変わってしまう。そのために日清戦争の外交政略や、日露戦争を取り巻くグレイトゲームの中で何が起きていたのかは理解されることがない。天才が何とかする歴史なら、私たち凡人が歴史を学ぶ意味はほとんどなくなってしまう。優れた人物であっても実際には明日のことも解らない中で奮闘したところに智恵があり、教訓にすべき経験がある。それが財産となるのであって、天才による成功物語は歴史を矮小化してしまうのである。

8　米ソのデタント──青春の終わりに

①デタントはどこに何をもたらしたか？

一九七〇年代の冷戦デタントには、米ソ両国の逼迫《ひっぱく》した内政・外政事情が大きく関係していた。とりわけソと東側諸国は、農業政策の失敗と非効率な食糧流通によって食糧自給が不可能になり（年間三千万トンの小麦が流通過程で不正に失われていたと言われる）、米との対立を避けねばならなかった。ソは米から穀物を買わねばならなくなったが、買い付けを行うほどに貿易収支は悪化した。

一方の米もベトナム戦争の出費を抑えねばならず、但しそのためには北越の後ろ盾であるソとの関係改善が必要だった。六九年四月に、北朝鮮の近海で米の偵察機が撃墜されたが、ニクソン政権は報復をしなかった。デタントを優先することがニクソンドクトリンに適う選択だとの判断からである。

六九年七月にはアポロ一一号が月面に着陸した映像が世界に流れた。テレビは若者の反乱を伝えたように、青い一つの星を世界に中継した。六〇年代の最後を象徴する出来事となった。

ニクソンとブレジネフは攻撃兵器の制限についての協定を締結した。ニクソンドクトリンの一環として、中国への接近を圧力にしながら交渉されたのが、この「核軍備管理交渉」（ＳＡＬＴ）であるが（152頁）、七二年にニクソン自身がモスクワを訪問して合意したものだった。米ソが保持するミサイルの数や発射台を制限することで、先制攻撃力を放棄する取り決めである。兵器そのものを制限するものではなかったが、デタントを促進させ、七五年の「ヘルシンキ宣言」（国境画定・内政不干渉）採択へとつながった。この七五年には、米ソそれぞれの宇宙船アポロ18号とソユーズ19号がドッキングし、宇宙開発も協同で行われるようになった。

そしてデタントは米ソだけでなく欧州の民主化をも進めた。スペインのフランコ政権は大戦前から存在した独裁政権であったが（ナチと同盟した時期もあった）、政治的自由を求める市民によって民主化が求められた。フランコ政権は米との経済交流を強化したことで成長を遂げていたが、経済成長は同時に市民の政治意識も育てた。さらに、七四年に隣国のポルトガル（葡）で民主化の革命が起こると、触発《しょくはつ》されて民主化運動が起きた。

葡の革命は軍部の青年将校によるクーデターから起きたが、その原因はアフリカや東ティモールにあった植民地での民主化を抑え込むことに負担に感じるようになったためだった。将校らは独裁政権（「サラザール体制」）を打倒し、軍政から民政への移行を果たした（カーネーション無血革命）。これがスペインに波及して七五年にフランコが死去すると、国王を復活させた王政による民主化を達成したのであった。

②学生運動に責任はないのか？―「逃げ切り世代」

日本の「七〇年安保反対運動」は不発だったが、一部には過激化した勢力が登場した。そのうちの一つであった日本赤軍は、世界同時革命を目指すとして日航機「よど号」をハイジャックして北朝鮮に亡命した。国内初のハイジャック事件で、東京から福岡を経由して北朝鮮へ向かった。よど号が韓国の上空を通過するため、日本が侵入許可を求めると、韓国のKCIAはソウルの管制官に対して、平壌の管制官になりすまし日航機をソウルへ偽装誘導するよう命じた。GNPで韓国を抜いた当時の北は大きな脅威であり、KCIAは北へ向かおうとするよど号の撃墜も考慮していた。偽装によって赤軍はソウルに着陸したが、平壌でないことに気づくと再び機内に立て籠った。人質救助のため日本政府は犯人らの北への亡命を認めた。犯人の一人はその後日本に帰国して刑に服したが、他は現在まで北で生活している（数名は既に死去）。

七二年には「連合赤軍」が国内外で事件を起こした。武力革命を謳って武器や資金を強奪していた組織で、国内ではほとんど警察が壊滅させていたのだが、最後の数名が軽井沢の「あさま山荘」に立て籠り、人質をとる事件を起こした。急勾配に建造されていた山荘に警察隊が突撃するのは困難で、事件は予想より長引いた。ようやく一〇日目に突入が行われた。突入は、犯人の殺害を避けられないと見た警察が、十分に世論が硬化するのを待って決行された。テレビ中継の中、鉄球による建物破壊が行われたが、犯人の銃撃によって死者が出たため警察は決死突撃に切り換えた。

この事件の間にニクソンが電撃訪中をしたが、それは共産革命が挫折したことを意味していた。連合赤軍の最後の打倒目標は政府と米軍だったからである。その米は中国と和解した。

犯人は確保されたが、その後の供述で赤軍は事件前に一〇数名もの仲間をリンチ殺害し、山荘に逃げ込んでいたことがわかった。革命などと鼓吹《こすい》しながら実態は稚拙《ちせつ》な暴力集団であることが露見した。赤軍は国外でもイスラエルの空港で銃を乱射し、約百人を死傷させた。そこではパレスチナのゲリラと共闘しようとしていた。パレスチナの武装組織がイスラエルに対する闘争を展開していたのである（パレスチナゲリラはこの年開催されたミュンヘン五輪でイスラエルの選手団を殺害する）。

あさま山荘の犯人らは収監されたが、その内の一人だけは三年後の七五年八月に赤軍がマレーシアで米大使館とスウェーデン大使館を襲撃した事件（「クアラルンプール事件」）での人質交換によって現在まで国外に逃亡している（レバノンでパレスチナゲリラとともに潜伏中）。

世界的に左翼運動が拡大するきっかけにもなったベトナム戦争は、この間も継続されていた。カンボジアを経由して民族戦線に送られる支援物資を阻止するために米軍はカンボジアも侵攻した（ホーチミン・ルート遮断）。

翌年にはラオスへの空爆まで行うも成果がなく、米は撤退を表明した（「パリ和平会議」）。米軍は七三年三月に撤退するが、その後も戦争は内戦として継続された。ベトナム共和国（北越）は米軍の干渉を退けたが、初代主席のホーチミンはその前の六九年の九月二日に病死した。彼が最初に建国宣言をした一九四五年からちょうど二四年目のことだった。

七五年四月のサイゴン陥落によりベトナム戦争は終結した。米は初めて戦争に敗北した。ベトナム戦争の終結により世界中の反戦デモは収束していった。ベトナムは犠牲を払いながらも米を退け、社会主義国として統一されたが、但しインドシナ半島ではこの後も動乱が続くことになる。

さて、日本でも盛り上がった反戦運動（およびそれに託《かこつ》け

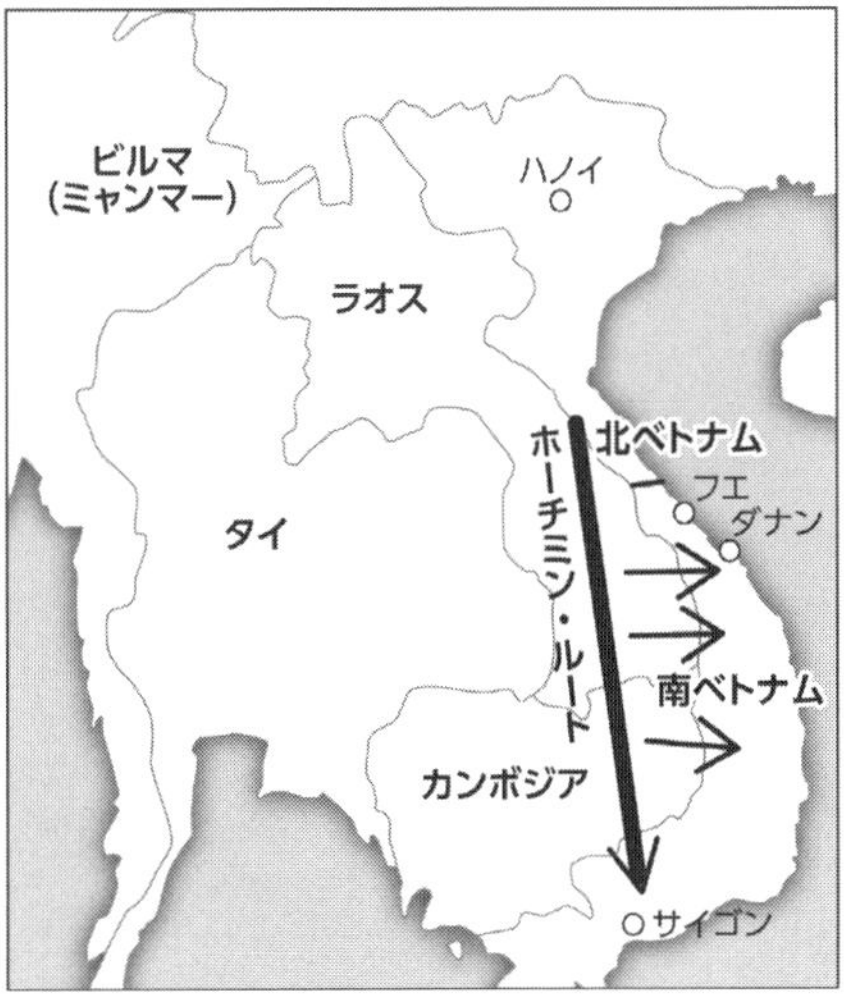

ホーチミン・ルート

た暴動）は大学生世代を中心に広まった。担い手となった当時の若者は、革命や闘争と称して暴動や争乱を起したが、運動が収束すると次第に打倒するはずであった社会に自ら帰属していった。学生運動とは無関係だったことにして就職した者がほとんどだったことは、好き勝手に暴れたことが単に社会に甘えていたに過ぎないことを意味している。両親に養われている子供の家庭内暴力と同じである。それを街中にばらまいておきながら責任を取らず、誰かのせいにした他には何事もなさない結果を残した。戦争に反対だなどと叫んでいたが、もし戦前にいたならば軍国主義の時局に便乗したであろうことが容易に想像できる。群れれば騒ぐが、責任と向き合う勇気などはなく、その後は社会にタダ乗りするばかりか、社会を支えているような素振りでその恩恵を受けていく。犯罪行為を青春として片付けて、その罪から逃げ去った。そしてこの世代の多くは、その後も様々な社会問題から逃げ切っていくことになる。

第８章

相互依存の世界

１　ASEANとアジアNIEs

ベトナム戦争後の東南アジア情勢が変化を迎え、やがて東南アジア諸国の対立を克服していく時代を迎えるようになる。しかし、インドネシア独立戦争・カンボジア内戦・ラオス内戦・中越戦争などが絶えず、フィリピン・スマトラ・ビルマでも内戦を抱えていたのが当時のアジアであった。

米の侵攻・空爆によってベトナム戦争はカンボジア王国・ラオスにまで拡大した。カンボジアにはベトナム戦争を背景として一九七〇年に親米政権（ロンノル政権）が成立した。それまで国民に絶大な支持を得ていたシアヌーク国王をクーデターで追放したのだった（王国政府は五四年のインドシナ休戦協定で承認され、以後は平和な時代を過ごしていたが、国王は米の支援を受けようとしなかったことから親米派の反発を招いた）。米はカンボジアに親米政権を立てることでホーチミンルート遮断を進めようとした。しかしベトナム戦争の波及を背景に、ポル・ポト率いる共産党勢力がその親米政権に対して反乱を起こした（「カンボジア内戦」)。この後五年にわたる内乱の末、親米政権は瓦解し、米軍はカンボジアからも撤退することになる。

またラオスは大戦後に独立して以来、国内の親米勢力と反米勢力とで対立していた。そこへベトナム戦争が起きたため、連動して内戦が起きた。以後はベトナム戦争の推移とともに左派が優勢となり、社会主義勢力の「ラオス愛国戦線」が国内を統一した。

アジアの旧植民地各国では、「植民地エリート」と呼ばれる指導者がそれぞれ台頭した。彼らは戦時期に日本の支配下で開発経営に協力した現地人で、独立後に指導者となった。日中戦争を継続しながら東南アジアに戦線を広げた日本は、戦争規模に対する国力の限界から、現地の協力に依拠せねば占領地を維持できなかった。それが「大東亜共栄」・「八紘一宇」といったアジア解放のスローガンを軍部が謳った理由だったが、現地の協力者は西洋の植民地支配から脱するために「アジア解放」の理念に期待をかけたのだった。そして戦後の独立国家で「植民地エリート」となった。

そうしたアジア情勢の安定化に役割を果たしたのはASEANである。六七年に発足したASEAN(Association of South East Asian Nations/「東南アジア諸国連合」)は、当初は米の指導によって東南アジアの反共産連合としての組織だった。米が「近代化論」を背景に東南アジアへの介入を続けた結果、現地では軍部出身のエリート官僚が権力を独占する「開発独裁」体制が形成された。

「開発独裁」とは、貧困から脱するためには工業化(近代化)が必要であるとの世論を背景に、近代化政策を最優先にして他の政治運動を抑圧する体制を指す。フィリピンの「マルコス政権」・インドネシアの「スハルト政権」・タイの「サリット政権」・韓国の「朴正熙政権」などがそれに当たる。いずれの政権においても、国民生活の向上を訴えることで国民の支持を調達し、その人気を背景に独裁権力をふるった。

政府主導型の政策によって国民の政治参加は抑制された。しかも、開発優先の政策は米や日本の資本と、現地の一部の企業との癒着《ゆちゃく》をもたらし、国民には開発による利益の還元など無いばかりか、却って経済格差や生活環境を悪化させた。このような政策が、米の「ロストウ路線」・「近代化論」を受け容れることで成立し、それを正当化するための口実として「反共産主義」を掲げるのがアジアの開発独裁政権の性格だった。

ところが、七〇年代に入ると「近代化論」やそれに基づく政策は急速に影響力を落とし始めた。途上国が一向に発展しないことや、貧困を覆い隠すことができず、指導国としての米がベトナム戦争に敗北してからは、反米ナショナリズムも強く現れてきた。それまで現地の経済状況や歴史的経験・伝統文化をほとんど無視して進められてきた開発戦略に見直しが求められ始めた。

また、米国自体がアジア政策を転換したこともアジア各国のナショナリズムに影響した。ニクソン政権は七四年八月にスキャンダル（選挙での盗聴事件）で退陣するが、政権交代で大統領に就任した民主党のカーター（James Carter）は、冷戦下における「人権外交」を標榜し、当時深刻化していたイスラエルとエジプトの対立の仲裁に乗り出した。カーター政権の主要な関心は中東の対立に向けられ、アジアへの過度な介入が相対的に低下したため、「アジア離れ」とも言われた。

「ニクソン・ドクトリン」から「人権外交」への流れの中で、「ロストウ路線」（近代化論）は放棄された。その後のアジアでは相互の経済交流が拡大した。経済的な依存関係が発生したため、従来の「民主vs共産」の構図は解体され、アジアでは政治的主義・思想が対立の要因ではなくなった。そのため、ＡＳＥＡＮも当初の反共連合としての性格を捨て、共産圏とも割り切った経済協力を進めていった。「政治的不干渉主義」のＡＳＥＡＮへと転換したのである。

それらのアジア諸国は、この後の八〇年代を通して民主化を促進させ、香港・シンガポール・韓国・台湾の地域は、新興工業経済地域として飛躍的に発展していく。これらの地域は特に「ニース」（ＮＩＥｓ）、または「アジア・ニース」などと呼ばれるようになるが、八〇年代にかけての急速な工業成長で、世界的にも重要な地域に成長していく。そして、その発展の大きなきっかけを与えたのが「日中国交正常化」と、中国の「改革開放」による政策転換であった。

2 「日中友好」と「列島改造」

①自民党最大派閥・田中派はどう成立したか?

佐藤栄作が早々に退任を表明したことで、自民党の内部ではポスト争いが起きた。周山会（佐藤派）は最大派閥であったが、一九七一年に地方統一選挙が行われると、密約問題の影響から反対陣営が議席を伸ばした。この地方統一選挙は、同年に予定される参院選の前哨戦《ぜんしょうせん》とされていたことから、佐藤派の弱体化が窺《うかが》われた。その中で、佐藤派が福田赳夫を後継者に指名する意向であることが判ると、それを不服とした田中角栄は佐藤派から自派を率いて独立した。佐藤は政権末期になって引退を引き延ばそうとしたが、それは「田中派」の形成に時間を与えただけだった。

田中は地元の新潟で土木業を営みながら立候補した学歴のない政治家だった。吉田茂の側近となり、「吉田学校」出身者として佐藤派に入ったが、田中個人は池田勇人とも懇意だったため、分裂した吉田系の中で佐藤・池田の両派を仲介できる要の存在だった。岸内閣以降は閣僚を歴任している。

大臣としての田中は建設関係の議員立法に力を入れた。道路建設の予算を獲得するためにガソリンからの税収を建設費に当てる法案（目的税）を成立させた。戦前の日本の道路は国道を主として、陸軍のための道路だったのであり、道路建設は国家が国民を統制するための事業の一環だったが〔伊勢『近代日本の陸軍と国民統制』参照〕、田中の立法は国民生活のための道路建設へと改変する発想だった。

岸内閣における郵政大臣の就任が田中の最初の大臣ポスト（最年少での大臣就任）だったが、大臣となった田中は省内の労働組合との労使闘争の制圧に臨んだ。労使問題はそれまで郵政省を悩ます宿痾《しゅくあ》とされていた。田中は郵政省の資金を手当に解雇を実施し、同時に独特の人心掌握で官僚らを味方に付けた。また、建築基準法の制限で建設が止まっていた東京タワーを見ると、所管の次官を直に説得して工事を継続させた。さらにＮＨＫほか各テレビ局に認可を与える郵政大臣として、田中はテレビの利権の調整者ともなった。

郵便局も明治時代以来、政府が地方を統制するための役割を担った機関であったが〔地方の名望家が郵便局長を務めることで内務省による地域支配の末端を担った。（伊勢、同前参照）〕、田中は、国民の預金を銀行とは別に預かる郵便局が、その資金を公共事業に活用することを考え出した。郵便局を全国に増設し、郵政省が自前の資金で独断的に公共事業を推し進めた。田中の恩恵で全国に増加した郵便局長は、地域の顔役として地方に配置され、かつ田中の支持基盤を形成していった。郵政省の官僚が転身して選挙に出ることになれば、各地で上位当選し、田中派に属していった。「郵政票」を把握する田中の下で「郵政族」の議員が自民党内の一角を占めていくことになるのである。

佐藤内閣での日米繊維交渉ではそれまでの通相がまとめられなかった交渉を田中がまとめた。田中の派閥は、佐藤派内部につくられた「木曜クラブ」と呼ばれる集団であったが、ポスト佐藤を狙って七二年五月に佐藤派から独立分派したのである。田中を担いだのは山形県選出の木村武雄で、木村は戦前には石原莞爾に師事して中国で「東亜連盟運動」を行い〔日中提携の上で満洲国を経営し、対米戦線を築こうとした運動（伊勢『石原莞爾の変節と満州事変の錯誤』参照）〕、東條英機に反発して大政翼賛会の推薦を受けずに当選した議員だった。対米関係で凋落する佐藤から分派した「田中派」は最大派閥となり、総裁選では他の派閥も田中を支持した。

対する福田赳夫は、東京帝大を卒業して大蔵省に入省した後、芦田内閣期の「昭和電工事件」で大蔵省を辞めることとなったが、その後は岸信介の側近となり、佐藤内閣では蔵相・外相に就いた。岸・佐藤は、その福田を後継者と考えており、その「嫡流」としての後継者であった。

田中と福田は幹事長と蔵相をそれぞれ交互に務めていたが、それは佐藤が両者を競合させながらバランスをとる方策だった。結局それは後継者争いとなり、党内部の熾烈な争いとして「角福戦争」などと呼ばれたが、田中が福田を破って勝利し、大正生まれで初の首相となる。

またこの争いの背後では参議院での改革が行われていた。参議院では、議長の重宗《しげむね》雄三（岸・佐藤派）がポストを把握して人事を牛耳ることで権力を振るい、自民党による政党化を進めていた（参院は重宗王国とまで言われた）。佐藤政権期を通して、「良識の府」であるはずの参院までもが腐敗していたのである。それに対して、参院の改革を訴えた河野謙三《こうのけんぞう》（一郎の弟）が野党の支持を得て反旗を翻《ひるがえ》し、議長に当選した（「河野クーデター」）。これが田中の陣営に有利に働くことになった。

②日中国交正常化の条件とは何か？

田中は「佐藤内閣のスタッフは一切使わぬ」と公言し、盟友の大平正芳（宏池会）を外相に就けて組閣した。大平も貧農の出で、池田の秘書官から当選した人物である。但し、田中内閣の出発時には、米中接近の後の外交への見通しは立っていなかった。中国との関係改善が課題であったが、台湾との折り合いをつけることができなかったからである。

それまでの日本は米の冷戦戦略の枠内で中国との経済交流を行ってきた。また日本は六五年から台湾への大型借款を開始しており、台湾貿易は急速拡大した。日米共同声明に見た通り、安全保障の点からも台湾を重視したのが日本の方針であり、沖縄返還後には一層重要となった。そうした立場から、佐藤政権期には中国との国交正常化は進展しなかった。佐藤も日中の関係改善に動いたものの、党内では派閥ごとに中国か台湾かで意見が異なり、まとめることができなかった。

自民党内には親台湾派がおり（親台湾派の代表的一人が岸）、「吉田学校」や佐藤派の中にも、単独講和とともに選択された台湾との関係に配慮して中国との外交に反対する立場があった。そのため佐藤政権の末期には、中国外交を掲げることが反佐藤として次の総裁選を戦う看板にもなっていたのだが、田中自身は台湾との関係が薄く、台湾問題をどう乗り越えるかの見通しはなかった。

一方、中国側は佐藤政権が瓦解したのを機として日本との国交を積極的に考えた。文革の混乱が続いていたが、毛沢東は健康を害しており、外交の実務は周恩来が担った。中ソ対立から、ソが日本に接近することを警戒するようになっていた中国は、日本との関係改善を希望していたのである。もはや中国の主敵は米からソへと変更されていた。

当初は慎重な立場をとった田中が中国外交に踏み切ったのは、組閣直後に公明党の竹入《たけいり》義勝が訪中して持ち帰ってきた周恩来のメッセージ「竹入メモ」によるものだった。そこには中国側が、日本との関係改善において、日米安保条約の「台湾条項」や、日本と台湾が実務的関係を続けることには口出ししないこと、戦争の賠償請求も放棄する意向であると示されていた。中国側からの多大な譲歩であった。それまで不明であった中国側の条件が確認できたことで、田中は国交回復を決意した。

大平外相は他派閥から批判を受けながらも党内の意見をまとめた。台湾に最大限配慮するとした玉虫色の方針案で合意を取り付けたのだった。大平はＬＴ貿易の初期から中国との交渉に関わっていたが、大平もまた池田と同様に戦時の軍国主義と日中戦争に加担したことへの反省が強くあった（大平は興亜院に務めた大蔵官僚／『明日のための現代史』上巻、第８章３③）。また外務省でもアジア局中国課が正常化に対して積極的に活動していた。

田中が首相談話として国交正常化を望む旨を発すると、二日後には周恩来から反応があった。田中は翌八月に訪中の意向を公式表明し、ニクソンとハワイで会談すると対中外交の方針を伝え、九月に訪中を実現させた。

但し、やはり中国との国交正常化は台湾との断絶を選ぶことだった。日本は単独講和に伴い「日華平和条約」を結んで、台湾を「正統な中国」として承認した。それが一転して中共との和解を進め、今度は中共政府の方を「中国」だと認めることになる。そうした問題を解決できないまま進めた正常化は、国会の批准を要さない共同声明から始められた。

周恩来は国交正常化に当たって、米との関係や台湾問題には立ち入らない方針を提起した。また日本の戦争責任についても、罪のない一般の日本人に賠償の苦しみを負わせたくないとして、中国は賠償請求権も放棄するとした（日本の戦争責任は軍部にあり、国民にはないとする中国の議論を「二分論」と言う。中共の対日外交原則となった）。こうした共同声明は事実上の終戦処理として、中国の賠償放棄と引き換えに、台湾が中国の領土だとする中共政府の立場を日本が尊重することで合意された。

また当時までには、尖閣諸島の領有が問題になっていた。領土問題は「サ条約」の「領域の確定」（第二〜三条）の事項であったが、その中で日本が放棄するべき地域に尖閣は含まれていなかった。それも当初は問題にならなかったのだが、六八年にＥＣＡＦＥ（国連アジア極東経済委員会）によって尖閣諸島の周辺海域に石油の埋蔵の可能性があるとの報告が出されると、中国と台湾はその領有権を主張するようになった。尖閣問題は、石油資源の確保をめぐる問題として単に日中間だけの問題ではなくなった。周恩来も石油が出たために国際問題になったのだと述べたが、それ以上の言及は避けた。尖閣には触れずに正常化を進めるのが中国側の判断であった。

かくして発表された「日中共同声明」では、日本が戦争の責任と反省を明示し、中国は両国の友好のために賠償を放棄すると宣言された。そして、アジア・太平洋地域におけるいかなる覇権にも反対することが記された。「覇権への反対」はソへの牽制《けんせい》である。これに対してはソから覇権の意味を問い糾《ただ》されたが、大平外相はソの利益には抵触しないと答え、その意味を濁《にご》した。

③文革の行方

周恩来は韓国や台湾への援助を行わない日本企業にのみ貿易を認めるとの条件（四原則）で、正常化にともなう経済交流を増進させた。周恩来は文革で疲弊した中国社会の再建にも尽力していたため、国交正常化には日本の技術を導入したいとの動機も含まれていた。

周は、文革を推進していた江青らの勢力に対抗しながら経済再建に臨んでいた。破壊された科学技術の研究や教育を取り戻すために学校教育の整備にも着手した。その過程では、毛沢東の後継者に指名されていた林彪が事故死する事件が起きた。林彪は副主席で国防相も務めていたのだが、毛の暗殺を計画して失敗し、空軍機で逃亡中にモンゴル上空で墜落したと公表された。事件の全容は明かではなく、現在もはっきりとしていないが、毛や江青らとの確執があったと見られる。周は、林彪による文革の指導が行き過ぎであったと公表して、修正を図るとともに事件翌年の七三年には鄧小平を復帰させた。

すると毛沢東と江青は、周らの動きを警戒するようになった。それと同時に文革を継続する中で、孔子への批判を創り出した。共産主義思想とは相容れない儒教思想を批判し、周恩来の実務的な姿勢は儒教の教えと同じだと言い出した。歴史学者や哲学者が集められ、孔子を批判する論文を書かせるなどした挙げ句、孔子は奴隷社会を理想化した人物で、実は反逆者の林彪も孔子を崇拝していたのだと主張した。

文革は七六年の毛の死後まで継続されるが、でっち上げによるスパイ容疑で暴行・処刑が行われ、一〇〇〇万人もの自国民を虐殺した。八〇年にやっと収束すると、文革を推進した江青らは裁判で死刑になり、劉少奇の名誉回復が行われた。

④台湾は日中とどのような関係なのか?—二律背反の「敵国条項」

日本が台湾よりも対中関係を優先したのは、中国が国連の五大国に位置づいたことが大きかった。一九五〇年の「中ソ同盟」では日本が仮想敵国に名指しされており、国連の敵国条項についてもソの承認なしには撤廃できなかった。それらの問題が解決せぬうちに国連の代表権は中共に移ったのである。ソは中共に代表権が認められない限りは敵国条項の審議もしないと反対していたが、今や審議には中国の承認も必要となった(代表権が移行したことで敵国条項の発動権も中共が継承した)。

しかしながら外務省や自民党内には親台湾派も多かったため、田中は国交正常化を方針にしながらも、台湾への配慮を示して、訪中より前に台湾へ親書を携えた特使を派遣した。台湾では激しい抗議デモが発生した。結局、台湾問題は解決できないまま日中共同声明が出されると、台湾は日本への断交宣言を即日に出した。

田中の進めた正常化は台湾との断絶をはらみながらも、単独講和から断絶していた外交関係を前進させ、その後の「日中平和友好条約」(七八年八月締結)へのきっかけをつくった。しかし、親台湾派の党員などからは拙速だったとの批判が後々まであった。結局はニクソンショックから米との歩調が乱れ、尖閣問題も含めて米との調整がないまま決断されたことが影響した。

台湾に逃れた国民党政権は、蒋介石とその子息の蒋経国が指導し、それ以前から台湾に暮らしていた「本省人」を統治した(本土から流入した中国人は「外省人」と呼ばれた)。本省人の統治のために、四九年から八七年まで戒厳令が布かれたが、これは世界最長の戒厳体制だった。

七一年に国連の代表権を失った台湾は、七九年には米との国交も失った。米との安全保障条約(「米華相互防衛条約」)も破棄されたが、但し米ではそれに代わる「台湾関係法」が制定され(台湾防衛のための軍事協力を定めた米の国内法)、同盟関係は維持された。

国共内戦の当初に大陸から一五〇万人が流入した台湾の経済は窮乏していた。中国本土ではインフレが起きていたため、その影響を断とうと台湾の貨幣を造幣した。また日本から取り戻した土地を分配して土地改革を実施した。製糖事業を行い、以後は米の経済援助を背景に発展してきたが、六五年からは日本の円借款もその発展に寄与していた。原発や交通インフラの建設が進み、日本との断交以後も経済交流は民間ベースで継続した。七〇年代後半からは米・日の公式な援助も始まり工業化が進むことになる。

台湾はＮＩＥｓ（新興工業経済地域／韓国、香港、シンガポールと併せ「アジア四小龍」）の一つとなるまで成長するが、中国が文革のために台湾に介入できなかったことや、欧米に留学して帰国した官僚が活躍するなどしたことも成長要因となった。

但し、経済成長の一方で台湾政府は人民から政治的自由を求められるようになり、戒厳令による抑圧への反発が募った（戒厳令下では政党の結党も禁じられた）。七五年に蒋介石が死去すると、総統を継いだ蒋経国により一党支配は続けられたため、政府への反対運動が起きた。民主党が結党され、米でも台湾民主化を支援する動きが起こり、一党支配は困難となった。それにより八七年に戒厳令が解除されたが、翌年には蒋経国が急死し、副総統であった李登輝が初めて本省人として総統になった（台湾人の李は日本の植民地化で成長し、日本の大学に進学するなどした親日家として知られる）。

そして、中国では鄧小平による開放路線が実施されたが、それには台湾との経済交流も含まれていた。「一国二制度」（台湾の主権は認めないが独立性を容認する立場）による平和的統合が提唱され、中国との交流が台湾経済をさらに発展させた。

⑤「列島改造」の時代はどのような時代か？

国内では田中の「日本列島改造」論が席巻した。都市に集中している工業力を地方に再配置する必要を訴え、交通・情報通信の全国的ネットワークをテコに、人・物・金の流れを巨大都市から地方に逆流させる〝地方分散〟を構想した。産業・地域構造を改革して、都市の過密と地方の過疎を同時解決するとし、「取り残された地方」を救済すると謳った。田中の構想は経済成長の恩恵を受けずにいた地方に歓迎され、著書『日本列島改造論』はベストセラーとなった。田中の私的諮問機関としての「日本列島改造問題調査委員会」が設置され、構想の推進が図られた。

「列島改造論」では、日本の北部を工業地帯として発展させ、南部を農業地帯にすると構想された。北部にダムや水力発電施設を設置して、その地域の雪を水資源として利用することで豪雪地帯の貧困問題を解決するとした。それは多分に田中の地元の新潟をはじめとし「裏日本」と言われた日本海側を豊かにしたいとの思いに発した。そもそも田中が土建業を営んだのも、政治家になったのも、公共事業への関心からだった。

「列島改造」を「地方分権」の初動として位置づける評価もあるが、その性格はむしろ中央から選ばれた地域が優先的に発展を約束してもらえるものだった。また都市から人口を逆流させる発想には、明治維新から続いてきた発展がピークを迎え「維新の折り返し地点」に達したとして、自分たちが近代化の到達点にいるかのように述べる田中の語り口から、「近代化論」の影響も見て取れる。

そして、このような「列島改造論」が、各地で保養施設の建設などを具体化させると、開発を見越した企業による土地の買い占めや乱開発が起きた。運輸省は新たな新幹線や道路の建設予定を立て、地方議員は開発を誘導するために誘致運動を展開した。すると、開発を見越した土木・不動産業者が土地の投機に走り、地方の地価が高騰し出した。

また、工業地域を地方に移転させることが閣議で決定されると、都市では移転から逃れるための運動が起きた。企業や労働組合は地方への分散に反対し始め、そこへ「第四次中東戦争」によって引き起こされた「オイル・ショック」が追い打ちをかけることになる。

このように当時の日本社会は列島改造に沸《わ》いていたが、その裏で終戦後も敗戦したことを知らずに出征地で潜伏していた元日本兵が発見された。七二年にグアムで現地民に確保された横井庄一が五七歳で帰国を果たした。横井は共にジャングル生活を続けていた元部下二名の遺骨を抱えて帰ってきた。

さらに七四年、今度は比のルバング島で日本兵が発見された。日本人観光客が接触したことで陸軍中野学校出身の小野田寛郎であると確認されたが、小野田は上官の命令がなければ帰れないと帰国を拒否した。上官であった元陸軍少佐が同地に渡り、任務解除命令を伝達したことで小野田は二九年ぶりの帰国を果たした。戦争が未だすぐそこにあるばかりでなく、まだ終わりにできていなかった時代であった。

３「オイル・ショック」と石油戦略

石油資源をめぐっては、欧米先進国による国際石油資本（メジャーズ）が開発・採掘・精製・販売を一手に握っていた。例えば不毛な砂漠地帯と言われたサウジアラビア（サウード王家のアラビア）は、一九三八年に米企業によって石油が発掘されると有数の産油国の一つとなり、米の利権の対象になった。ところが、六〇年にメジャーズが原油の価格を下げると、サウジを中心にイラン・イラク・クウェート・ベネズエラの産油国は自国の利益を護るために輸出カルテルとしてＯＰＥＣ（石油輸出国機構）を結成した。以後はメジャーズとの間に確執を抱えた。

①アラブ寄りより油寄り

一九四八年時の「中東戦争」（68頁）から対立の続いてきた中東では、五六年にエジプトのスエズ運河の国有化をめぐって「第二次中東戦争」（エジプトvs英・仏・イスラエル）が起きた。英仏の介入に対して、ソはエジプトを支援したが、米もエジプトが親ソ的になることを警戒したことから英仏の行動に強く反対した。英仏は当初は米の勧告を拒否していたが、国連総会の決議により結局は撤退した。英仏の介入を排除したエジプトはアラブの盟主となった（アラブ連盟：エジプト・サウジ・シリア・イラク・ヨルダン・レバノン・イエメン。／後にはリビア・アルジェリア・モロッコ・クウェート・アラブ首長国連邦・パレスチナなどが追加加盟国となる）。アラブ連盟の登場は「イラク革命」（112頁）の背景にもなった。

その後、イスラエルからパレスチナを取り戻そうとするＰＬＯ（「パレスチナ解放機構」：イスラエル建国によって自治を失ったパレスチナ人による反イスラエル組織）が結成され、以後はイスラエルの支配下にあるパレスチナ地域の領有をめぐって武力紛争が頻発した。

六七年にはＰＬＯを警戒したイスラエルがアラブ側を空襲し、エジプト・ヨルダン・シリアに壊滅的打撃を与えた（「第三次中東戦争」／「六日戦争」）。わずか六日間でイスラエルの圧勝に終わり、パレスチナには一〇〇万の難民が発生した。アラブ諸国は翌六八年にＯＡＰＥＣ（アラブ石油輸出機構）を結成した。ＯＰＥＣとは別個のアラブ連盟によるカルテルである。そして、第三次戦争の巻き返しを図ったアラブ側（エジプト・シリア軍）がイスラエルを奇襲攻撃したのが七三年の「第四次中東戦争」である。

アラブ連盟のＯＡＰＥＣは、イスラエルを支援する英米をはじめとした先進国に対し、原油価格を二一％も引き上げる「石油戦略」を展開した。それに伴い、ＯＰＥＣもメジャーズに打診することなく原油価格を一挙に引き上げた。先進国の石油価格は四倍に急騰し、急激なインフレが引き起こされた。この「石油危機」（オイル・ショック）によって、石油消費の九九％を輸入に依存する日本では、その内の八割弱を安価な中東産油に依拠していたため多大な影響が現れた。

それまでの日本は米の中東外交の背後で、アラブ諸国との直接的な関係には積極性を見せなかった。そのため米に追随する親イスラエル国家だと見られていた。しかし、ここにきて日本はアラブ寄りの姿勢に転じようとした。日本のメディアは次第にアラブ寄りの報道をするようになり、その変わり身から「アラブ寄りより油寄り」だと揶揄《やゆ》された。日和見《ひよりみ》な態度を危険視した米からキッシンジャーが来日して、反アラブの結束が必要であるのに日本は抜け駆けするのかと非難した。田中はアラブが日本への石油禁輸を行った場合に、米が日本に石油を回してくれるのかと問うと、キッシンジャーはそれはできないと答えた。これを聞いた田中はアラブ諸国との関係構築に踏み切った。

米の枠からはみ出る選択も、やはりニクソンショックの影響であるが、以前より田中が資源の獲得を志向して自立した外交を目指していたことも背景になっている。田中は、英・仏・西独・ソを歴訪して資源の輸入取引を交渉しており、その過程で石油危機が起きたのであった。

ちなみに、訪ソの際には北方領土問題が解決済みであるとして交渉しようとしなかったソに対し、田中はブルガーニンから「問題は未解決」との言質をとった。それはソが北方領土問題を認めたことを意味したが、その後にまた解決済みと覆されることになる。

②石油危機は何を生んだか?—「石油戦略」と「原発」

日本国内では猛烈な物価上昇に備えた「買いだめ」が現象化した。石油関連商品をめぐる買い占め・売り惜しみが起き、灯油・プロパン・ゴム製品（石油化学関連製品）から砂糖・塩に至るまで国民の買い占め行動が多発した。消費者物価の年率が二五％も上昇する「狂乱物価」とパニック現象が日本においての石油危機である。

政府は「緊急石油対策推進本部」を設置して対応を試みた。しかしその内容とは、国民に自家用車の運転の自粛を求めたり、ガソリンスタンドの休業や、暖房温度20℃未満への引き下げを求めるなど、自主規制を求めるものでしかなかった。そして「列島改造」にかかる膨大な費用を捻出する見込みも失われた。

さらに、物価上昇とインフレが進行する中で担当大臣の愛知揆一蔵相が死去した。危機的状況に十分な対応のできない田中は、総裁選を熾烈に争ったライバルの福田赳夫に後任の蔵相を依頼した。周山会（佐藤派）の領袖である福田との融和を図ったのである。福田は入閣の条件として、物価高騰の一因をなした「列島改造」を放棄し、関係予算の配分を中止することを挙げた。田中は政権の維持のためにこれを承諾したが、列島改造の終焉は高度成長の終焉をも意味した。高度成長の外的要因だった安い円・安い石油という国際的な条件は、変動相場制と石油危機によって消滅したのである。

世界的にも石油危機により米ドルの価格が下落し、ドルを基本とした金本位制は完全に信頼を失った。ニクソンショックによる変動相場制への移行は、米ドルの失墜とともに促進された。これらは、発展途上国による石油戦略が先進国に影響を与えた意味において、立場の優位性を逆転させて世界を動かした事例と言える（「資源ナショナリズム」の台頭）。

七九年には「イラン革命」を契機とした「第二次オイルショック」が発生するが（パーレビー政権の倒壊による政情不安から原油の値上げが起きた／198～199頁に後述）、日本では第一次石油危機の教訓からその頃までに技術革新と生産合理化によって経済の体質改善に取り組んでいたため、大きな影響を受けずに済んだ。反対に、産油国であるソは石油危機においても外貨を獲得できたために大きな影響は無かったが、そのために新たな問題への対応が緩慢で成長せず、その後は経済成長を遂げた日や西独に対抗できなくなっていく。

さらに日本の回復にとって重要だったのは、賃上げ（スト）が起こらなかったためにインフレが抑制されたことだった。英では物価の高騰と賃上げが相互に連鎖して加速したが、日本ではそうした現象は起きなかった。欧米では賃上げの主体となる労働組合が産業別に組織されることから、ストや賃上げが産業の全体を挙げて行われるが、日本の労働組合は企業別に組織されたため運動は個々の企業内で行われる。企業内の運動は、雇用側と労働者が共同意識を持ちやすく（労使一体）、過度な賃上げにならないのであった。

その後の先進各国は中東以外での新しい油田開発・調査を積極的に行うようになった。同時に原子力、風力、太陽光など非石油エネルギーの模索も始めた。日本でも石油への依存が見直されたが、日本が新たな発電技術として求めたのは原子力発電であった。

電気の消費に対する税を増やし、その税収を交付金にして地方に原発を設置しようとした。放射能への心配から原発建設に反対する地方住民への給付である。新潟の柏崎刈羽《かしわざきかりわ》に建設が決まったが、交付金は建設が済めば止まってしまうため、地元は次々に原発を求めるようになった。その結果、柏崎刈羽には七基もの原子炉ができ、世界最大規模の原発ができることになる。

③「列島改造」は何を残したのか？―「保革伯仲」と金権政治

岸から佐藤までの政権期は、高度成長を背景に自民党が一党支配状態をなした時期であった。「東洋の奇跡」といわれた高度成長期に政権を担ったことによって、自民党は「戦後」を代表する政党になった。だからこそ、高度成長の終焉とともにこの後の自民党政権は揺らいでいくことになる。

七四年の参院選で自民党は議席を減じ、安定多数に達しなかった。国会委員長に就いたのは野党の議員で、所謂「逆転委員会」が発生し、少数の造反が出ればそれだけで与党案が否決される不安定な状況となった。「保革伯仲」と言われる国会状況が出現したのである（佐藤政権期の自民党の単独優位の状況を「保守安定」と呼ぶのに対し、党の分裂を経た田中政権期の国会状況を「保革伯仲」と呼んだ。「保守」の自民と、「革新」の野党・社会党とが議席を拮抗させ、政権が安定多数を下回る状況を指す）。

さらにそこへ田中首相の「金脈問題」が発生した。『文藝春秋』において田中の不当な資産形成が報道された、「列島改造」で高騰した土地の転売が行われたことが曝露された。田中の親族が約四億円で土地を買収した直後に建設省の工事が入り、開発によってその土地が時価数百億円にもなったとする「土地ころがし」である。田中のスキャンダルに対しては、福田ら閣僚のみならず、長老格としての岸・佐藤からも不満が表明された。もともと彼らの意向に反して総裁になった田中の政権維持は困難になった。追い込まれた田中は辞任を発表し、その後の総裁は自民党副総裁の椎名悦三郎（岸の腹心の部下）の裁定に任された。

地方を発展させるはずの「列島改造」は、確かに新幹線を開通させ、主要な高速道路も建設したが、何より新潟が優先されているように見えた。田中の故郷の柏崎に高速道路のインターが造られていた。東京でも、神楽坂《かぐらざか》には現在も午前と午後で向きの変わる一方通行（逆転式）があるが、午前は田中が目白の自宅から国会に向かい、午後には帰宅するのに合わせて造られたものだった（神楽坂に別邸があったとも言われる）。その段階で止まってしまった改造は、結果としては単に田中派の専横で終わってしまった。

他方、米ではニクソン政権による盗聴疑惑がスクープされた「ウォーターゲート事件」が起きていた。次期大統領選挙をめぐって、民主党への盗聴が行われていたことが発覚し、ニクソンは初めて現職大統領として辞任することになった。残った任期の間は、副大統領のフォード（Gerald Ford）が後継した。

フォードは、共和党政権に対する国民の信頼を取り戻すため、ベトナムへの参戦を拒否した徴兵忌避者の恩赦を発表し、寛大なイメージを打ち出した。しかし、ウォーターゲートの法廷闘争が長引くにつれ支持は低迷していった。この後、米では盗聴などの非合法活動に対して規制が強く求められるようになり、諜報機関のＣＩＡ（中央情報局）とＦＢＩ（連邦捜査局）の再編が行われた。上院では、かつてのアイゼン

神楽坂の逆転式一方通行

ハワー政権やケネディ政権において、外国の指導者を暗殺していたことが曝露された。そしてベトナムでは既に敗北が決定し、ラオス・カンボジアにおいても共産主義勢力が政権を奪取していたことで、米は東南アジアへの影響力を喪失した。

４　自民党政権の体質

田中が辞任すると、椎名悦三郎はポスト田中を決定するために会議を開いた。椎名は高野長英の子孫にして後藤新平の甥であり、岸の腹心でもあった。しかし椎名自身には健康問題から首相就任の見込みがなかった。候補者となったのは、福田赳夫・三木武夫・大平正芳・中曽根康弘の四名で、それぞれ派閥の領袖である。結果として首相の指名を受けたのは三木であった（「椎名裁定」）。中曽根派は派閥としては弱小で、当の中曽根本人も就任を求めてはおらず、幹事長の座を狙っていた。本命は福田か大平と思われたが、田中の金脈問題を批判して閣僚を辞任した福田が内閣を組閣した場合には、未だ最大派閥として存在している田中派や大平派の協力を得ることが困難と予想された。しかしながら、田中の盟友である大平を就任させれば田中派が首相をすげ替えただけの亜流的な内閣を作ったと世論の批判が噴出することもまた予想された。謂わば三木への指名は第三の選択だった。三木派も小さな派閥で、内閣は各派からの協力を仰がなければ成立し得なかったが、田中の金脈問題後の自民党は一丸となって安定政権をつくり出す必要があった。

①自民党で政治の浄化を目指すとどうなるか？

三木内閣は田中内閣の反動から政治の浄化に力を入れ、「政治資金規正法」の改正を打ち出した。政治団体の資産の公開を義務づけ、それまでは無制限だった政治献金やその運用に規制を設けた。規正法の改正案は、参院での採決で可否が同数となったが、それを議長であった河野謙三が自分の一票によって可とすると裁断した。

さらに、三木は「独占禁止法」改正の国会提出を目指した。石油危機の際に闇カルテルのような活動を行う企業があったことを問題視したもので、公正取引委員会の権限を強化して不公正を摘発しようとした。これに対し、石油危機からの立て直しを行っていた財界は、企業の活動を制限するその法案に反発した。内閣は野党とも折り合いをつけることができなかったため、「独占禁止法」の改正案は参院において廃案に追い込まれた。

また、それらはいずれも自民党の従来のあり方を否定しかねない改革であったが故に、党内においても受け容れられなかった。政治浄化のための改正についても、政党の資金源にまで踏み込んで政党の活動を規制するため、自民党内で合意をつくることができなかったのである。他にも三木は占領期の「ポツダム政令二〇一号」で禁じられていた公務員のスト権を容認する改革案を提示したが、郵政省などは労使問題で苦慮した経験があったため、田中派がスト権の付与に反対した。そして、米の航空会社・ロッキード社による収賄事件が起こると、三木内閣は党内の反対によって排除されることになる。

②ロッキード事件の遠因とは何か？

当時世界の航空機はジェット化を進めていたが、ロッキード社はこの流れに乗り遅れており、その挽回をかけた新型旅客機の売り込みに躍起《やっき》になっていた。ロッキード社は、各国の政治家・航空関係者に働きかけ、日本においては全日空に大量導入されることが決定したが、それは工作費三〇億円とも言われる多額の賄賂による受注だった。

米の議会で日本の政界への賄賂があったことが証言されると、三木は自ら進んでフォード大統領に捜査協力を申し出た。検察庁・警視庁・国税局が合同した大規模捜査が開始され、捜査が進むにつれ田中前首相への五億円の賄賂の存在が明らかになった。国会では事件関係者が召喚され、その様子がテレビ中継された。金脈問題が解決しないうちにまたもスキャンダルが発覚したのである。

これに対して自民党は危機感を募らせたが、その矛先は事件究明をあまりに積極的に進める三木に向けられた。中曽根派がわずかに内閣への協力姿勢を見せたものの、田中が逮捕・起訴されて有罪判決を受けると、自民党の汚職を積極的に暴いてしまう三木に対して、田中派・大平派（宏池会）・福田派・椎名派の各派閥が反発し、内閣退陣を求める「三木おろし」が発生した。衆院は解散し、自民党は分裂したまま選挙に突入したが惨敗して、三木は辞任した。

次の首相は、「三木おろし」の渦中に大平正芳との間でお互いの政権授受を約束（「大福密約」）した福田であった。大平を幹事長に据え、大平派との連携によって政局の安定を図った。角福戦で田中が福田に勝てたのはこの大平派が田中に付いたからであった。岸・佐藤派を継ぐ福田に対して、田中派と宏池会とが一致して対抗したのであった。田中が凋落したため福田はその宏池会の協力を得て組閣したわけである。就任にともない福田は派閥を「清和会」として再編したが、劣勢だった福田はむしろ派閥の解消を訴えていた。

当時の各派閥については、大平派は「エリート保守」、三木派は「リベラル」、中曽根派は「出世互助会」で、福田派は「思想右翼」だとの評があったが、ロッキードとの癒着をはじめたのは田中ではなく岸だった。軍用機メーカーのロッキード社は、岸とつながる右翼活動家・児玉誉士夫と取引して自社の戦闘機を売り込んだ。これにより岸内閣の下で日本の主力機はグラマンから同社のＦ戦闘機に転換された（米議会でロッキードの不正が追及されたのは「極右軍国主義」の児玉への悪感情も原因とされる）。岸は首相の座を退いてからも陰に陽に影響力を行使し、それはこの後にも続く。

5　戦後日本の「理念外交」

福田内閣（一九七五年一二月に成立）には、停滞していた外交・経済問題の課題があったが、福田外交の主眼はアジアにおける諸国との関係づくりにあった。当時はインドネシアのスハルト政権による東ティモール侵攻が起きていた。

東ティモールはポルトガル（葡）の植民地であったが、七四年に葡から独立を求めてクーデターが行われた（169頁）。独裁政権が無血クーデターで崩壊し、東ティモールでは独立運動が本格化した。内戦へと拡大したが、東ティモール独立革命戦線が全土を掌握した。

これに対してスハルト政権が全面的な軍事介入を行い、七六年七月に併合を宣言した。スハルトの行動には米が承認を与えていた。東ティモールは、独立しても経済的に自立することは不可能で、そうなれば共産圏へ取り込まれると判断されたのである。そして国連総会では日本やアジア諸国がインドネシアへの支援行動を行った。

首相在任時の田中は、石油危機によって進展しなかった資源外交をその後にアジア諸国と継続していた。現地の石油や鉱山開発を日本の支援で進める交渉をしており、インドネシアは重要な相手国の一つだった。そのためスハルトを支援したのである。しかし、東ティモールでは武力衝突や飢餓によって住民の三分の一もが死亡したと言われ、国連は併合を認めなかった。インドネシアによる人権侵害は現在も頻発しており、国連は今なお併合を認めていない。こうした状況の中、日本は東南アジアへの新たな姿勢を打ち出す。

①「日中平和友好条約」と「改革開放路線」

七八年八月、福田内閣において「日中平和友好条約」が調印された。調印は七二年の「日中共同声明」での合意に基づいている。三木内閣期から中国側の外務次官が来日して予備交渉を進めていたもので、交渉の過程では中国側の要望として「反覇権」の文言を挿入することが一つの懸案となった。反ソを意味する「覇権条項」である。

ソとの間に北方領土問題を抱えていた日本側は、三木内閣の宮沢喜一外相（宏池会）の判断から「アジア・太平洋のみならず世界のどこでも覇権には反対」するとした「宮沢四原則」を国連総会において発表した。即ち、平和友好条約に反覇権条項を入れることを避けられないと見たため、先手を打ってそれが特別にソに向けての牽制ではないことをアピールすることで、「反覇権」の反ソ的な性格を中和してしまおうとしたのである。宮沢の対処は、田中内閣時の大平外相の手法（180〜181頁）を先例にしているので、宏池会におけるソへの姿勢とも言えよう。

しかしこれは中国との折り合いをつける手段にはならなかった。中国は「宮沢四原則」には納得せず交渉を停止した。宮沢はソとの対立を避けるがために、本筋である条約交渉を潰してしまったのだった。また日本は台湾との関係も明瞭に示せなかった。

そうした中国との摩擦が転換されたのは、毛沢東が死去したことで文革が鎮静化に向かったことからである。七六年には周恩来も死去するが、国家主席が華国鋒に替わると文革指導者らが追放された。副主席となった鄧小平が「経済建設路線」に着手し、外交路線も転換された。華国鋒は毛沢東路線の継承者だったが、党内では文革から離脱を求める声や、鄧小平の経済指導を望む声が多かった。鄧は、資本主義を例外的に導入する地域「経済特区」を設置し、そこに外資を投入して工業化を図る「改革開放路線」を主導していく。

日本側も福田内閣に替わったことで再交渉が行われた。問題の覇権条項には、中国側も配慮を示し「アジア・太平洋地域においても又は他のいずれの地域においても、覇権を求めるべきでなく…いかなる国または国の集団による試みにも反対する」と記された。こうして「平和友好条約」の締結に至った。

②日本の「理念外交」とは何か?

福田はインドネシア・シンガポール・タイ・フィリピン・マレーシアのASEAN諸国を歴訪して、日本からの協力を積極的に申し出た。

当時のアジアでは、「賠償外交」に対する批判が蓄積しており、七四年に田中がインドネシアを訪問した際には激しい反日暴動が起きた。インドネシアに進出していた日本企業が現地高官と癒着しているとして、スハルト独裁政権への抗議とともに批判された。既に見た通り「賠償外交」は日本企業が経済進出する方途で、戦争被害に対する個人への賠償ではなかった。政府を通じた一括の賠償方式は、賠償ビジネスを潤わせることはあっても犠牲と被害への賠償には結びつかなかったのである。反日デモはまさにそうした非難の噴出だった。他のASEAN諸国でも、戦後復帰した日本が戦後問題に向き合わないまま復興を優先し、その後も利益追求ばかりを行ってきた事への反感があり、日本はエコノミック・アニマルとの批判を受けていた。

そうした批判に対して、福田は「今や世界第二の経済大国となっている日本はいたずらに自国の経済的利益を追求するのみでなく、その地位にふさわしい国際貢献をすべき」として、その批判に向き合う姿勢を見せた。利益追求の経済外交を廃し、平和のための「理念外交」へと舵を切ることを選択した。七七年八月のマニラでのスピーチでは「軍事大国とならず世界の平和と繁栄に貢献する」・「心と心の触れあう信頼関係を構築する」・「対等な立場で東南アジア諸国の平和と繁栄に寄与する」とした「東南アジア外交三原則」を謳った。そして、「東南アジアは、これまで国際社会に貢献し難かった日本が国際的責任を果たす場である」として、新たに援助を申し出たのである。

岸派の後継者であった福田のASEAN外交は、日本の経済進出に適うという点だけ見れば、岸の「戦後帝国主義」を継承した性格もある。但し、アジアの発展そのものに国益を見出して、干渉することのない援助によって自国中心の「賠償外交」を改めており、同時に対米従属の下で自律性をもたなかった日本外交に理念を与えたと評価できる。比のマルコスは福田に対し「このような首相を待ち望んでいた」と賞賛した。

6　デタントと冷戦の間

米のカーター政権は、冷戦下における「人権外交」を標榜し、従来の外交を転換した。中東戦争によるイスラエルとエジプトの対立を仲裁し、和平協定の締結に導いた。またアジア各国との関係も作り直そうとした。米がベトナムから撤退した後、ASEANは反共産連合としての性格を改め、地域の連携を築こうとしていた。経済的な相互依存関係が世界的に拡大し、それまでの「民主vs共産」の対立構図は解体に向かって進みつつあった。

そして米は一九七九年一月に中国との国交を正常化させた。その中では、米が台湾を中国領として承認するとされていた。実際のところは、米が中国の立場を尊重（take note）するとしたのを、中国が「承認」と翻訳したのであったが、米中の正式な国交樹立は世界の構造変化を象徴する出来事となった（中国はカンボジアをめぐる越との対立を背景に米に接近していた。それは次の②に述べる）。

欧州ではNATOがデタントの推進を担っていたが、ソが中距離核ミサイルを配備すると緊張が高まった。中距離ミサイルは欧州全土を射程にできたが、米ソ間のSALTの対象外だった。米ソ間のデタントと、欧州の緊張が相反する事態を生み出したのである。NATOはその問題を解消しようと、中距離ミサイルもSALTの対象にするよう訴え、もしそれが受け容れられない場合には米のミサイルを欧州に配備するとの決定を下した。これに続く中東情勢とアフガンでの衝突によって、冷戦は再び緊張を迎える。

①「第二次オイル・ショック」の影響とは何か?—「イラン革命」

「人権外交」を標榜するカーター政権は、中東においてもパレスチナ人の国家建設を容認する発言を行った。緊張緩和を模索していたエジプト側から米への接近が図られたこともあり、米の仲裁によってエジプトはイスラエルを承認し、イスラエルは中東戦争で奪取したシナイ半島をエジプトに返還する合意が成立した。但し、パレスチナ区についての協議は決裂した。そしてその渦中にイランで米の大使館が襲撃される事件が起きた。

古代ペルシャ帝国の時代からシャー(国王)による統治を続けていたイランは、大戦後に英ソに占領統治されるようになり、その後は英が石油の利権を独占し続けた(石油メジャーのアングロ・イラニアン社)。一九五〇年に民主的指導者のモサデクが首相となると、英米に牛耳られていた石油の国有化を主張し、それをソが支援した。モサデクは共産主義者ではなかったが、米英はソに石油資源が奪われることを懸念した。英は軍艦を派遣してペルシャ湾を封鎖し、イランから石油を買うタンカーは全て撃沈すると脅迫した(「アバダン危機」)。他の中東の産油国も英米に反発するようになっていくなか、英米はモサデク政権の転覆を計画するようになった。

CIAが資金を投入し、イランの軍人や地元ギャングを買収して五三年にクーデターを起こさせた(Ajax作戦:二〇一三年の公開史料で明かにされた)。当時はフルシチョフが緊張緩和を模索し始めていたこともあり、米は公然たる軍事力の発動ではなく隠密作戦を選んだのであった。モサデクは反逆罪の嫌疑で逮捕され、米の思惑通りに失脚した。当時のアイゼンハワー政権はローマに亡命していたパーレビー国王を復権させ、イランを傀儡化した。石油利権は米の石油企業五社によって独占されていく。

米の庇護の下でパーレビーは贅《ぜい》を極めた。貧困で国民が餓える中、自身はコンコルド（超音速旅客機）でパリから昼食を運ばせ、王妃は牛乳で入浴した。国民が不満を示せば秘密警察を組織して弾圧した。またパーレビー政権はイランの欧米化を進めた（開発独裁）。日本の高度成長を参照した開発であったが、それによる欧米化は「白人化」であるとしてムスリム・シーア派の反発を生んだ。政府は六四年にシーア派（ムハンマドの子孫のみを指導者に仰ぐ宗派）の指導者・ホメイニを国外追放したが、ホメイニはその後も革命を呼びかけると、七九年にはついにパーレビーを追放する民衆革命が起きた（「イラン革命」）。

イラン革命は全く民衆の手によって成就した。パーレビーは米に亡命したが、イラン国民はさらに彼を裁判にかけるために米の大使館に引き渡しを要求した。そして、イスラム法学校の学生らがイランの米国大使館を占拠した（「イラン米大使館人質事件」）。大使館員らを人質に四四四日間も続く事件となった。帰国したホメイニの指導により厳格な原理主義が説かれ、大使館占拠も支持された。その間のカーター政権は実効的な対処がとれず、迷った挙げ句に最終的には奪還作戦に踏み切るも失敗した。結局、解決よりも前にパーレビーが病死し、大使館占拠の目的が失われたために事件は収束した。但し、このイラン革命の余波によって「イラン・イラク戦争」が発生することになる（256～257頁）。

一方で、ホメイニはイランの資源を確保しようと、原油生産を大幅に減らすよう指示した。一時は輸出も停止したため、世界的な原油不足となり「第二次オイルショック」を引き越した。ＯＰＥＣもイランに同調したため、原油価格の決定権は国際メジャーズから産油国側に奪い返され、以後はＯＰＥＣが支配的な立場に就いた。

②社会主義国同士の戦争はなぜ起きたか?—「中越戦争」

ベトナム戦争の過程で内乱が起きたカンボジアでは、七〇年に成立した親米政府(ロンノル政権)と、共産勢力が対立していた。米は政府側を支援していたが、国連では、常任理事国となった中国がロンノルの代表権を剥奪しようとし、カンボジア情勢は外交交渉では解決の見込みが立たなくなった(ロンノルに追放されたシアヌーク国王が中国で亡命政府を樹立していた)。カンボジアの共産勢力は七五年に政府を倒し、米軍は撤退した。これにより国王がカンボジアに復権するが、その政府は共産勢力を基盤に成立した。しかし

かくして、ポル・ポト書記長を政府代表とする共産主義政権(民主カンプチア)が発足した。しかし「原始共産制」と呼ばれたその施政の実態は、圧政による支配政治であった。「クメール・ルージュ」と称したポル・ポトら共産勢力は、文革による毛沢東主義の影響を受けていた。中国を後ろ盾に圧政を布くと、教師・医者・公務員・資本家・芸術家・宗教家など、支配体制に不都合な存在を強制収容所へ押し込める恐怖政治を行った。虐殺と旱魃《かんばつ》・疫病により人口の約三割にあたる二〇〇万人以上の死者を出した。

七八年になると中ソ対立を背景に内乱が起き、そこへベトナム(越)が介入したことで戦争まで勃発した(「カンボジア・ベトナム戦争」)。カンボジアと越の間には古くからの領地紛争があり、それを理由に国交が断絶されると、越は一二月にポル・ポトの追放を掲げてカンボジアに侵攻したのだった。またソも、親中派としてのポル・ポト政権の打倒を求め、越とカンボジア国内の反政府派を支援した。

劣勢となったポル・ポト派はタイ国境の密林地帯に逃れて新政府を樹立すると、中国がその支援のために介入した。ポル・ポトが越に敗れれば、カンボジア全土が越を通してソの勢力圏となると憂慮したのである。そのため中国は米の後援を求め、鄧小平がカーターを訪問した。カーターはこの前年まで越との関係改善に取り組んでいたが、巨額の援助を求める越と折り合わず交渉を停止していた。鄧小平はソとの直

接衝突にはならないよう配慮しながらも、越より先に米との関係を構築することで、孤立を避けようと努めた。そのため七九年一月に米中の国交が正常化されていたのだった（197頁）。

そして中国は翌二月に「懲罰」として越へ侵攻した。それまで中国が越に多額の援助を行ってきたことも背景となった。カンボジアを舞台に「中vsソ・越」で対立し、初の社会主義国同士の戦争になったのがこの「中越戦争」である。

中国軍は戦備では有利だったはずが全くの劣勢に立たされた。中国軍には部隊の機能不全があった。平等を重視する共産主義は身分秩序を否定するが、軍においても階級を否定していた中国軍は階級秩序や序列を失い、指揮命令系統が混乱したのである。これに対して越軍は、ベトナム戦争の経験から訓練度が高かったことに加え、ベトナム戦争時に中国からの軍事援助を受けて軍備を増強させていた。つまり、以前に中国が援助した武器が中国軍に向けられたのである（米ソ軍の武器も越に残存していた）。中国にとっては「恩を忘れた裏切り行為」であり、越がソに同調したことも容認できなかった。さらに鄧小平と華国鋒は、越の社会主義政策が華僑資本家層を圧迫していたことも問題視した。越からは華僑・華人が難民となって流出させられていた。

中国軍は一時的には越の北部を制圧したが、二万人の死傷者を出す犠牲を払い、軍事的には敗北した。わずか一六日間で撤退することとなり、越軍は以後もカンボジアに駐留した。この後、越軍は八〇年にタイにも侵攻したが、軍の再建を果たした中国との国境紛争には敗北した。カンボジアでは八九年に越軍が撤退するまで紛争が続く。

③アジア外交はいかに困難であったか？

福田外交は、地域機構として再生しようとするＡＳＥＡＮに支援を申し出た。当初の「反共連合」としてのＡＳＥＡＮは、インドシナ諸国（ベトナム・ラオス・カンボジア）と対立したが、福田外交ではそうした冷戦問題には介入しなかった。ＡＳＥＡＮに対する一〇億ドルの資金援助を決定したが、ＡＳＥＡＮがインドシナと関係改善を図ることや、中ソ対立などには立ち入らない姿勢をとった。すると、それまでは例年日本を批判していたＡＳＥＡＮの共同声明は、一転して日本を歓迎する内容に変わった。

ベトナム戦争が終結すると、米に従って親米勢力を支援することで共産化を防ごうとしていた従来の外交は成立しなくなった。福田外交は、冷戦に加担せず、東南アジアの和平に役割を果たそうとしたものだったが、日本がアジアの平和構築の要になるためには、米と越の関係が改善されることと、中ソ対立に巻き込まれないことが要件だった。

福田が登場した頃には、ベトナムとＡＳＥＡＮ諸国との関係も改善し始めており、米も越との関係改善に前向きな姿勢を見せていた。米にとっての越との関係修復は、越とソを離間させる手段であり、中ソの対立によってそれらの条件は整いつつあった。そして、その条件づくりの一環となっていたのは、三木内閣によって七五年一〇月から実施されていた越への援助であった。

三木は東南アジアを発展させることがアジア情勢の安定をもたらすと考え、そのために日本が積極的に輸出を拡大すべきで、日本の経済利益の観点からも必要だとしていた。佐藤内閣で通産相に就いていた三木は、アジア開発を進めようとそのための国際会議も主導した。当時、蔵相だった福田は財政負担を懸念して消極的であったが、東南アジア開発の必要については認めた。その後に外相となった三木は、環太平洋全域での協力発展を呼びかけた。それは米のアジア戦略の中でしかアジアに接していなかった日本が、その立場を逆手にとって中立公平な立場からアジア諸国と欧米との架け橋になる構想を含んでいた。冷戦の間《はざま》で、不戦の立場にある日本が独自の役割を見出した構想であった。

三木はベトナム戦争の解決のために東欧諸国を奔走して和平を提案したり、国連の場でもその解決を訴えるなど、まさに冷戦の間から和平工作に取り組んだ。そして自身の内閣において越に対する経済支援を開始したのだった。また、佐藤内閣以降、日本政府が米側に立って南越を支援する中で、外務省アジア課では南越政府の腐敗を見て取り、北越の勝利を予測する見方が多くあった。そのためアジア課は独自に北越との関係を構想していたこともあり、戦争終結とともに越との関係構築が図られた。福田の外交は、このような三木の「橋渡し」の構想や、越の南北統一を冷静に見ていた外務省の意向を継いだものだった。越への支援は七八年までに一七五億円を無償援助する巨額援助となった。

但し、理念外交の成立要件は極めてデリケートな均衡の上に成っていた。米越関係の改善は望ましいが、しかし米が越に接近するほど、越と中国との関係は悪化するのであり、中越の対立を助長し兼ねなかった。さらにその中越の対立はソを巻き込むことになり、カンボジア情勢でも越との関係に悪影響を与えることになる。そして実際に、ポル・ポトは越との国交を断絶したわけである。そして中越戦争が起きた時、日本が主軸となって和平を構築する外交の条件は消し飛んだ。

先に「日中平和友好条約」（七八年八月）が締結されていたことから、孤立に陥った越はソへの接近を強め、七八年一一月にはソとの友好条約を締結した。中越関係が極度に深刻化する中、米は越との関係改善よりも中国との和解を選択し、国交を正常化した（七九年一月）。中越戦争が起され、カンボジアは中ソ対立の前線となったが、そもそも米と越との関係改善は、どうしても中ソ対立と連動する関係にあったのである。

越とＡＳＥＡＮの関係構築も困難になったことから、日本の構想は成立条件を失った。結局ＡＳＥＡＮの要請により、日本は越への支援も打ち切ることになる（八〇年六月）。以後の日本は東南アジアに立ち入ることは難儀なので、中立だとして逃れるのが得策なのだと外交政策を放棄した。ＡＳＥＡＮとインドシナの橋渡しは出来ず終《じま》いとなり、日本外交は再び理念を失った。

④「イラン革命」は米ソに何を与えていたか？—「アフガン侵攻」

カンボジアでの中越戦争（七九年二月）が起き、イランでは米大使館の事件（七九年一一月～八一年一月）が続く間には、アフガンでも武力衝突が発生した。

アフガンでは七八年にソの主導で共産主義政権が発足した。米中パとの対立を背景にした介入だった（151～153頁）が、共産主義体制がムスリムの伝統を破壊するとしたムジャヒディン（ムスリム戦士の意味）らが武装蜂起した。これに対し、ソはアフガンが米の前進基地と化すことを危険視し、また親ソ政権への攻撃を見過ごせば他国への示しもつかないとして、七九年一二月に軍事介入した（「アフガン侵攻」）。

ソ連邦の中からトルクメニスタン・ウズベキスタン・タジキスタンなどの部隊を主力とする一〇万の兵力が動員された。そしてソ軍の侵攻を見た米がムジャヒディン側を支援し、以後一〇年にも及ぶ内戦に発展するのである。

ソ軍の部隊にもムスリム教徒が多くいたことから、ソ兵の中には寝返る者も多かった。そのため八二年頃からはロシア兵が投入されるようになり、アフガン政権への支援も強化されていった。対する米は八四年に武器援助法を定めて、米製の武器を反政府勢力に支給した。アフガンのムスリムゲリラの武装が強化された。アフガンは米ソのどちらが自陣に引き込むかの「支援合戦」の様相を呈した。

米では、ソ軍のアフガン侵攻が同年に起きたイラン革命や米大使館の事件と連動するものと捉えられた。イラン問題を解決せねばソとの関係悪化に直結すると深く憂慮した。しかし、ソもまたムスリム政権が誕生するほどにソ連邦の統制が難しくなると懸念していた。ソ連領内のムスリム系の諸民族がソ連邦から離脱するのではないかとの危機感からアフガンへの軍事介入を止められなかった。

その結果、アフガン紛争は六〇〇万もの難民を出すことになる。アフガンの農村は半数が廃墟と化し、無法地帯化していった。そして、その不幸を生み出した介入の報いがこの後の米ソ両国にそれぞれ襲いかかることになる。

7　相互依存の世界

①G7と欧州統合はどのように始まったのか？

一九七〇年代の世界では、人・物・金の国境を越えた流れが顕著に増大した。国際金融などでは、他国の経済システムが変更されれば、自国も構造を調整する必要に迫られる。米ドルの信用下落による世界的な変動相場制への移行などはその端的な例であった。

またオイルショック時に見た中東の「石油戦略」のように、某国が経済ブロックや経済制裁を実行すれば自国も巻き込まれるため、もはや他国の損失を招くような孤立的な国益や勢力拡大は自国にとっても利益でなくなった。

七〇年代に、世界の景気が同方向に作用する連環構造ができたことで、他国への依存関係から逃れられる地域はほとんどなくなった。例えば、日本は石油危機の経験則から企業の合理化や省エネ政策に取り組んだことで、第二次石油危機が起きた時には比較的影響がなかった。ところが、それにも拘わらず他の先進国に被害が出ると、結局はそれに巻き込まれて景気は悪化した。相互依存関係の深化によって、或る国に起きた一つの不況要因が、他の国の輸出まで減少させ、景気後退を世界的に波及させるのである。

このように諸国家・社会の共生状態の世界的構造を特に「相互依存」と呼ぶ。とりわけ経済は、政治・軍事・外交その他の領域と常にリンクすることから、一度どこかの産業部門などにおいて相互依存が発生すると、国家間関係全体に波及する傾向がある。そうした傾向から、各国が利益と危険性とを共有し、敏感に影響し合う共生状態が相互依存の世界なのである。それはまた世界秩序の認識も転換した。高次元とされてきた軍事領域（ハードパワー）よりも、低次元とされた経済領域（ソフトパワー）が、実は強い影響力を持つことが認識されるようになったのである。

また、石油危機の遺産として、先進国首脳会議（サミット）も挙げられる。サミットは、七五年に当時の世界経済を話し合うために始めて開催されたのがきっかけだった。第一回目の参加国は、米・日・英・仏・西独・伊の六ヵ国である。翌七六年の第二回目からはカナダ（加）も参加した。加の参加は、欧州の参加国ばかりで不均衡だと考えられたためと言われるが、この先進七ヵ国の財務大臣および中央銀行総裁による会議がG７となる。焦点の石油については、アラブ石油輸出国の共同により、石油政策をＯＰＥＣが定め、ＯＡＰＥＣはその枠内で石油関連の活動を行うルールとなった。

こうした世界の取組みは、他国との協調や共同なしには自国の利益実現も不可能であることを改めて認識した結果であった。

また、現在に至る欧州の統合問題も相互依存の世界経済の中で進められた動きである。欧州では、五二年に西独・仏・伊・蘭・白・ルクセンブルクの六ヵ国が、西独のルール地方・ザール地方の石炭と鉄鋼石の共同管理を目的にＥＣＳＣ（石炭鉄鋼共同体）を設立した。それは西独の資源を基に、仏の復興を行おうとしたシューマン仏外相の構想によるものだったが、同時に米に依存していた当時の欧州経済に自立性を求める動きでもあった。この六ヵ国はさらに経済統合（ＥＥＣ）と、原子力の共同管理（ＥＵＲＡＴＯＭ条約）による協力関係を構築し、冷戦に対する主体的な平和構築に取り組んだ（併せて「ローマ諸条約」）。これが後のＥＣやＥＵの基礎となる。

これらの動きに対して、英は主権の制限を嫌って参加しなかった。今日の英の独自行動の遠因を見ることができるが、但し当時の仏は英の介入を警戒しており、英を排除した欧州統合が望まれていた。

六七年になると、ＥＣＳＣとローマ諸条約を統合したＥＣを結成した。米の経済に対抗する性格がますます強くなり欧州経済の協力機構として重要性を増していった。そのため七三年には加盟を拒否していた英も加盟することとなり、アイルランドやデンマークも加盟した。その後八〇年代までには一二ヵ国体制となり、ＥＣは通貨制度などを通して統合された巨大な市場としての意味を持つようになった。

ＥＣの出現は、従来の国家の枠組みを超えた単一の地域的共同体を創出した点に意義がある。そして世界経済を米と日本との三極構造へと転換させるのである。

②中国の経済発展の基礎はどのように築かれたか？―「対中ＯＤＡ」

福田内閣では、組閣の際に宏池会（大平派）との間で、福田の首相退任の後には大平を首相にするとの取引がなされていた（「大福密約」）。ところが、中越戦争が起こるまでは、福田はＡＳＥＡＮ外交で一定の成果をあげていたため、密約を反故《ほご》にして政権を続投すると表明した。宏池会と、大平を支持する田中派は、総裁選において大規模な集票作戦を展開した（「大福戦争」）。その結果、福田は大差で敗北することになり、それは自民党で現職が総裁選に敗れた唯一の例となった。この総裁選で、未だ最大派閥としての田中派の影響力を再確認することになったが、しかしロッキード事件の公判によって田中自身は総裁選に出られないため、田中派は大平を全面的にサポートした。敗れた清和会（福田派）は、結党者である岸の嫡流でありながら森喜朗・小泉純一郎の登場まで総理大臣を輩出できなくなる。

七八年一二月に成立した大平正芳内閣は、田中派とともに中国との関係を重視した。大平は、大蔵官僚から池田勇人の側近を経て政界に進出し、宮沢喜一らとともに宏池会の「秘書官グループ」として池田内閣の官房長官も務めた。池田内閣では外相を務め、韓国との「請求権問題」や、中国との「ＬＴ貿易」を推進してきた。

池田の死後、宏池会の会長には「吉田学校」出身者の前尾繁三郎という人物が就いていたが、前尾は六八年の総裁選で佐藤に惨敗したことで求心力を失った。宏池会の若手議員らは前尾を見限って会長辞任に追い込み、大平が会長となった（七一年・「大平クーデター」）。また大平は、日中国交正常化の担当外相としての功績から有力な総裁候補になった。かくして対中外交を重視した大平は、中国に対する開発援助「ODA」の実施を決定した。中国への無償資金援助および低利息借款と、技術提供である。

当時中国は、出産を制限する「一人っ子政策」を実施し、人口過剰を人為的に抑制しようとしていた。経済事情のために、急速な人口増を避けようと、一組の夫婦につき子供を一人に制限したのである（農村や少数民族は除外）。協力した者は優遇し、違反した者には罰金が科せられるなどした。そうした中国に対する日本の資金・技術の援助が今日の中国の経済発展の基礎をつくる。

ODAは八二年には約四億円が支出され、その後も増大して二〇一三年度までには総額三兆円以上の援助となる。対中資金援助は、中国の「改革開放路線」（資本主義導入路線）の促進に貢献すると同時に、日本の資本と技術の直接投資によって日本企業が中国市場を開拓していく誘因になった。対中貿易額は増大し、両国の経済的な「相互依存関係」が深まっていくのであり、「ASEAN外交」に見た通り、それは東南アジア諸国の対立を克服していく過程との両義的性格をもっていた。

第9章

新冷戦と新自由主義

1　新冷戦時代の幕開け

①アフガン侵攻の影響はどれほどか？

一九七〇年代の中頃から、ソが東欧に中距離ミサイルの配備を始め、ＮＡＴＯや米との間で緊張を高めた。七六年九月にはソ軍の主力戦闘機ミグ25が函館に強行着陸し、パイロットのヴィクトル・ベレンコ中尉が米への亡命を希望する事件が起きたが、その際にはソ軍がミグの性能の秘密を保持するために、函館のミグを爆破しに来るのではないかと懸念されたりした（ミグは当時の世界最速ジェット戦闘機で、米はその性能を知りたがっていた。同事件によりミグは解体調査され、一切不明だったその技術は米軍に渡った）。

福田内閣の末期に、米軍との間で「日米防衛協力のためのガイドライン」（七八年一一月）が定められ、そこではソの極東侵攻を想定して、自衛隊と米軍が共同する作戦計画が作られた（「防衛計画の大綱」／「赤国」（ソ）が北海道を占領する想定で、自衛隊が反撃し、在日米軍の応援が到着して北海道を奪還するとのシナリオだった」。大平内閣の成立と同じ月にカンボジア紛争が始まり、日本でもそれを背景にソとの緊張がさらに高まったと思われた。そしてアフガン侵攻後のソは、極東地域においても活発な軍事活動に着手し、日本も射程に入れた中距離ミサイルと長距離爆撃機を配備した他、北方領土の兵力を大幅に増強していた。

米はソとの緊張を背景に戦略を転換し、海洋核戦力へ力点を移していった。原子力潜水艦（原潜）や空母による新たな「封じ込め」戦略の展開である。ソはこれに対抗しようと海軍の核戦力化を急ぎ、そのため欧州・極東の海洋が対立の舞台となった。海の中を長期にわたって潜伏できる原潜は、索敵《さくてき》（発見）が困難な上に、どの国をも核の射程圏内に入れることができる。ソが海洋の核戦力を保持するようになり、米国本土が初めて核攻撃の射程圏内に入るという戦略上の大変動が起きたのだった。米は原潜の誘導に必要な電波灯台を世界各地に建設し、日本にも北海道と沖縄の沖合い、硫黄島・南鳥島に設置した。

緊張関係に入っていく中、アフガン侵攻直後のモスクワで、オリンピックが開催された。米は諸国に五輪のボイコットを呼びかけた。西独・中国・日本がアフガン侵攻への抗議として参加を拒否し、参加国でも英仏など一〇ヵ国の選手団は入場行進を拒否した。米ソの戦略兵器の制限を定めたＳＡＬＴの第二次交渉が既に決定されていたが、米の議会はその批准を拒否した。さらに米は国防費を増額し、中東の石油利権を力尽くでも守る方針を立てると、ソへの経済制裁を実施して穀物輸入を停止させた。世界はデタントから一挙に「新冷戦時代」へと突入したのである。

大平はこうした状況下で日米安保体制を再確認する必要に迫られた。防衛予算を増額し、イランへの経済制裁と、モスクワ五輪のボイコットを決定した。モスクワ五輪の拒絶には、日本が西側諸国の一員として新冷戦に向き合うとの意思表示の意味があり、対米協調の強化方針を意味したものだった。

池田内閣・田中内閣のそれぞれにおいて対中関係の樹立を担ってきた大平は、それまでの外交路線であった対中関係を重視しながらも、米ソ対立の新たな局面を迎えた。ソへの脅威認識が大平外交における米への追従を選択させたのである。中国への借款供与を約束する一方で、米との間にはソへの制裁を約束したが、その二つは西側陣営としての対応としては同方向の政策だった。借款は中国を発展させることでソとの関係をさらに離間させる方策でもあったからである。

②「理念外交」を取り戻すには何が必要か？

大平内閣では、総裁選に敗れた福田派と三木派による抵抗が組閣後も続き、自民党はかつてない分裂を来たした。内閣が増税を求めると世論も反発し始め、七九年の衆院選では過半数を割ることになった。八〇年五月には社会党が内閣不信任案を提出すると、福田派や三木派など反主流派は国会を欠席し、不信任案が可決されてしまった。大平は衆議院を解散（ハプニング解散）し、六月に予定されていた参院選と同日に総選挙をぶつける「衆参ダブル選挙」を実施した。ところが、大平は選挙突入後に病没する。ダブル選挙では自民党が大勝を収めた。

前年の選挙では過半数割れを起こした自民党がダブル選挙において勝てたのは、衆参両院の選挙が一度に行われたのに対して、野党にはその準備が充分にできなかったことが原因だった。当時の自民党と野党では、選挙に送り出す候補者の数が大きく違っていた。野党はダブル選挙には初めから勝算がなかったのにも拘わらず、衆院を解散に追い込んでしまったのだった。議席数で野党を上回る与党が否決すれば内閣不信任案は通らないのであるから、不信任案の提出は多分に儀式的意味合いがあり、社会党も可決するとは思っていなかったのである。

政権を維持した自民党は、大平派（宏池会）を継いだ鈴木善幸が内閣を成立させた。鈴木内閣は基本的には大平内閣の施政を継承しつつ、衆院選の改革と行政改革を掲げた。大平内閣では、歳入の拡大のための増税を求めたが支持を得られなかったため、赤字国債によって財政を拡大していた。そのため、鈴木内閣では赤字国債の脱却を目指す財政再建と、国鉄・電電公社の民営化を検討する「行政改革」が企図された。これを担当したのは中曽根康弘で、行政管理庁長官に任命された中曽根はその職に不服だったと言われるが、この経歴は次期首相として意味を持つことになる。

鈴木内閣の閣僚人事では各派閥のバランスを取り、宏池会（大平派）だけでなく反主流派の議員も抜擢《ばってき》した。こうした人事調整に加えて、大平内閣が行った知識人や学者を集めて政策を立案するスタイルも継承した。識者の協力を求めるのは、宏池会の特徴になっていた。

鈴木は弱者のために立ち上がることを旨に社会党から立候補した政治家だった。四八年に当時の与党・民自党に移籍して吉田の人脈に位置づいたが、以後も弱者救済を旨とした誠実な人柄が知られた。外交では東南アジアを歴訪し、福田外交よりもさらに踏み込んだ平和的姿勢を表明した。軍国主義には回帰しないことを強調する外交は、理念外交の再構築を意味するものだった。

ベトナムの脅威に対抗していた当時のＡＳＥＡＮ諸国は日本との友好を求め、鈴木の登場を歓迎した。鈴木は人柄でも評価された。その時の親交から、中には鈴木が首相を辞任した後も来日の際にはわざわざ鈴木を訪ねる首相があった。

③「新冷戦」への加担で何を失ったか？

米ソ両国がミサイル配備を計画し、核の脅威が高まる中で、西側陣営の各国首脳は厳しい外交の局面に向き合っていた。その中で、八一年一月からカーターに代わって大統領に就任したレーガンは、ソを「悪の帝国」と批判して強硬外交を打ち出した。

米はアジア地域が軍事的に脆弱であるとの懸念から、五月に鈴木首相と会談した上で、「日米共同宣言」において日米両国が一体の価値観を共有して防衛にあたる旨を述べた。レーガンの発言は西側諸国の強固な結束を改めて確認したいとの趣旨であった。ところが、鈴木はこの共同宣言の直後に、日米安保条約は軍事同盟ではないと発言し、米側を困惑させた。

鈴木の発言は憲法を意識してのものであったが、国会では軍事同盟であるか否かが焦点となり、特に社会党の土井たか子からの追及を受けた。この追求に対して、伊東正義外相（宏池会）は安保条約が軍事と不可分の内容であるとの意味において、憲法の制限を守りつつも日米同盟の軍事的性格は否定し得ないと答弁したところ、鈴木首相の認識と違っているとの指摘を受けることになった。

米からも懸念の声が寄せられたため、外務省は「日米同盟には軍事的側面はあるものの新たな軍事的意味を持つものではない」との回答を政府統一見解として発表した。これは首相の発言に対する事実上の修正であり、しかも外務省が独断的に作成した内容であった。鈴木は自身の発言の意図が理解されていないことに強い不満を見せ、閣議においても外務省の単独行動が非難された結果、外務省の対応への責任をめぐって伊東外相が辞任することになった。

鈴木はこの後も同盟の解釈について、安保条約の軍事的性格を強化する意向がないことや、安保条約の存在によって日本が米の対ソ軍事戦略に巻き込まれることはないとの発言を続けて、軍事同盟としての性格を否定する姿勢を示した。

鈴木の発言は「理念外交」の再構築を目指す意向から、非軍事化の立場を実直に述べたものだった。また大平内閣が米ソの対立の中で明確に西側陣営としての行動をとったことで理念外交は途絶したため、そこからの転換は必然的に米から距離を取ることにならざるを得なかった。

一方、米はアフガン紛争の緊迫を背景に、日本に対して防衛力強化の圧力を高めた。八一年六月に行われた日米安保に関する事務レベルの協議では、一千海里（一八五二㎞）の海上交通路を防空できるだけの軍備と、二ヶ月間以上の戦闘が継続できるだけの軍備を日本側に要求した（シーレーン防衛）。これに対して、新外相となった園田直《そのだすなお》（宏池会）は、翌週にマニラで開催されたＡＳＥＡＮの拡大外相会議において米の国務長官と会談し、財政的な理由から米の要求には応えられない旨を伝えた。さらに園田は記者に対して、先の「日米共同宣言」には鈴木首相の意図が反映されていなかったとして、共同声明自体を否定するかのような発言をしたことで、米の疑心を招いた。

「新冷戦」が始まる状況下にありながら、米に協力しないと宣言するかのような鈴木内閣の姿勢は、米の心証を悪化させた。鈴木の軍事同盟否定の発言や、憲法との関係性についての説明は、従来の日本政府の立場を堅持するものだった。しかし、発言のタイミングがあまりに微妙で、園田の説明も国際会議の開催期間中に「日米共同宣言」を否定してしまうかのような発言になってしまった。

鈴木内閣はさらに八一年一〇月に米の反対を押し切ってＰＬＯのアラファト議長を招き、友好関係を築いた。アラファトは中東戦争に従軍して活躍したことでＰＬＯの主導者となった人物であるが、イスラエルへの攻撃やイラン革命の支持など、米の政策に反する行動を目立たせていた。そのアラファトを米の反対を押し切ってまで招待したのは、日本が中東問題の解決に向けた関係づくりを率先することで、平和構築に役割を果たそうとした強い意欲からであった。第四次中東戦争に対するアラブ支持の延長にパレスチナ人の自決権を支持したのである。鈴木は発展途上国への支援の大切さを説き、ＯＤＡ予算の倍増を約した。八二年の国連の軍縮総会でも軍縮演説を行うなど、平和外交の実現に尽力した。

もともと宏池会には対米自立的な傾向があった。池田内閣は米の懸念を余所《よそ》に中国との貿易を始めたが、対米協調の枠内で、但し自立的に国益を図ろうとの姿勢があった。さらに鈴木には平和に対する元来の真摯な思いがあり、その誠実な人格に根ざした外交を展開しようとしていた。

しかし、それは米への従属によって政権を維持してきた自民党の中では異端に過ぎた。米の猜疑心を喚起してしまった鈴木に対し、岸信介は自民党の長老として暗に倒閣運動を展開した。自民党最高顧問や他の派閥から圧力をかけさせたのである。その結果、鈴木は次期総裁選には出馬しないことを表明した。日本に対する軍事力増強の要請は、八二年七月に「国防会議」（後の国家安全保障会議：安保問題を審議するために内閣に設置）において受諾されることになり、戦闘機（Ｆ‐15Ｊ）や哨戒機（Ｐ‐３Ｃ）の本格的配備が計画された。岸は鈴木の外交を認めず、自身の軍拡路線を通したのであった。

④「教科書問題」の問題は何か？

軍拡を定めた「国防会議」の直前の八二年六月には、日本の歴史教科書をめぐる「教科書問題」が起きた。文部省による高校日本史教科書の検定の結果、戦時の中国に対する「侵略」が「進出」に書き換えられたと日本の各新聞が報じた。実際には、侵略を進出と書き換えていた教科書はなく、その報道は誤報だったのだが、但し文部省は「侵略」の語を変えさせたいとの指導をそれまでずっと行っていた。そして、沖縄で日本軍が住民を殺害した記述については実際に削除させていた。

報道を機に、検定が戦争を正当化しようとするものだとして批判が高まり国際問題になった。特に中国からは激しい抗議がなされたが、これに対して鈴木内閣は首相の主導により早期に対応した。宮沢（官房長官）は、個人としては中国からの批判を内政干渉だとしながらも、教科書記述は是正することを表明した。

当時の中国は文革から立ち直って国内体制が固まり、次なる統制の範囲を海外の華僑へと広げる段階に入ったと自己認識していた。人民に愛国主義を教育しつつ、台湾統一への着手を考えた。そうした際に、民族統合の論拠として歴史問題を利用しようとの考えがあった。つまり中国の批判は、その内容よりも批判すること自体に重要な意味をもっていた。

そのため、中国は鈴木自身に対しては高い評価を与えて「教科書問題と鈴木総理の政策を混同することはしない」と、鈴木の立場への配慮を表明した。中国国内の結束を求めた鄧小平は、教科書問題がそのための良い機会になったとさえ述べた。中国にとっての歴史問題が友好路線を否定する性格ではないとの認識を示しているが、それは同時に教科書問題が中国の国内事情によって外交問題に利用されることも意味しており、その傾向は現在も多分に残っている。

鈴木がその年の九月に訪中すると教科書問題はすでに沈静化していたが、日本は以後の検定基準に「近現代の歴史的事象の扱いに国際理解と国際協調に必要な配慮」をすべきとした「近隣諸国条項」を追加した。但し、八六年には第二次教科書問題として再燃することになる。

2 日米関係と新自由主義

日本は一九八〇年代を通して低価格・高品質な製品の生産によって貿易収支を拡大した。特に対米自動車輸出を中心に日本企業は世界に進出し、集中豪雨的な輸出によって巨額の貿易黒字を生みだした。日本の貿易黒字の増大は、貿易赤字を抱える米との間に摩擦を起こし、日米関係の新たな懸案になる。

①米との関係には何が必要なのか?

日米関係が緊張する渦中に成立したのは中曽根康弘内閣であった。中曽根は内務省出身の官僚だったが、戦時に海軍の短期現役制度に応募して連合艦隊に配属された経歴がある。太平洋戦争では南方での戦闘も経験し、その際の戦友の死から国家意識や愛国心を強くもつようになったと述懐している。戦後に鳩山・岸らの民主党に所属し、「反吉田」勢力として自主憲法制定や再軍備を標榜した。親米路線に反対し、米へは空襲の賠償を請求すべしとまで訴えていた。但し、首相就任後の国会では「皇国史観には賛成しない」、先の戦争が「中国・アジアに対しては侵略戦争だった」・「アジアには侵略、韓国には併合という帝国主義的行為を行ったので反省して詫びるべき」とも述べているため、軍国主義の賛美者ではなかったが、タカ派で自民党の最右翼に位置した。

五五年の保守合同の時には、中曽根は河野《こうの》一郎派に属していた。河野はポスト池田をめぐって佐藤栄作と争うが、これに敗れて翌年病死した。中曽根は「反佐藤」として独立し、非主流派としての中曽根派を成立させた。しかし佐藤が中曽根の取り込みを図ると、それまで反佐藤を掲げていながら入閣（運輸大臣）したため、中曽根は「風見鶏《かざみどり》」と揶揄されるようになった（「三木おろし」でも中立的な立場をとり、「角福戦争」でも岸・福田派に協力しながら最後は田中派に迎合した）。

第三次佐藤内閣では防衛庁長官に就任し、米との沖縄返還交渉に携わった。そして、米の国防長官（メルビン・レアード）との会談で、核持ち込みの密約を直接的に容認したのは中曽根であった。中曽根は七〇年九月の米での会談で、「ニクソン・ドクトリン」（在アジア米軍縮小）に伴う自衛隊の軍備強化と、米軍基地への核の持ち込みを容認する発言をしていた（二〇一五年公開の外交記録）。その後の「角福戦争」では、田中派に貢献して田中内閣にも入閣した。以後も、通産大臣・科学技術庁長官、鈴木内閣における行政管理庁長官などを歴任した。

中曽根の総裁就任には田中派の支持があったが、中曽根自身も初心と認める憲法改正の志向が、岸信介の信頼を得たことも理由だった。しかし、国民からはタカ派としての発言が目立っていた中曽根が首相となることに懸念の声があがった。鈴木内閣を倒閣した岸には好まれても、憲法改正をして日本軍を創ろうなどとは世論に容れられなかったのである。そのため中曽根は改憲論を封印して組閣した。

中曽根は早くから首相の公選制も唱えており、国民の支持を重視していた。党内での意見調整や国会審議よりもテレビに頻繁に登場し、世論を先導することで官僚に依拠する従来の政策推進を否定しようとした。テレビでの印象を良くするために、演出家の指導まで受け、国民の前に立つリーダーを自己演出した。

②「大きな政府」か「小さな政府」か―ケインズからシカゴ学派へ

中曽根が組閣した当時、日米関係は戦後最悪と言われるほどに悪化していた。米では映画俳優だったレーガン（Ronald Reagan）が共和党の大統領となり、新冷戦に強気で臨む姿勢を見せた。レーガンは共産主義を敵視し、「赤狩り」ではＦＢＩの協力者として映画業界の中で密告する役割を担っていた過去まであった。

また当時の米は、石油危機に続いてイラン革命・アフガン問題を抱えると、インフレ拡大・生産性の低下・高い失業率の発生に見舞われ、瀕死状態と言われるほどに経済が落ち込んでいた。その状態から立ち直るために「強い米国」を標榜して登場したのがレーガン政権であった。

戦後の米は、ルーズベルト（民主党）政権以来のニューディール政策を基礎に、政府が国民生活を保障するために公共事業や社会福祉を充実させてきた。国民生活の保護を積極的に行う「大きな政府」（高福祉国家）を政策傾向にしたのであった。

ニューディール政策では、手厚い福祉や社会保障を行うために税も高く徴収する。国家の歳入が確保できないまま公共福祉の歳出が拡大すれば財政赤字となってしまうため、高所得者に高額の納税を課す「累進課税」制度が採用されることになる。つまり「大きな政府」としての性格を増すほど、担税力のある高所得層に高率の課税を行うことになる。

八〇年代の米では、長期化した不景気から財政支出が負担となり、さらにニクソン政権期以来のインフレがなかなか抑制できず、ドルの信用低下を挽回できずにいた。国内の失業率が上がってきたが、当時の米の経済理論（ケインズ理論）ではインフレと失業が同時に起こることはないと考えられていた。そのため政府の支出を増やせば雇用力も上がり、支出の拡大は失業を防ぐとされた。しかし、実際にはインフレと失業が同時に起こる現象（スタグフレーション）が発生し、経済理論は破綻しつつあった。

そこへ登場したのが、レーガン率いる「シカゴ学派」（自由市場と競争原理の有効性を説く学派。シカゴ大学の経済学者を中心に形成）の経済理論・「新自由主義」である。レーガン政権は、それまでの「大きな政府」を否定し、「小さな政府」を目指す政策へと転換させた。

「小さな政府」とは、政府が国民の権利に干渉せず、とりわけ経済活動の自由を擁護する施政を指す。自由の権利の拡大を追求して、国家が国民生活に介入することを排そうとする。納税も強制だとして嫌い、保護や保障よりも減税を求める。「経済的平等の促進は必ず強制と自由社会を破壊する」として、国家が富の再分配を行うことに反対するのである。

政府の干渉を排除すれば、同時に貧困に対する手当ても無くなるわけだが、それを「自己責任」として当事者の責任に求めるのが「小さな政府」の傾向である。国民を「ゆりかごから墓場まで」保護する「大きな政府」が福祉国家であるのに対し、「小さな政府」の究極の姿は最低限度の治安の維持しか保障しない「夜警国家」となる。そのため、政府の事業はなるべく民間に払い下げようとする。民営化された事業は不採算になれば倒産して無くなるが、政府はそれにも介入しない。

新自由主義では、国民が「富める自由」に干渉しないのと同様に、「貧しくなる自由」をも放任して、「稼げない貧者を社会保障で救うよりも、一部の有能な強者が存分に稼ぐ方が社会のためになる」と、経済的弱者を切り捨てる性格がある。「能力主義」の名の下に、資金や資産が無い者は能力が欠損しているものとして、福祉や生活保護への支出を打ち切ろうとする。また、あらゆる規制を撤廃したがるため、自国の産業を海外企業から護るための規制をも緩和する。つまり国家の規制の不法性を指摘して、民営化と減税を進め、個々人の権利の極大化を目指すのが新自由主義だと言える。

3 「レーガノミクス」と新自由主義

レーガンが標榜したのは、歳出削減・減税・規制緩和・インフレ抑制による経済再建で、政府が民間の経済発展を妨げるような規制を緩和すると同時に、財政規模を縮小して歳出を抑え、さらに減税も行う政策であった。その政策は「レーガノミクス」と呼ばれた。

①「新自由主義」は何を護っているのか？

シカゴ学派では、貨幣の供給量によって経済動向を操作できると考える（「マネー・サプライ理論」：市場の動向に合わせて国民所得・貨幣価値の変動を分析する）。貨幣の流通量が増大すれば物価は上昇してインフレを促し、さらなる物価高騰を招く。ニューディール政策のように、雇用を拡大するために政府支出を増大させるほどインフレは進行し、ドルの価格が下落すると説明した。そのため、石油危機によって物価が上がり、国民の購買力が低下する中で失業が増えると、ますます国民所得の低下を招いてインフレと失業が同時に起きたのだと分析したのである。そしてこれを解決するためには、政府が公共財の供給・所得再分配・金利政策などの市場への介入を極力せずに、自由貿易・規制緩和・民営化の促進によって経済的自由を伸張させるべきとした。つまり、企業や国民の自助努力による活性化である。

レーガン政権は、従来の民主党の政策（累進課税・各種の規制）が企業の活動を阻害し、国民の労働意欲を失わせたのだと訴え、「強い米国」を取り戻そうと呼びかけた。そして国営事業を民間に払い下げ、コスト削減と自由化によって産業の自力回復を求めた。個人所得税や企業投資は減税となり、投資の活性化と利益回収促進が促された。

しかし、その減税とは高所得者を優遇するもので、貧困対策は放置された。政府の不介入方針で、貧困補助・教育補助・雇用援助や失業手当が削減された他、公務員を減少させ、給与も抑制して人件費削減が進められた。民間企業に対する規制は緩和されたが、それは国内企業への保護もなくなることを意味した。倒産する企業が現れても仕方ないとの「自己責任論」の姿勢である。個人の自由と、社会の放任とが同義にされたのだった。

レーガノミクスはインフレを低下させたものの、実態としては、市場に出回る資金が減少していたに過ぎなかった（デフレによる経済縮小）。富裕者に対する減税は、富裕者の貯蓄を増加させることで労働意欲を上昇させ、投資意欲を喚起するのだと謳っていたが、金利を高くしたために国民は貯蓄に精を出し、貯蓄に回った資金は市場には出回らなくなった。一部の経済的強者が存分に活躍すれば、やがてその恩恵が弱者層に至るので、強者の自由な経済活動を妨げない方が社会全体のためになるとの「能力主義」が主張されたが、実際にはそのような景気回復の効果はなく、格差が開いただけだった。

そこへ日本企業を主とした外国資本が流入したことで、ドル高に拍車がかかった。そもそも輸出が減退していたところにドル高・高金利にしたため、輸出はさらに停滞し、民間投資も一層停滞した。インフレは駆除したが、歳入の増加には結びつかなかった。そのうえ富裕者を対象とした減税が、貧富の格差を増大させたことに不公平感が募ったため（インフレの駆除を最優先にすること自体が資産家のみを優遇している）、結局レーガン政権は社会保障の支出を拡大することになった。しかし減税を行っていたため、支出を増やせば財政収支のバランスは取れなくなるのであり、結果的には貿易の赤字と財政の赤字を併発する「双子の赤字」を抱えた。

また、減税しながらも同時に軍事国防費は優遇するという矛盾まであった。レーガンは、新冷戦時代に対応するとして軍事支出を増大させていた。カーター政権期より四〇％もの増大であった。この背景となったのは、ソの科学技術力が進歩したことによってソの軍事力が米を凌駕しつつあったことである。レーガンは、その原因を民主党政権期のデタントに求めた。弱腰外交によるデタントは、米ソの力を横並びにさせることに役立っただけだったと批判して、「力による平和」を取り戻さねばならないと主張した。そのため国防予算を大幅に増加して、宇宙開発を進める「スターウォーズ計画」を推進し、ソ連崩壊のシナリオを描いて見せた。

レーガンの筋書きでは、米が軍事を強化すれば、ソもそれに追いつくために無理な支出を続けるようになり、アフガン紛争の泥沼化で逼迫しているソの財政はいずれ破綻するとした。社会保障制度が瓦解すれば、共産体制を維持することができなくなって崩壊するとの予測を立てたのである。そして、レーガン政権の予測とは異なりつつも、ソの財政破綻は後に実現することになる。

②なにが「新自由主義」を支えるのか？―「鉄の女」の強気な外交

インフレの抑制を最優先とする新自由主義は、巨額の赤字を生み出し、福祉の切り捨てを行っただけの結果となった。そうでありながら、この新自由主義を全面的に採用したのが当時の英と日本である。

英でもスタグフレーションが発生し、サッチャー（Margaret Thatcher）の保守党政権が新自由主義を導入した。前政権の労働党は、産業の国営化と産業保護のための規制を行い、「ゆりかごから墓場まで」の高福祉政策を看板政策とした。それが、米と同様に「小さな政府」への政策転換が求められたのである。

サッチャー政権は、国営で賄われていた水道・電気・ガス・通信・鉄道・航空などの事業を民営化して、政府の財政削減を図った。さらに、ロンドンの金融街が独占していた金融部門の規制緩和を図り、外国資本の参入を認めた（「金融ビッグ・バン」）。投資意欲を喚起しようとして、金融街での取引の税金や手数料を引下げ、仲買およびブローカー業を解禁（スクリーン取引に移行）するなど、保守的と言われた英の証券取引所の慣習を廃止した。

しかしその狙いとは裏腹に、英はモルガンスタンレー、ゴールドマンサックス、メリルリンチなど外国資本に市場を奪われ、競争に敗れた英国企業が淘汰されていった。税制でも、所得税を減税する代わりに消費税を導入し、低所得者層には不利でも、高所得者層には有利な政策を展開した。弱者の切り捨てである。

それでも景気回復の効果を上げられない政府は、国民に勤勉と倹約を呼びかけるようになったが、それは個々人の権利に対する不介入を原則とした新自由主義の失敗を意味していた。米と同様に、英ポンドを増価（ポンド高）したことで輸出が停滞し、不況はむしろ長期化した。自由競争による企業淘汰によって失業率も上昇し、貧富の格差を拡大させる結果となった。

かくして新自由主義を採用した英では、企業投資など促されず、金利が上昇した。インフレ防止を最優先にするのは、既にある資産の価値が下がらないことを第一に考え、貧困解決は後回しにする判断で、それは富裕層の資産を護るための政策に他ならない。経済格差の拡大と引き換えにインフレが防止されたのであり、またそれを「貧困でいることも当人の自由」とする自己責任論が正当化した。

英での社会保障費の削減は内閣への支持率を低下させたが、しかしそれを回復させる事件が起きた。アルゼンチン沖のフォークランド諸島をめぐって起きた「フォークランド紛争」である。同島はパナマ運河の開通（一九一四年）までは太平洋と大西洋をつなぐ要衝で、また第一次大戦時には英海軍と独の東洋艦隊とが戦闘した舞台である。島には英の入植者がおり、長らくその帰属をめぐって両国で対立してきた。その対立を背景に、八二年三月にアルゼンチンが侵攻したのであった。

当初、国連安保理は平和解決を勧告したが、サッチャーは軍事力での奪還に踏み切り、軍事衝突となった。サッチャーがアルゼンチンの行為を侵略と認定させたため、米軍とＮＡＴＯ軍も協力した。二ヵ月あまりで英が勝利し、サッチャーは支持率を急上昇させた。社会保障の削減問題は対外的危機が喧伝された事によって副次化され、弱者切り捨ては看過されてしまった（但し、英の場合にはＩＲＡによるテロ被害があり、実際に危機が起きていたことは附言しておく。ＩＲＡについては380頁）。

③日本は「新冷戦」にどのように参加したか？

中曽根政権の課題は紛糾していた外交問題の解決であった。新冷戦を迎え、アフガン侵攻の最中であった米にとって日本の戦略的重要性は高まったが、鈴木善幸の外交方針は米に追随するものではなかった。また当時は韓国との間にも問題が生じていた。鈴木内閣期に、韓国が安全保障に関する資金協力を求め、日本に五年間で六〇億ドルの政府借款を要請した。園田直外相は四〇億ドル以下への削減を回答したが、それが強硬な印象を与えたために韓国からの反発を招いていた。そこで中曽根は、渡米するより前に訪韓して関係修復を図った。さらに米との間で問題化していた武器技術の供与についても、中曽根個人の決断によって国内での解決を図り、それらの成果を「手土産」にして訪米した（日本は武器の輸出や、兵器開発に関連する技術を外国に提供することには規制を設けており、火器などの輸出は原則的に禁止していた。米は兵器の輸出が不可能だとしても、技術については提供するようにと要望した。中曽根は技術の供与は原則の例外との解釈を設けて提供の途を開いた）。

その上で中曽根は日本が将来にわたって米と行動をともにし、ソに対抗していく用意があることを強調した。それがよく知られる「不沈空母」発言となる。日本列島が米にとっての「沈まない船」としての役割を担い、米が日本を軍事利用して構わないとする発言である。中曽根自身は「不沈空母」と表現したわけではなかったが、マスコミがそのように報道したのを本人が否定せず、むしろその報道を促した。

この発言の前日に行われたブッシュ副大統領主催の晩餐会において、中曽根は自身の娘に米国留学の経験があり、その際のホストファミリーと今も交流が続いていること、そして険悪になりかけている日米の関係も自身たちのような信頼ある関係にしたいとのことを涙ながらに述べた。

これらの中曽根の発言はレーガン政権のそれまでの対日不信を払拭させた。レーガンはホワイトハウスでの朝食に中曽根を招き、これからは互いを「ロン」・「ヤス」と名前で呼び合おうと言ったという。戦後最悪と言われた日米関係は一転して「蜜月時代」と呼ばれるまでに接近するが、それが八三年に開催された先進国首脳会議「ウィリアムズバーグ・サミット」で世界に印象づけられることになる。

サミットではソの核ミサイルへの対処が議題となったが、積極的にソの動きに対抗しようとしたのはレーガン大統領とサッチャー首相のみで、ミッテラン大統領（仏）・コール首相（西独）・トルドー首相（加）は消極的立場をとった。対ソ方針をめぐって会議が決裂するかに見えた場面で中曽根が異例的に発言した。

「西側の結束の強さを示して、ソ連を交渉の場に引きずり出すためにあえて米国の提案に賛成する。決裂して利益を得るのはソ連だけだ。大切なのは団結の強さを示すことであり、ソ連が核ミサイルを撤去しなければ、それに対抗して一歩も引かないという姿勢を示すことだ。私が日本に帰れば厳しく攻撃されるだろう。しかし、現在の安全保障は世界的規模かつ東西不可分である。日本はこの種の討議には沈黙してきたが、自分は平和のために敢えて政治的危機を賭して日本の従来の枠から前進したい。ミッテラン大統領も私の立場と真情を理解し同調して欲しい」

この発言をきっかけに、レーガンはソとの交渉が成立しない場合は欧州に新型ミサイルを配備するとの案を示し、そして「インフレなき成長」のための共同指針が示された。サミットは西側諸国の結束が強く謳われる政治表明の機会になった。

ソに対抗する結束のアピールに成功したレーガンは、そのきっかけをつくった中曽根の発言を高く評価した。そのことは、サミットで撮影された記念写真に表わされている。国際会議の記念写真では、主導的地位にある米大統領と議長国の代表者が中心に立ち、他は外交経験の豊富な指導者や在任期間が長い指導者が順次に並ぶのが通例であった。それが、首相になったばかりの中曽根がレーガンに伴われてほぼ中央に立ち、在任期間で言えば中曽根よりもまったく長いサッチャーよりも中に位置した。

サミット直後に開かれたソ連指導部の政治局秘密会議では、サミットにおける中曽根の発言に注視し「領土問題などで日本に対し多少の融和が必要である」・「日本との関係で何らかの妥協を図らねばならない」と意見されていた。サミットでの中曽根の発言がソの対日政策に再検討を迫っていたのであった。

ウィリアムズバーグ・サミット

また、サミットの会期中に日本は英から自動車企業の誘致を受けた。サッチャーは強い姿勢で労働問題に対処し、企業淘汰も行ったが、それが失業者を増大させて財政を逼迫させていた。サッチャーは国内企業の再建を諦め、日本企業の参入によって労使関係の是正を試みたのである。英での新自由主義による改革はこの後も継続させるが、それが英の経済を浮揚させることはなかった。

④内務省の解体は権力解体になっていたか？

中曽根内閣は、「行革」推進と「戦後政治の総決算」を掲げて登場した。田中派を多数閣僚に起用して成立し、特に自派閥から抜擢することが慣例となっていた官房長官の職に、田中派の後藤田《ごとうだ》正晴《まさはる》を当てたことは特異な例であった。

中曽根を含めた内務省の出身者らは、省のOB会としての「内友会」に所属した。内務省は解体されたが、建設・自治・労働・厚生の各省や警察庁に分割されたため、それらの各省庁に「内友会」の人脈が広がっていたことにもなる。官房長官となった後藤田も「内友会」に所属していた。

また、中曽根内閣には何人かの重要なブレーンが存在した。一人は、行政調査委員となった瀬島隆三《せじまりゅうぞう》である。瀬島は元陸軍中佐で、二・二六事件で岡田啓介首相の身代わりとして犠牲となった岡田の義弟・松尾伝蔵の婿であった。戦時には大本営作戦参謀として「関東軍特種演習」（『明日のための現代史』上巻、第10章1参照）や、南方作戦に携わった将校だったが、敗戦時に中国でソ軍の捕虜となり、一一年間のシベリアでの抑留生活の後に帰国した。

帰国後は伊藤忠商事に入社し、七八年には会長に就任した。以後は財界・政界ともつながりを持つようになった。士官学校時代の人脈から韓国の軍事政権とも私的な交流があり、中曽根内閣の発足当初に悪化していた日韓関係にも尽力していた。瀬島が中曽根の参謀役となったきっかけは鈴木内閣における行政調査で面識を得たことだった。伊藤忠の取締役会長の瀬島は商工会議所の副会頭にもなっていたため、行政調査のメンバーとなっていたのである。

そして、その行政調査の委員会で会長を務めた土光敏夫《どこうとしお》も中曽根内閣のブレーンになった。土光はエンジニアとして石川島播磨重工業や東芝の社長を歴任した実業家で、猛烈な働きぶりで辣腕《らつわん》をふるい、業績の悪化していた経営の再建を果たした実績があった。七四年に日本経済団体連合会（経団連）の会長になると、石油危機後の景気対策としての国債の大量発行や法人税の増税を主導した。

しかし、財界が法人税の増税を懸念して「増税なき財政再建」を要望するようになり、八〇年には経団連の会長も土光から新日鉄の稲山嘉寛に代わった。鈴木内閣は翌八一年に、財界の意向を背景として「臨時行政調査会」(臨調)を発足し、土光が会長に就任した。

土光に臨調の会長就任を依頼したのは行政管理庁長官に就いていた中曽根であった。臨時調査会は「土光臨調」と呼ばれ、民間の活力向上を求める合理化経営の指導や、国鉄・専売公社・電電公社の民営化(「三公社民営化」)を計画した。しかし赤字国債からの脱却はできないまま鈴木が退陣し、中曽根が臨調と歩調を合わせながら政権を担った。つまり、臨調で検討されていた民営化の計画を下地として、中曽根内閣で新自由主義を採用していたのだった。何より対米関係を改善する新自由主義の採用は、それまで自民の傍流であった中曽根が本流に位置づくための方法だと認識されていた。

レーガノミクスとの共同歩調を定めた中曽根は、サミットの後にレーガン夫妻を西多摩郡の別荘に招待した。その様子は各国のメディアに流され、親密な関係が報道された。その後は中曽根が訪米し、蜜月の「ロン・ヤス」時代が演出された。

⑤「光州事件」と「大韓航空機撃墜事件」は何を明らかにしたか?

レーガンは極東情勢において日本を重視したが、それと同じくらいに、あるいはそれ以上に韓国との関係を重視した。レーガンが大統領就任直後に最初の国賓として招待したのは、全斗煥《チョンドファン》大統領だった。反共主義を標榜するパートナーとして結束する狙いがあり、ソ連・北朝鮮への圧力として韓国との結束を顕示した。

当時イランや南米のニカラグアで親米政権が倒れ、その中で米韓関係も冷却しかけていた(南米については252頁に後述)。カーター政権は朴正煕が核開発などを進めたことを警戒していた。そうした中での七九年一〇月に韓国のKCIAの部長が朴を射殺した。私恨による殺害だった。その後の軍事政権を実質的に率いたのが全斗煥であった。

朴の殺害後、韓国西南部の光州で朴の死去を機に軍部政権を終焉させようと民主化運動が起きた。これに対して全斗煥は戒厳令を敷いて運動を取り締まった。運動の主体となった学生らが機動隊と衝突したことから、軍が出動して市民を射殺し、数百人の死者を出した（「光州事件」・八〇年五月）。民主化運動を弾圧した全斗煥政権は、朴政権の開発独裁を安定的に継承する上で、米との関係を構築する必要があり、米韓両国が接近したのであった。

その後、八三年のウィリアムズバーグサミットより少し後の九月一日に、大韓航空の旅客機がソの領空において撃墜されるという事件が起きた。一般旅客機が攻撃され、乗客二六九人が死亡した。ソは隠蔽を図ったが、米はソの攻撃機が「目標を撃墜した」と交信している傍受テープを公開した。

七六年にミグで函館に亡命してきたベレンコ中尉は、その後に米空軍の顧問に就任していたのだが、事件について「領空を侵犯すれば、民間機であろうと撃墜するのがソ連のやり方だ。ソ連の迎撃機は、最初から目標を撃墜するつもりで発進している。地上の防空指令センターは、目標が民間機かどうか分からないまま、侵入機を迎撃できなかった責任を問われるのを恐れ、パイロットにミサイルの発射を指示した」のだと証言した。

事件の真相としては、ソの空軍が大韓航空の旅客機を民間機に扮したスパイ機と誤認して攻撃していたのだが、それを明らかにした証拠のテープは日本の防衛庁の傍受施設（稚内分遣班・電波傍受を主任務とする部隊。以前からソの軍事訓練を傍受していた）が得たものだった。それにも拘わらず、レーガン政権はテープの放送を中曽根・後藤田に全く相談せずに公表したと言われる。そもそも機密情報は、誰がどのように得たのかを秘匿するため、傍受した録音をそのまま流すようなことはしない。まして日本が傍受したとの情報を公開するなどあり得ないことだった。また米は独自にソ軍の通信を傍受していたが、そちらは公表せず、日本が傍受した音声だけを報道したことも判っている。

つまり米はソの責任を追及するために、日本の諜報を明るみに晒《さら》したのだった。事件は日本の諜報機関の存在を初めて公にしたが、日本の得た情報が即時に米政府に提供され、米側の判断だけで公開されるということは、日本の諜報機関は米の出先機関であることを意味している。そして現在においてなおその関係は続いている。中曽根はレーガンを思慕《しぼ》したが、背後にはこうした主従関係があり、「ロン・ヤス時代」はまさに俳優レーガンによって演出されたものだった。

4　バブル景気はどのように起きたのか？—「プラザ合意」と「民営化」

①「プラザ合意」は誰のための約束か？

良好な日米関係がアピールされ続けたが、好調すぎるほどの日本の対米輸出は巨額の黒字を生み、ハイテク製品による「ハイテク景気」とも呼ばれた。米では、日本は海外にインフレを輸出しているのだとの批判が起きた。この貿易摩擦のために先進国間での話し合いとなったのが一九八五年の「プラザ合意」である。

ニューヨークのプラザホテルを会場に、米の巨額の赤字を埋めるための会議が行われた。その方法とは、故意に円高を引き起こすことで日本製品を売れなくしようとすることだった。日本製品が安く買えるために売れ過ぎており、それにより貿易の不均衡が起きているとされたのである。この年、米は世界最大の債務国となり、対する日本は世界最大の債権国となった。既に、為替レートを自由に決める変動相場制になっていたため、「円安・ドル高」の傾向から「円高・ドル安」へ転換することが求められた。つまり、レーガン政権が米の商品を保護するために、為替相場を人為的に操作して、ドル安を創り出そうとの政策であった。先進五ヵ国G５（日・米・英・仏・西独）の蔵相と中央銀行総裁が出席し、ドル安へ誘導することで合意が形成された。

日本にとっては外国政府による為替介入であり、貿易の妨害に他ならない。それまで一ドルが二四〇円であったのを一五〇円台に設定し、円高へ強制的に誘導したのが「プラザ合意」である。それは、米の利益を護るために、日本製品を売れないようにする決定であるばかりか、急激な円高によって日本が不況になることを決定づける内容だった。

輸出に依存する日本経済にとって、意図的に円高にすることには多大なリスクがあり、実際に経済成長の自然なリズムは崩れた。現在の日本の長期的不況の起点がこのプラザ合意であるとの見方もある。それにも拘わらず、中曽根政権はこの要求を受け入れた。中曽根は日本の国民生活よりもレーガンとの仲を選択したとの批判もあるが、そもそも新自由主義路線はインフレの抑制を最優先するのであり、プラザ合意もインフレ防止で合意したところがあった。過度に続く黒字は物価上昇の原因となり、インフレの原因になり得ると思われたからである。

新自由主義では自由経済・市場競争を重視するはずが、米政権は日本の経済にはかくも介入したのだった。保護貿易をちらつかせて他国に妥協を迫るのは、現在も米の外交に見られるが、プラザ合意はその端緒となった。続く八六年には半導体の輸出も規制した（「日米半導体協議」）。国内の自動車メーカーの一部は多国籍企業化を企図して新自由主義による規制緩和に賛同したが、全体では多くの企業が倒産することになる。

プラザ合意は日本商品の値段をわざとつり上げたにも拘わらず、貿易不均衡の是正はできなかった。ドル安が既定路線になると、世界の投資家らが一斉にドルを買い始めた。ドルに高い金利がついたためである。また、日本では円高にはなったものの安い海外商品の展開によって、危惧されていた「円高不況」にはならず、それどころか安くなった米国資産の買いあさりや海外旅行ブームが起きた。

急な円高で円の価値が上がれば、その分だけ貯蓄や資産の価値が上がることになり、それを海外に持ち込めば海外の商品はその分急激に安くなる。そのため、日本企業は東南アジアを主として賃金の安い国への海外進出が好条件で可能になった。結局、日本の好景気は一層跳ね上がることになり空前の「バブル景気」を迎えるのである。

その結果、ドル安については進み過ぎが指摘されることになった。八七年には、早速にもドル安を是正するために、再び各国が為替介入を試みる「ルーブル合意」が行われたが、その後もドル安傾向は止まらず、九五年までには一ドル八〇円を割ることもあった。米の巨額の貿易赤字は改善されることなく、為替への介入が世界経済を均衡させることはなかった。そして、日本ではプラザ合意への対策が予想を超えた「バブル」を発生させることになる。

②バブルの構造―「ジャパン・アズ・ナンバーワン」

円高・ドル安への誘導は、日銀が貿易収支によって保有していた大量のドルを円に交換することで、大量のドルを外国為替市場に流出させて行う予定であった。ドルが国際市場にあふれれば、その価値は下がってドル安となる。但し、それだけでは日本が急速な円高によって不況になってしまうため、それを阻止するために国内では「長期的低金利政策」を実施した（即ちプラザ合意を受け容れれば日本が不況になることは解っていた）。

当時は、日銀が一般銀行に貸し付ける際の金利を操作することで景気変動を操作していた（金融政策）。日銀の金利が上がれば、一般銀行の金利も上がり、民間企業は銀行からの融資を受け難くなる。金利の基準を「公定歩合」と呼んだが、例えばインフレ時には公定歩合を上げて、銀行への貸し出しを抑制し、資金の流れを縮小した。反対にデフレ時には公定歩合を下げることで銀行の金利を引き下げ、企業に銀行からの融資を促した。再び好景気となれば、公定歩合を上げて企業の金利負担を増大させ、資金需要を減退させるのである。

プラザ合意の後には、日銀は公定歩合を引き下げ（銀行金利二・五％）、企業が融資を受けやすくすることで、国内に資金の流れを生み出そうとした。日銀の「長期的低金利政策」はその名の通り長期にわたって金利を下げる政策で、これによって国内企業が銀行から借入れをしやすくなる状況が発生した。そしてその影響によって、不動産と株の投資が過熱するようになった。これが「バブル景気」の原因である。

未だ好景気だったうちから低金利での貸し付けを始めたために、企業は不必要に融資を受けた。日銀から資金を得た一般銀行がとかく融資を勧めたのである。借入れを受けた企業はやむなく余った資金を運用しようと、不動産への投資を加速させた。土地の値段は値崩れしないという根拠のない「土地神話」から、土地が投機の対象となり、次第に地価が上昇していった。同様に株ブームも起こり、株価が上がったことによって、企業は株式発行で資金を調達できるようになり、次第に銀行からの融資を必要としなくなった。それは銀行が企業の資金調達に介入する「一九四〇年体制」（第６章６）が成立しなくなったことを意味していた。資金の貸し出し先を失った銀行は、自ら土地を担保に資金を貸すことに積極的になっていった。

土地・住宅・株式のように価格が常に変動する「時価資産」は、例えば土地の需要が増加して空き地が減れば地価が上昇するというように変動し続ける。そして当時は、転売による利益（差益）を求める投資家や金融機関が現れ、さらに投資家に投資する者も現れた。転売によってさらに資産価格が上昇していけば、国全体の資産総額を上昇させることになり、価値の上昇を見越した買付がさらに増える。

転売の始まりは、小作層が土地を手放したことからだと言う。小作人はＧＨＱの農地改革によって土地を取得したが、先祖伝来の土地ではないことから、値がつけば売却した。悪質な地上げも横行した。そして投機の対象としての土地は、ただ右から左へ転売しただけで差益を生んだ。明らかに市場の働きが狂っていたが、市場の合理性を高く評価する新自由主義は市場の狂乱を認めようとしなかった。

空前の好景気から、不動産投資は海外にも及び、日本企業はニューヨークのビルやハワイのホテルなどを買い漁った。三菱地所がロックフェラーセンターを買収したのはその象徴であった。また円高を背景に、安く行ける海外旅行に一般市民も殺到し、世界各地で貴金属などを買い漁《あさ》った。日本経済の強さに関心が集まり、日本型経営を賛美する『ジャパン・アズ・ナンバーワン』と題する著作が名を馳せるなどした。

③どうしてバブルははじけたのか？

バブル景気は図らずも当時の国民に華やかな生活を享受させた。そして、中曽根内閣はそのバブルを演出した内閣となった。但し、プラザ合意は決して日本の景気のための決断だったわけではない。中曽根は米の貿易赤字を埋めるために、バブル前から「輸入品を買って、文化的な生活を送ろう」と国民に呼びかけていた。全国民に年間で一万三千円以上（一〇〇ドル以上）の米国製品を買わせることで、レーガン政権の要求に応えようとしていたのである。

また、円高不況に備えるための内需拡大の必要から、日本国有鉄道・日本専売公社・日本電信電話公社の「三公社」と、半官半民によって運営されていた日本航空を民間に払い下げた（国鉄→JR、電電公社→NTT、専売公社→JT／日本航空→JAL）。このうち国鉄の払い下げは、当時強大な影響力をもっていた労働組合を解体し、かつその支持母体であった社会党の弱体化を狙ったものだったとの見方もある。中曽根は労働組合を敵視していた。

いずれにしても、民営化に伴って国鉄の用地売却などによる国有地の払い下げが発生することになった。大都市圏の払い下げ地はその後の開発を見越して地価が高騰した。地方でもリゾート開発によって発展するであろうとの期待から地価が上がり、地価高騰は全国的な現象となった。

このように、開発を見込んでの地価の上昇や、同じ土地でありながら転売によってその価格が見る見る上昇していくような「実態のない景気」によって、資産インフレの連鎖を起こしたのがバブルだった。中曽根内閣の政策は結果としてバブルを引き起こしたが、それは米国商品の購買を煽《あお》っていることからも解かる通り不測の結果だった。それどころが実際には不況への舵を自ら進んで切っていたのは既に見た通りである。そして、上昇を続けたバブルは一挙に弾けることになる。

資産価値が上昇するのは、買い手が積極的に売買や投資を行うことを前提にしている。しかし、やがて買い手がいなくなれば、資産は売却することができずに価格の下落が始まる。下落が始まると、損失から逃れようとする投資家や金融機関が一斉に資産を売却するようになった。しかも、この段階で日銀は公定歩合を引き上げた（五・二五％）。その上さらに、インフレ防止策として不動産売買を制限した（「不動産融資総量規制」：不動産売買に関する融資額に制限を設けた）。土地の売買に規制がかかったことで地価の下落は加速し、土地の需要は急減した。バブル崩壊の開始である。

不動産価格の急落を原因として、返済不能の債権（「不良債権」）が発生した。土地が値崩れしたため、その土地を担保に行われていた過剰な融資が回収できなくなったのである。銀行は、地価が高騰している最中の査定によって過剰に貸し付けていたために、その融資を受けた債務者がバブル崩壊後には返済の見込みを失ったのだった。銀行が不必要に貸し付けた資金も返済の対象となった。債務者には膨大な融資の返済計画が残されることになり、投資も停滞したことで不況へと転落した。大手の企業までもが倒産し、自殺者が大量に現れた。それでも福祉を切り捨てた政府が、社会保障を拡充することはなかった。労使関係は寸断されたまま労働者の待遇も改善されず、現在まで続く経済低迷を宿命づけたのである。

5　因循な「戦後保守」

国内では、一九八三年一〇月にロッキード事件の裁判で田中角栄に実刑判決が下った。田中派の後援で成立していた中曽根内閣は、「田中氏の政治的影響を一切排除する」と公言して、田中派と距離をとることを国民にアピールした。それは岸からの要請であったが、実際には田中派からの協力は以後も継続した。岸は田中派や三木派を警戒し、その後も抑制を図ったが、何より自民党が議席を減らした中で田中派はほとんど当選していた。但し、判決直後の一二月の総選挙（田中判決選挙）では自民は過半数を割り、中曽根は他党との連立を余儀なくされた。

この後、自民党の単独政権は、田中が死去（八五年二月）する後まで成立しなかったが、八六年に衆参同日ダブル選挙をしかけると大勝を収めた。野党では、土井たか子が初の女性党首として社会党の委員長となり、社会党は「護憲」を強く打ち出すようになった。ダブル選挙には惨敗したが、土井の登場は「マドンナ・ブーム」を巻き起こした。

前年に「男女雇用機会均等法」が成立し、女性の地位向上に期待がかかったが、中曽根内閣は選挙での大勝を背景に「戦後政治の総決算」を掲げ、愛国教育問題・靖国問題・防衛費増大などの「保守回帰」と言われる復古的な政策へ傾斜していく。

①日本に核兵器はないのか？

中曽根は防衛庁長官時代（佐藤内閣）に大規模な防衛費の増額を求めるとともに、核武装の研究を指示していた。また科学技術庁の長官時代には原子力発電事業を推進したが、それらは日本が核武装をせずともそれを製造する技術は保持するべきとの考えからだった。核の平和利用と言える原発によって濃縮ウラン（プルトニウム）を保有する「潜在的核武装論」である。

そして八七年度の予算では、防衛費を国民総生産（ＧＮＰ）の一％以内としていた「防衛費一％枠」を撤廃した。「ＧＮＰの一％枠」は三木内閣で定められてから堅持されてきた。中曽根による改正は、防衛費そのものを拡大するわけではなく、ある年の防衛費が一％を越えたとしても、その後の数年間の総額が結果として一％になっていれば構わないとする改正であった。それまでは年度毎に一％に留めていたのを、長期スパンでの総額明示方式に切り換えたのである。そのため、中曽根内閣期に防衛費を増額すれば、その分を将来の内閣の予算で減額することになる。しかし「一％枠」撤廃により、米軍との協力関係をさらに緊密にするための柔軟な政策の立案が可能になった。当時、米軍は陸海空・海兵隊一四万人の兵力と最新鋭戦闘機の配備を進めており、防衛費枠の改正は、その軍事力強化の決定打となった。

中曽根は在任中にこそ憲法改正に触れられなかったが、それを「初心」と述べていた通りに国軍の創設を望んでいた。元来、自主独立（対米自立）を主張していた中曽根は、米軍の庇護下で自衛隊の増強を図り、十分に増強できた段階で一挙に憲法を改正しようと考えた。核保有を前提にした自主独立の発想であったと言える。

②靖国神社の公式参拝は如何に行われたか？

中曽根の復古的な姿勢は「戦後教育」の見直しや、靖国神社への公式参拝にも見られる。中曽根は八五年八月一五日に公式参拝を行った。「終戦の日」に首相が参拝するのは初であった。七八年にＡ級戦犯が靖国神社に合祀されると、昭和天皇はそのことを良く思わず、以後の参拝を止めていた。靖国には、中曽根の戦死した弟も祀られていたのだが、中曽根は参拝を強行した。

これに対し戦争被害国から、公式参拝は侵略戦争を正当化するものと激しい抗議を受けた。特に中国との間で紛糾し、外交問題に発展した。結局のところ、中曽根は中国政府内に存在した親日派への配慮から以後の公式参拝を取りやめた。

中曽根は就任より前の七三年と八〇年に訪中していた。八〇年の訪中では鄧小平と会談し、そこに同席した胡耀邦とはその後も厚い私的交流をもつようになった。中曽根政権の対中外交は、田中内閣以来の立場を継承するもので、中国の親日化を図る方針だった。中国への借款や、留学生の受け入れ事業を行うなどし、鄧小平が経済協力についての感謝を述べると。それに対して中曽根は「戦争被害に対する反省として、当然のことである」とまで述べた。中国側も中曽根を評価しており、「一％枠」撤廃に伴う日米の戦力増強などは、鄧小平がソへの対抗の観点から「歓迎する」とまで述べていた。

また、中曽根は組閣当初に訪韓していた通り、韓国との友好関係も重視した。日本の首相が韓国を公式訪問すること自体が当時としては表敬の意味をもったのだが、八六年には「韓国併合」に関して不適切な発言を行った藤尾《ふじお》正行《まさゆき》文相を即座に罷免《ひめん》した。藤尾（清和会・安倍派）の発言は、韓国併合には韓国側の責任もあったとする内容で、韓国の全斗煥政権へ配慮した中曽根が罷免したのであった。

タカ派を表明しながらも、中曽根の外交はかくも配慮に満ちていた。靖国に公式参拝し、戦後教育の見直しを望みながらも、中韓から親日的態度を引き出した。かつては戦時の無差別爆撃に賠償を要求すべきだと語気を強めていたはずが、実際には米軍への依存度を増やしたばかりだった。「戦後保守」はそうした自己矛盾の中にあった。

6　平成へ──自民分裂で露呈した癒着構造

中曽根内閣は一九八七年一一月に総辞職した。福祉の切り捨てを方針化し、経済の低迷を決定づけたにも拘わらず、それまでの日米関係や好景気の演出とともに、支持率は概ね高水準を維持した。後継内閣の首相には、竹下登（田中派）・安倍晋太郎（清和会）・宮沢喜一（宏池会）の三人が候補に挙がったが、中曽根の裁定によって竹下が指名された。中曽根は、自身が断念した売上税（消費税）の導入について党をまとめられる者、そして当時容態が悪化していた昭和天皇の不慮に備え「大喪の礼」を行い得る者との条件から竹下を選んだとしている。翌八九年一月に昭和天皇が亡くなり、二月に「大喪の礼」が行われた。日本は平成を迎えるが、それは「失われた三〇年」の始まりであった。

①消費税は何のために払うのか？—戦争の申し子

ポスト中曽根は、「ニューリーダー」と呼ばれた各派閥の継承者らによって争われた。それが竹下・安倍・宮沢である。田中派はロッキード事件から総裁を出せなくなったが、その後も「目白の闇将軍」として影響力を持った田中角栄の下、他派閥に組閣させることで党幹事長などの主要ポストを把握してきた。しかし若手議員は他派閥を支える役割に不満を抱き出した。その中で竹下（蔵相）は総裁候補に名乗りを上げようと、八五年には田中派の内部派閥としての「創政会」を立ち上げた。その直後には田中が脳梗塞で倒れたが、竹下は八七年には完全に独立し、田中派一四一名中の一一八名を竹下派として率いた（他は副総裁の二階堂進の派閥として残留）。中曽根裁定により総裁となると、創政会を再編して「経世会」を立ち上げた。成立した「経世会」（竹下派）は最大派閥となり、自民党の主流はこの「経世会」（竹下派）と「宏池会」（池田系宮沢派）の二派となった。

竹下内閣では、宮沢と安倍（清和会系福田派＝安倍派）が、それぞれの派閥を率い、幹事長と大蔵大臣に就任した。また中曽根が後見人となり、党内に敵のいない状態で成立した。そして竹下内閣は、中曽根内閣から継承した課題である大型間接税（消費税）の導入を企図した。

竹下は蔵相を長く経験し、大蔵省の人材を権力の行使に最大限活用した。大蔵省の意向に沿う政策を実施しようとする相補関係が成立し、そのため内閣と官僚の双方がもたれ合う構図が発生した。官僚ＯＢの再就職を世話する「天下り」も積極的に行い、竹下は「日本の世話役」とまで言われた。竹下が個人的に知遇を得た企業へ官僚の天下りを進めていくなどした結果、「政・官・財」の三界にわたる癒着構造が発生し、その関係は「鉄のトライアングル」と呼ばれた。

政治家が、官僚および財界の望む法案について影響力を行使する立場から、官僚への指揮権を発揮し、また財界からは政治献金を集めて支持を調達する。

官僚は、財界に対して公共事業・補助金の振り分け・許認可権の可否によって影響力を行使する立場にあるため、担当所轄の業界を代表して、その業界への利益誘導を計る。

財界の団体は、献金によって身内的な政治家（族議員）を輩出して財界に有利な政策を採らせたり、官僚に対しては天下りを受け入れることで、財界への利益誘導の見返りを官僚に与える。こうして、国益や国民利益よりも官僚の省益や企業利益を優先する政策がつくられていくことになる。

竹下の人脈は、大蔵省の官僚と癒着関係にある族議員（大蔵族）が構成する「衆院大蔵委員会」を中心に拡大された。大蔵族はとりわけ消費税導入を進めたが、竹下は次第にその人脈を他派閥や野党にまで及ぼすようになっていった。内閣製造を陰で担ってきた田中派での経験から、竹下は全ての派閥から公平に人材を登用して、党内抗争を封印しようとした。こうした竹下の手法は「総主流派体制」と言われた。

「総主流派体制」を標榜する竹下は、「敵を作らない」用意周到な政治手法を駆使し、党の歴史上でもかつてないほどに盤石の構えを見せた。その上で消費税の導入を行ったのであった。

中曽根がやり損ねた消費税の導入について、当時の自民党政調会長の渡辺美智雄（中曽根派／税制改革推進本部長）は外国人記者クラブで、米政府との間に「昭和六十五年（一九九〇年）までは年々五・四％ずつ実質的に防衛費を伸ばすというお約束がある」と述べた。つまり、国民全員が負担する消費税の導入は、米政権の要望通りに軍備を拡張するために行われたものだった。そもそも、「消費」に課税する大型間接税は、第一次世界大戦時の独が創り出した税だった。消費税自体が戦費調達のために生まれた税なのである。それが新自由主義とともに日本に導入された。

②「敵のいない体制」の仇とは何か？

盤石な体制を敷いた竹下内閣は、「戦後最大の汚職事件」と言われた八八年の「リクルート事件」によって、わずか一年半の短命な内閣として瓦解することになる。

同事件は、巨大広告代理店・リクルート社の関連子会社の未公開株が賄賂として不正譲渡され、政治家・官僚らが次々に逮捕された事件である。癒着関係を定着させていた政・官界をゆるがす企業犯罪が暴かれ、中曽根前首相をはじめとして、竹下首相・宮沢副総理・安倍蔵相ら派閥領袖らの他、九〇名を超える政治家の収賄が発覚した。

「清和会」（安倍派）の森喜朗などは一億円もの売却利益を得ており、国会では関係政治家らの証人喚問が要求された。野党の追及に対して、中曽根は証人喚問を拒否し、宮沢は秘書が自分の名前を勝手に利用したと釈明するなど、自民党の政治イメージを失墜させた。内閣支持率は急落し、竹下内閣は総辞職となった。そして自民党は後継内閣の選定に極めて難渋することになる。

「五五年体制」の下で、自民党政権はある内閣が瓦解しても他派閥が新たな内閣を成立させ、そうした各派閥による政権担当が擬似的な政権交代になっていた（田中内閣に不正があっても三木派がクリーンに一掃するなど）。ところが、竹下内閣では各派閥が結託したために一蓮托生の関係となり、主要な派閥からは不正に関わっていない人物など出てこなかった。それは「敵を作らない総主流派体制」の仇であり、事件を機にして「政官財トライアングル」の癒着構造も曝露された。

竹下は自身が消費税で増税したら、次の内閣は安倍晋太郎が務めて派閥再編の政治改革をやり、そしてその次には藤波孝生（中曽根派）が地方分権に取り組むことで、明治以来の官僚主導政治を変革しようと構想していた。ところが安倍はリクルート事件からほどなく病に倒れ、その次の候補の藤波も事件で起訴された。

後継内閣は竹下の指名により宇野宗佑になったが、首相就任の直後に女性スキャンダルが発覚し、また消費税の導入を背景に自民党は参議院選で結党以来初めて過半数を失った。

7 「平成七奉行合戦」――自民党の派閥史

「吉田学校」が、池田派・「宏池会」と、佐藤派・「周山会」に分立した後、佐藤派から田中角栄が分派すると、田中派が最大派閥となった。残された佐藤派は福田赳夫が継承し、岸派（復古派）と合流して「清和会」を形成したが、嫡流派閥であるはずの清和会は、最大派閥の田中派に押されて主流派になれなかった。以後は、田中派と宏池会の協力関係により政権が維持されていく。そして、中曽根派・三木派（河本派：鈴木内閣発足時に三木派が解散して河本《こうもと》敏夫が継いだ）が両派の中間的に存在した。

派閥にはそれぞれの政策傾向（得意分野）がある。大蔵官僚を主な人脈とする宏池会は「所得倍増」の実績をもって経済優先の政策をとるが、外交分野では実績が少なく、諸外国とのパイプも強くない。米の戦略の枠内での自立的な外交関係を志向し、経済の拡充を図る。

田中派は、国土開発と労使協調を指揮して広い官僚の人脈を有し、同時に利益団体を組織化した。外交でも日中国交正常化の実績から中国のパイプも形成した。また列島改造時に公共事業を拡大したが、それらは「経世会」にも引き継がれた。

経世会を基盤とした内閣には公共事業への投資が目立ち、その予算配分は利益団体への手厚い保護にもなった。しかし、政・官・財界の癒着や公共事業における談合などの腐敗が次々と明らかにされ、国や地方の財政赤字を増大させていたことも明白だった。そして経世会は田中派の金権政治の手法も受け継いでいた。

竹下が総理に就任すると、経世会の会長には金丸信《かねまるしん》が就任した。田中から実権を奪うクーデター計画を支えていたのはこの金丸だった。金丸は、戦後に衆議院議員選挙に出馬して佐藤派に属し、その際にも田中派によるクーデターに尽力していた。以来、田中の引き立てを受け、党の人脈の調整役を担った。福田内閣で防衛庁長官に就くと、七八年に米軍基地の日本人従業員の給与の一部（約六二億円）と、米軍施設の運用費の一部を日本側が負担することを決定した。支給は日本人従業員の手当を主旨としたが、その際に「思いやりの気持ちで行うべき」と発言したことから、現在に至る「思いやり予算」となった。

竹下が田中派の内部に作った創政会に属したのは、小渕恵三・梶山静六・橋本龍太郎・羽田孜・小沢一郎・渡辺恒三・奥田敬和など当時の中堅・若手議員で、会の発足に貢献した彼らは「竹下派七奉行」と呼ばれた。そして、竹下内閣が予想外に短命に瓦解した時、七奉行の誰を後継者とするかが最も問題となった。長期政権になると思っていたため、竹下は後継者の選定など全くしてはいなかった。しかも、リクルート事件の余波によって後見役の中曽根が自民党を離脱していなくなったため、党内での経世会の影響力はむしろ高まっており、後継者選定は死活的な重要問題となった。

「七奉行」は、「竹下系」（小渕・橋本・梶山）と、「金丸系」（小沢・羽田・渡辺・奥田）で構成されたが、最有力だったのは竹下の側近であった小渕恵三と、橋本龍太郎、小沢一郎の三者だった。小沢は特に金丸に目をかけられ、七奉行の中では最年少でありながらも重用された。竹下内閣の「金権政治」は、竹下・

金丸・小沢の蜜月指導によるものとされ、三人の名から「こんちくしょう」（金竹小）内閣などと呼ばれた。三者は身内の婚姻関係を通じた姻戚にもなっていた。

後継者選定は竹下派内部での争いへと発展した。しかし結果的に指名されることになったのは、七奉行の外から招かれた宇野宗佑であった。宇野は教養ある文人として知られており、竹下が後任に指名したものである。こうして七奉行の問題を据え置いたまま、経世会の全盛を背景に宇野内閣は成立した。ところが宇野にスキャンダルが起き、参院選に惨敗すると、宇野の退陣によって七奉行での争いが再発するのである。

後任総裁には竹下退陣後に全国を遊説していた橋本が最有力と目された。しかし、候補に浮上した橋本の就任を小沢一郎が阻止した。橋本にも女性問題があったためと言われているが、橋本は次期総裁への道を断念した。この後、経世会の有力な後継者であった小沢一郎と橋本龍太郎の争いは「一龍戦争」と呼ばれるようになる。

スキャンダル続きで経世会や旧田中派に対する国民の不信を払拭しきれなくなった自民党は、次の総裁に旧三木派（河本派）の海部《かいふ》俊樹を選出した。海部は、田中派に対抗した非主流の三木派に所属しながらも、中曽根派と近い関係にあったことから、福田内閣・中曽根内閣で文相を務めていた。また早稲田大学の出身で竹下の後輩にあたることもあり、竹下が指名したのだったが、かつて田中が「金脈問題」によって退陣し、さらなるスキャンダルとしてのロッキード事件が起きた時、政治の浄化を求めて三木武夫が組閣したように、三木派から総裁が登場したのであった。

第10章
グレイト・デタント

1　民主化する世界

経済格差と物資不足の悪化が続いていたソ連では、一九八二年にブレジネフが死去し、その後の書記長にはアンドロポフ、次いでチェルネンコが就いたが、両名とも高齢のために一年前後で死去した。この間に食糧問題に取り組んだゴルバチョフ（Mikhail Gorbachev）は、八五年に書記長を継ぐと国民生活向上を求めて改革を推進した。それまでソの国防費は一六％と公表されていたが、実際には四〇％も当てられており、財政を圧迫していた。

①「ペレストロイカ」は如何に始まったか？

キューバ危機後の米ソは核戦争の防止に共通の利益を見出すようになり、相互の「勢力圏」を尊重するようになっていた。中ソ対立が表面化し、米ソの軍事力が拮抗《きっこう》する中でデタントを迎えると、仏や西独も自立した外交を模索した。冷戦の初期とは異なり、多様化してきたのである。

七九年にソがアフガンに侵攻すると、米の国内ではデタントに対する批判が高まるが、ブレジネフ政権下では経済停滞が続き、ソは北米からの穀物輸入なしには食糧供給が不可能になっていた。

肥大化していた財政赤字を背景に、ゴルバチョフはアフガンからの撤退をはじめとする建て直し政策を開始した。「ペレストロイカ」（再建）である。従来の一党支配を改めて、市民社会に根ざした政治の民主化を促した。横行していた汚職を一掃するための官僚人事の刷新を行い、市民の権利を保障するために情報公開（グラスノスチ）を進めた（「スターリン批判」以降には国民の権利の尊重が求められてはいたが、形式的に留まっていた）。この情報公開を促進したのは、八六年に起きた「チェルノブイリ原発事故」である。

ソ連邦に含まれたウクライナ共和国の首都キエフ（キーウ）の北に位置するチェルノブイリには、世界最大規模の原発があった。その原子炉の欠陥から爆発が起こり、広島の原爆被害の五〇〇倍に相当する放射能被害を出した。ソ政府が事件を隠そうとしたために、住民の避難は翌日まで遅れた。事件の詳細はゴルバチョフにすら直ぐには届いていなかった。北欧でも放射能が検出されたことから事件を公表せざるを得なくなったが、放射能は北半球の全域にまで飛散していた。

核の平和利用であったはずの原発が人類に牙をむいた事件であった。処理のための人員がソの全土から集められたが、二〇万人以上もの被爆者を出すことになった。被爆者を救済する医療技術などなく、汚染された五〇〇の村落が住めなくなった土地として地図から消えた。

原発事故は情報公開の重要性を明らかにし、それまでの秘密主義体質の改善が進んだ。また東欧に対する民主化改革の支援など、大胆な政策転換が図られた。それによって市民は官僚の汚職や腐敗を次々と訴え出るようになった。

その一方で、情報公開は政府に不都合な事実も明らかにした。そのうちの一つは一九三九年の「独ソ不可侵条約」である。バルト三国がナチとの取引においてソに併合された事実が解り、ソからの独立を求める運動が起きた。言論の自由はそれまで社会主義の成果ばかりを宣伝してきたソ連政府のあり方へも批判の目を向けるようになったのだった。そして、それまでベールに包まれていたソ連財政の危機的状況が西側諸国にも明らかになっていった。軍拡が何よりも経済成長を妨げている様子が明らかにされた。ペレストロイカを進めるソは、中国との関係改善にも意向を表明したが、それは体質改善のみならず、ソの歴史そのものを見直す作業であった。

これらの様子を見たレーガン政権はソへの接近を図り、両国ともに融和の歩み寄りを見せた。ソは核兵力・通常兵力・東欧諸国政策において大幅な譲歩を示し、両国は八七年に中距離核兵器の全撤廃を約した（ＩＮＦ全廃条約）。八八年には、冷戦戦略を修正する「新ベオグラード宣言」を発表し、かつてプラハの民主化運動を弾圧するなどしたブレジネフ・ドクトリン（制限主権論）が否定された。

ソとの関係改善の筋道をつけたレーガンは高い支持率を保って任期を終了した。共和党政権はブッシュ副大統領に引き継がれる。

②「ペレストロイカ」の影響とは何か？

仏では八一年から社会党の党首ミッテラン（François Mitterrand）の政権が成立していた。社会党の左派としてドゴール政権に反対し続けていたミッテランが政権を担うようになったのは、それまで米を重視していた社会党と、共産党がデタントを背景に連帯したためである。大統領選挙ではミッテランが約一〇〇万票の大差をつけて当選し、左翼の共同政権を実現した。

仏でもスタグフレーションによる経済危機に直面したが、ミッテラン政権は英米日とは対照的に、「大きな政府」政策を掲げた。しかしインフレの進行を背景に結局は緊縮財政に切り換えると、景気を回復できず、八六年の総選挙には敗北した。ミッテランは保守派のシラクを首相に指名し、「保革共存」の政権に様変わりした。ミッテランが外交を指導し、シラクが内政を行う役割分担が生じた。その外交において、ミッテランはソとの友好を図ると同時に、欧州統合も主体的に進めようとした。そのため仏はこの後の欧州統合で一定の役割を果たすことになる。

他方アジアにおいては、比のマルコスの独裁政権打倒を掲げた女性闘士のアキノ（María Corazón Aquino）が八六年の選挙で大統領に就任した。アキノはマルコスに反対していた上院議員の夫を政府に殺害され、それから反独裁運動の代表となっていた（政府に敵視されたアキノ議員は米へ国外追放されていた。三年後の八三年に帰国すると比の空港で国軍兵士に暗殺された。日本のＴＢＳが殺害の経緯を撮影しており、政府の犯行が明らかとなった）。そして大統領に就任すると、前政権が制定した憲法を改正し、民主化を促進した。

また朝鮮半島では、八七年に北朝鮮の工作員・金賢姫《キムヒョンヒ》らによる大韓航空機爆破事件が起こり、南北関係が緊張したが、韓国の全斗煥《チョンドファン》政権は八八年に五輪の招致開催を決定し、ソや中国との関係構築を図った。航空機爆破事件も、ソと韓国の接近に孤立感を覚えた北の抵抗によるものであった。北では金日成の後継者として金正日《キムジョンイル》が指名されており、存在感を示すためにソウル五輪を阻害しようとしたとされる。金正日は次々と国際テロを起こした。

一方の韓国でも、全斗煥による開発独裁は民主化を抑制しきれず、民主化宣言を行った盧泰愚《ノテウ》が選挙で選ばれた。盧泰愚自身は全の後継者であったが、予定されていたソウル五輪を成功させ、五輪を機に社会主義圏とも交流する「全方位外交」を掲げた。ソや東欧諸国との国交を樹立し、北との関係も改善した。盧泰愚の外交は、自身が軍閥の後継者でありながらも、冷戦の緩和に沿って行われたことで韓国に大きな転換をもたらした。北が破壊工作を展開する中で、とりわけソとの国交を正常化させたことは、結果として北の行動を抑制することになる。それは韓国の民主化を促進したばかりでなく、冷戦の最前線から平和構築を促す外交であった。但し、盧泰愚はこの後に不正蓄財の嫌疑で実刑判決を受けたために、その業績はあまり評価を得ることがなくなった（盧泰愚の不正は反対勢力によるでっち上げとも見られている）。

そして、東欧諸国では社会主義を放棄する「東欧革命」が起きた。ゴルバチョフは東欧の改革を容認したため、東欧諸国では八九年の夏から秋にかけて民主派・改革派が政治の実権を握り、次々とソ連型の一党独裁体制を放棄した。経済改革に限らず、政治体制が転換するまで民主化の要求が止まることはなかった。

これらは何《いず》れも新冷戦の中で実施されたペレストロイカの影響を受けた流れと言え、ゴルバチョフ政権の政策転換がかくも世界の民主化に影響を与えたのであった。

2 「天安門事件」

ペレストロイカによる民主化路線は中国にも影響を与えた。それは、モスクワの「赤の広場」（クラスナヤ広場）を模して建設された北京の天安門広場において噴出した。

中国では、共産党中央委員会総書記の胡耀邦が言論の自由化を提唱した。胡耀邦は鄧小平の側近で、中曽根との親交もあった人物である。文革で失脚した鄧小平が毛沢東の死去後に復活すると、それに伴い八一年に党主席に就任した。以後「開明の指導者」として国民の支持を集めていた。しかし、こうした民主化路線の改革は共産党の独裁体制を揺るがすものとして、鄧小平によって批判されるようになり、八七年一月には辞任させられた。

それから二年後の八九年四月に胡耀邦が死去すると、民主化を求める学生らが追悼集会を開いた。すると、北京市で民主化を求める集会へと発展し、一万人規模のデモにまで拡大した。座り込みが行われ、天安門広場には一〇万人が集まった。デモは次第に上海などの各都市にも広まったが、地方都市では車両や商店の放火など過激化した。その背景には経済向上・生活改善、腐敗政治の浄化への要求があり、次第に新聞やメディアが胡耀邦の再評価や名誉回復を図るようになった。

一部に暴徒が現れたことから、中共政府は学生デモを解散させようとした。また「学生デモは一部の黒幕に操られている」とか、中国には検閲制度など無いとの報道を流したが、デモへの参加学生はむしろ増大し五〇万人規模にまで膨らんだ。学生らは「文革」に苦しめられた世代の子供たちだった。首相の李鵬が学生との直接対話を行ったが、民主化をめぐって決裂し、その様子はテレビ中継された。

天安門広場の「自由の像」

そしてこの渦中にゴルバチョフが訪中した。学生らはゴルバチョフを「民主主義の大使」・「改革の一員」と歓呼で迎えた。ゴルバチョフの訪中は「中ソ対立」の幕引きを世界に知らせるためであったが、その公式訪問がデモの渦中に行われ、中共政府の面子は潰された。

ゴルバチョフが五月一七日に帰国すると、直後の一九日に「戒厳令」が布告され、デモに対する政府の武力介入が準備された。政府が学生らにデモの解散を催促すると、学生らは投票によってデモの続行を決定した。政府内ではデモに対する強硬意見と柔軟路線とで意見が割れたが、戒厳令に反対した趙紫陽（胡耀邦の後任／学生デモに理解を示した）は総書記を解任された。一党独裁を保とうとする鄧小平と、民主化を検討してもよいとした趙紫陽との対立であった（近年は鄧が対立していた趙を失脚させるために敢えて戒厳令を強行したとの見方もある。趙紫陽は終生まで自宅軟禁に処された）。

天安門の学生らは「自由の像」を作成すると、それを毛沢東の肖像に対置させた。鄧小平は弾圧を決定し、六月四日未明に中国人民解放軍を投入した。デモ開始から五〇日が経過していた（六四事件‐天安門事件）。

無防備な学生らに対し、人民解放軍の地上部隊と戦車による弾圧が行われた。自国の学生を装甲車で轢《ひき》殺《ころ》し、市民に対して発砲したのである。軍は新疆ウイグル自治区の部隊が中心であったと言われている。それは少数民族を利用して漢民族を弾圧しようとしたものだった。徹底弾圧のために心理的抵抗のある漢民族同士の衝突を避け、また弾圧の責任をウイグル人に着せる思惑である。「人民解放軍」は自国の人民を無差別発砲によって殺害した。

その様子が報道されたことから、中共政府に対する国際的批難が集中した。政府は海外メディアを締め出し、国内報道も厳格に統制した。米のＣＮＮが生中継を継続しようとすると、警察官が放送中止を要求したが、そのやり取りも世界中に発信された。その後も各国がビデオや携帯機器で撮影・報道を続けた。また中国内部からも民主化推進派が、香港・台湾へファックスによって情報を送信していた。中共政府の圧政は世界に漏れ伝わった。

現地では、ある学生が「奴ら〔解放軍〕は三歳の赤ん坊を撃ったんだ。同級生の女子学生をいま病院に送ってきたところだ。彼女は死んだ。血だらけになって…。同級生のなかには体を吹き飛ばされた者もいる。奴らは鬼だ」と証言した。他にも、「撃たれた女性はどこを撃たれたか解らないほどだった」・「路上一面が血に染まった」・「若者が戦車に押しつぶされ、スイカのように頭が割れました。それでも戦車は止まらず死体の上を走っていきました」などの証言がある。

共産党の一党支配の安定のために市民に銃口が向けられた。自国民虐殺に対して世界的な批難が起こったが、中共政府は「天安門では一人も殺されず」と事件を隠蔽した（現在は三一九人が死亡と発表しているが、実際には数千人規模だったと思われる)。中国の「改革」は経済改革であっても、決して政治改革を容認するものではなかった。しかもこれ以後には、その経済政策すら共産党の統制下での資本主義へと変貌したのだった。

政治改革を求める市民に徹底弾圧を下す中国の態度に、世界銀行や日本政府は対中借款停止などの外交制裁を行った。また事件直後のサミットでは中国を強く批判するのだが、しかしそれは表向きの批判に過ぎなかったことが後に判明することになる。

3 「グレイト・デタント」―冷戦の終焉

レーガン退陣後の米では、ブッシュ(George H.W Bush/パパ・ブッシュ)によって共和党政権が継続された。天安門事件に対しては米も中国を強く批判したが、但しその裏では密かに鄧小平に連絡し、ブッシュは中国との友好関係を確認しようとした。中国の潜在的な経済力に利益を見出していたためである。そのためブッシュは鄧に対して、米の議会は中共を激しく非難しているが、共和党政権は日本とともに中国との友好関係を維持すると述べた(天安門事件の渦中に仏で開催されたサミットの共同宣言でも中国への非難の文言があったのを米が削除させ、日本が同調していた)。ブッシュの発言の背景には、中国を経済発展させることが中国の民主化を促すとの考えもあった。

他方で、ブッシュはレーガン政権の強硬外交も引き継ぎ、パナマへの侵攻を決行するなどした。一九一四年にパナマ運河が米の資本で開通し、以来その使用権は米が握っていた(運河の開鑿《かいさく》のために米がコロンビアからパナマ共和国を独立させた)。現地では運河の使用権の返還が求められていたため、七七年にカーター政権が人権外交の立場から返還を約束した(「新パナマ運河条約」)。ところがブッシュはその約束を反故《ほご》にして権益を再び奪った。共和党外交によって返還協定は無視されたのである。

それまで中南米ではソが現地の社会主義運動を支援し、米に対抗していた。そのためキューバ危機の後も緊張が続いていた。八一年にニカラグアの革命で親米独裁政権が倒されると、レーガン政権が軍事介入した。米ソが現地のそれぞれの勢力を支援する様子はベトナム戦争の構図に等しかったが、米の「裏庭」と呼ばれた中南米では米政府の影響力が高まっていった。

レーガンは八三年にもカリブ海の島国・グレナダに左翼政権ができるのを阻止しようと軍事侵攻を行った。その過程でパナマは米の拠点とされたが、現地のノリエガ大統領は米ソが対立する間で次第に反米的になっていった。そうした経緯から、ブッシュはノリエガが米に麻薬を密輸しているとの理由をつけてパナマに侵攻したのである。米の軍事介入は国際批判を起こしたが、ノリエガ政権は打倒され、パナマは憲法を改正して軍隊を放棄した（パナマには現在も軍隊が存在しない）。それと引き換えに運河も返還されることになった。中南米の政情不安は以後も続くが、世界の冷戦構造そのものは解体へと向かう。

①ベルリンの壁崩壊―「歴史上最も素晴らしい勘違い」

ペレストロイカをきっかけにした「東欧革命」によってポ

中南米とパナマ運河

ーランド・ハンガリーでは一党独裁が否定され、民主選挙の実施が決定した。その影響から、八九年には東ドイツでも自由を求めるデモが拡大した。

言論の自由と旅行の自由を求めるデモの拡大に対し、東独政府は「外国旅行を無条件で認める」・「出国ビザは遅滞なく発行する」という規制緩和を決議した。政府の予定では、旅行の自由化についてはその後の閣議に諮《はか》ってから決定するつもりだったのだが、閣議より前に広報を担った政治家が記者会見で西独への出国を大幅に緩和すると発表してしまった（一一月九日）。全くの手違いによる発表であった。ベルリンの壁からの出国は自由化の対象外だったのを（東独から西独へはチェコやハンガリーを経由するなどせねば行けなかった）、例外なく緩和すると発表してしまい、さらに後日に実施のはずだったのを「直ちに実施」と発言した。ビザの発給についても説明し忘れており、西独への自由通行を既成事実として認めてしまった。

いずれも広報官の誤解によるもので、全く政府の意に反する発表だったが、これが大々的に報じられると、東独の民衆が壁に詰めかけて国境警備隊に開放を要求した。あまりに急な展開に誤報ではないかと疑った東独市民もいた。しかし、事実ベルリンを分断していた壁は破壊され、それを機に独は翌年に平和的に統一される。そして東欧の共産主義体制が連鎖的に瓦解していくのである。

ベルリンの壁が倒壊した翌日には、ブルガリアで政権交代が起こり、共産党政権が倒れた。それまでソへの全面協力を路線とし、ソの衛星国になっていたブルガリアは、一気に民主化を進めた。

翌週からは、チェコでも知識人と学生による共産党に対するデモが連日続いた。それは年末までに政権を倒壊させることになる。

②冷戦の終結で世界はどう変わったか？

八九年一二月三日、ブッシュとゴルバチョフによる共同記者会見が行われた（「マルタ会談」）。米ソによる「冷戦終結宣言」である。米ソの首脳が並び立ち、冷戦の終結を宣言したことは、一つの歴史的時代の幕引きと、新たな時代の幕開けを意味した。「鉄のカーテン」から世界の対立構図を規定してきた冷戦は、米ソ両国の融和によって終えられた。

共同記者会見において、ゴルバチョフは将来においてもソが米に戦端を開くことはもはや無いことを保障すると述べた。これに対して、ブッシュも永続的な平和を実現できると応えた。

東欧での民主化革命はさらに勢いづいた。ルーマニアでは一六日からデモが発生し、それが激化した結果、二五日にはチャウシェスク大統領（Nicolae Ceauçescu）が妻とともに処刑された。四半世紀にわたって独裁体制を敷いてきた大統領であった。国民は厳しい言論統制や監視の下に置かれ、石油や天然資源に恵まれていたにも拘わらず困窮生活を強いられていた。その困窮は石油危機に端を発したものだった。

資源に恵まれたルーマニアはソの影響を離れて独自路線を採ることができた。そのため中ソ対立を余所に中国との国交を結び、対米関係を築いてＩＭＦ（国際通貨基金）に加盟するなど、東欧では例外的な国になっていた。しかし、石油危機の被害から一〇〇億ドルもの借金を抱えることになり、財政は破綻した。チャウシェスクはこの負債の支払いのために、国内で不足している農作物まで輸出に回して外貨を獲得した（飢餓輸出）。ほとんど流血を見なかった「東欧革命」の中で、ルーマニアだけはその国民の怨嗟《えんさ》によって銃撃戦による民主化革命になった。ルーマニアは東欧の例外であり続けた。

続く一二月二九日、デモが続いていたチェコでの民主化が達成され、ハヴェル大統領が選出された。「プラハの春」で抵抗運動を行った一人である。共産党指導部は総退陣し、独裁体制は放棄された。チェコでのこの無血革命は「ビロード革命」と呼ばれた。この後、九〇年の憲法改正で、チェコは国名を「チェコおよびスロヴァキア連邦共和国」に改称する。九三年には連邦制が消滅し、チェコとスロヴァキアに分離独立した。

世界は各地で冷戦の終焉を迎えた。後から見れば、かつて米で冷戦の脅威認識を醸成した「ドミノ理論」は、むしろ社会主義体制の崩壊にこそ当てはまっていた。各国での独裁政権の倒壊は「ドミノ倒し」の名の通りに連鎖したのである。但し、民主化運動の起きた諸国の中で、天安門での弾圧事件を起した中国だけが民主化せずに新たな世界を迎えるのだった。

4 「湾岸戦争」と日本

冷戦を終わらせた「マルタ会談」からわずか八ヵ月後の一九九〇年八月二日、サダム・フセイン率いるイラク軍が隣国のクウェートに侵攻し、その併合を宣言したことで、新たな戦争が惹起された。

①テレビゲームのような戦争

イラク軍によるクウェート侵攻と同日、国連安保理は史上初となる武力発動を可決した。米は、侵略の阻止・大国間協調・国連の枠組重視を三大原則とする「新世界秩序」の構築を提唱して、イラクと敵対するサウジに米軍を駐留させるよう圧力をかけた。ムスリムの聖地メッカがあるサウジでは、異教徒の軍隊を駐留させることを嫌ったが、イラクからの攻撃がサウジに及ぶ可能性も考慮して米軍駐留を容認した。サウジに派兵したブッシュ政権は、大規模な部隊の派遣と同時に多国籍軍を募り、攻撃開始を主導的に決定した。これにより「湾岸戦争」が開始された。この戦争の原因は「イラン革命」の直後に起きていた「イラン・イラク戦争」にあった。

「イラン革命」の影響による米大使館の人質事件が続く中の八〇年九月（199頁）、革命直後のイランに対し、イラクのサダム・フセイン政権が攻撃を開始した。以前より石油資源や国境をめぐる対立があった。

イラク軍は国境を突破すると、イラン最大の石油基地アバダンを包囲するなど電撃的にイラン領内深くに進撃した。それによって革命で混乱するイランの国内分裂を狙っていたが、イランは分裂などせずホメイニの指導の下に翌年からは反攻に転じるようになった。

戦争勃発に対して、イラン革命が自国に飛び火するのを避けようとした周辺諸国が介入を始めた。しかし、イラン側にはシリア・リビアが付き、イラク側にはヨルダン・サウジが付くなど、アラブ諸国の足並みは揃《そろ》わなかった。米は既にイランと国交を断絶して経済制裁を開始しており、しかも大使館の人質救出作戦に失敗していたため、イラクのフセイン側を支持した。さらにアフガン侵攻を開始していたソもムスリム革命を危険視してフセインを支援した。各国の支援の下に、双方が長距離ミサイルを撃ち合う形態の戦争が初めて起きた。その中で、フセインは戦局を好転させるため大量の毒ガスまで使用して民間人をも巻き込み、二〇万もの犠牲を出した。

八年にも亘《わた》る交戦の後、国連の停戦決議によって八八年八月に停戦したが、それは米を中心とする国際社会が革命を起したイラン側の勝利を許さず、革命をイラン一国に封

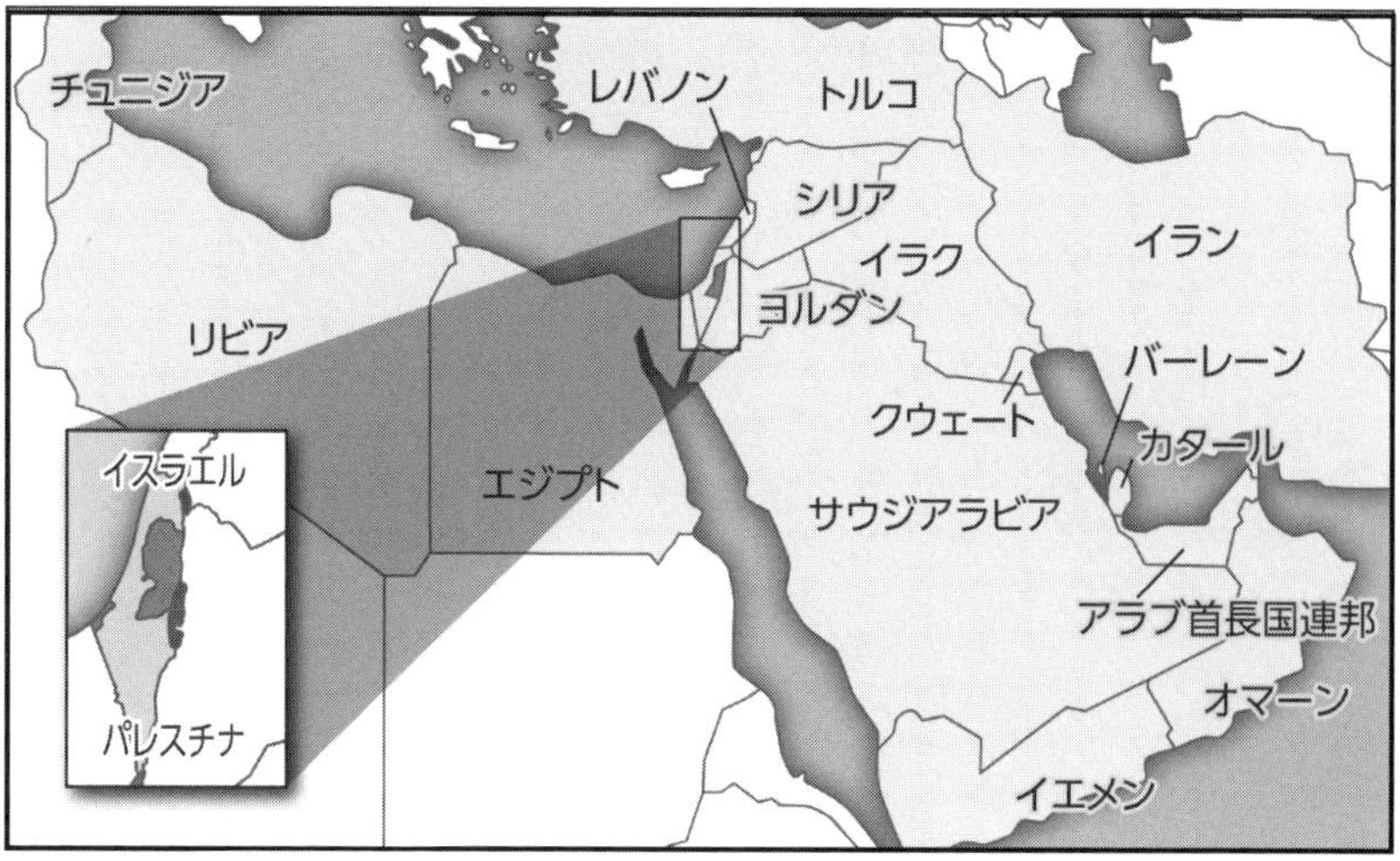

中東・アラブ諸国

じ込めるための停戦だった。そして、直後にはホメイニが死去したこともあり、革命の影響力はほとんど無くなった。史上初のミサイル戦争は百万人以上の死傷者を出し、しかも国際社会はフセインの毒ガス使用という国際法違反を見逃した。これが九〇年の湾岸戦争の原因となったのである。

このように、湾岸戦争の遠因にはイラン・イラク戦争が挙げられ、ムスリム革命を忌避した米が介入したことが重大な要因だった。そもそもフセインの独裁政権が湾岸戦争に至るまで維持されていたのは、イラン・イラク戦争で米が大量の武器や資金を援助したからだった。

そしてもう一つ、イラクがクウェートに侵攻した理由には、それまで友好的であったクウェートがイラン側に寝返ったと判断したことも挙げられる。イラン・イラク戦争時には、クウェートはイラクを支持した上に軍事借款まで行った。負債を抱えたフセイン政権は経済を立て直すために自国の石油を高値で輸出するのと同時に、他のアラブ諸国の石油の減産を求めた。しかしクウェートはこれに応じなくなり、やがて衝突に至ったのである。

かくして湾岸戦争では、多国籍軍七〇万人（うち五四万が米軍）によるイラク空爆が開始されたが、イラク軍の旧態依然とした軍備に対し、米軍はＧＰＳの使用や、レーダーに探知されないステルス戦闘機を使用するなどの「ハイテク戦争」を展開した。ミサイルが標的を追尾して飛んでいく映像や、地対空砲が間断なく夜空を飛ぶ映像がテレビ中継によって世界に流された。多国籍軍側の攻撃は専《もっぱ》らコンピューターの操作で行われている様子が映像で伝えられたことから、「テレビゲームのような戦争」と言われた。湾岸戦争は多国籍軍の一方的な勝利に終わり、二月には「中東和平会議」による講和が行われた。

米では、戦争を背景にブッシュ政権の支持率が八九％にまで上昇し、歴代最高支持率を記録したが、戦争後に景気が後退すると、ブッシュは公約に掲げていた「増税なし」を反故にしたため、支持率は急落した。九二年の選挙では民主党に対するネガティブ・キャンペーンを展開したが、支持率はさらに降下し逆効果だった。ブッシュ陣営は敗れ、民主党のビル・クリントンが勝利して政権交代が起きた。

他方、世界一の原油生産を誇るサウジはこの頃より、エジプトに替わるアラブ盟主を自認するようになっていく。

②「湾岸戦争」の日本への影響とは何か？―「日米構造協議」

冷戦終焉によって世界は新たな時代「ポスト冷戦期」に突入するが、日本にとっては戦後政治の基盤が崩れ、新たな構造を造らねばならなくなったことを意味した。

八九年に成立した海部俊樹《かいふとしき》内閣は経世会に支えられて成立した。人柄のクリーンな首相で、金権問題や女性スキャンダルからは縁遠い人物だった。主要ポストは経世会が占め、蔵相の橋本龍太郎と幹事長の小沢一郎などの影響力が強く、懸案処理を行うのは彼らだった。特に、先の参院選では自民党が過半数割れして「ねじれ国会」（国会で野党が多数を占める）の状況になったため、野党との協調は不可欠となり、経世会の影響力も政権運営の前提になっていた。自民党は徐々に立ち直りを見せたが、但し外交においては米との関係が問題化した。

冷戦末期からの米は、軍事的脅威以上に日本経済からの打撃を深刻に捉えた。米ソ関係が改善されるにつれ、日本の経済力が新たな脅威であると言われるようになったのである。米が日本の製造業に勝てないのは、日本が何か不公正な行いをしているためではないのかとの猜疑の目があった。そのため米は八八年には、不公正な貿易に対しては報復措置として関税の引き上げを実施できるとしたルールを制定し、対日貿易を削減しようとした。日本製品に対する関税引き上げを材料に、一方的な交渉で日本の譲歩を迫った。プラザ合意以来の米の保護主義的な姿勢が表面化した取り決めであった。

海部政権発足直後の八九年九月からは、さらなる貿易均衡を求める「日米構造協議」が開始された。

「双子の赤字」から脱することができない米は、日本経済の柱である自動車産業の対米輸出を抑制しようとし、その上にコメを主とした農作物や牛肉などの輸入自由化を求めた。

日本の地方農家は自民党の支持基盤だったため、農作物の中でもとりわけコメについては「聖域」として保護されてきた。しかし、自由化を認めずに日本国内の農家を守ろうとする自民党のあり方こそが保護貿易主義であると批判され、「ジャパン・バッシング」(日本叩き)が流行語になったほどだった。こうした問題の解決を図るために、日本側は自動車の生産において米国製の部品を使用することと、そのための米国製品の輸入・販売を計画した。自動車の輸出については、中曽根内閣時から既に自主規制を行っていたが、以後も継続することになった。

また、それまでの日本外交はＡＳＥＡＮを主にしていたが、八九年一一月に初のＡＰＥＣ閣僚会議が開催されると、ＡＰＥＣでの会議は通産省の主管に関わるため、通産省が外交に関与するようになった。それは日本外交の中での経済領域を拡大させ、外交の主要な担い手を変化させることになる。自民党によって続けられてきた対米追従外交は見直しを迫られていた。

5　極東デタント

天安門事件の背景で、日米は中国との経済関係を優先し、事件の訴追は行わない方針を当初から立てていた。それまでの対中援助が、政財界の支持を得て軌道にのっており、特に財界が経済活動の正常化を求めていたのだった。当時のサミットで日本が米に同調して中国への制裁に慎重な姿勢を示したのも、財界の意向を背景に中曽根・竹下ら長老が当時の宇野首相に指示してのことだった。

しかし、事件報道が世界に大きな衝撃を与えていただけに、直ちに経済交流を再開するわけにはいかなかった。とは言え、かつての毛沢東時代のような孤立する中国に逆戻りさせることもまた不利益だった。そこで日本は、中国側に自らきっかけを作らせることにした。海部首相が中国を訪問し、その際に中国が「核不拡散条約」（ＮＰＴ）に参加することを約束させたのである。平和的に国際社会に関わらせることで、経済援助を再開する口実にした。これにより日本が口火を切ったことで各国も制裁を解くようになり、中国の改革開放の継続は促された。

また海部政権期には、北朝鮮との接近が図られた。北との接触は、東京の九段下にある朝鮮総連（北朝鮮を支持する在日朝鮮人の団体。北の海外公民を称す）を窓口とする他にはなく、在日朝鮮人の帰還事業のために就航した万景峰号《マンギョンボン》が両国を往復していたのみだった（朝鮮総連による万景峰号の就航は北への不正送金などの工作に利用された）。韓国では「全方位外交」を掲げて諸国との関係を構築した盧泰愚が、北が諸国との関係改善を求めるのであれば、それに協力すると宣言していた（八八年「七・七宣言」）。また韓国は一九九〇年六月にソとの国交を樹立したため、それに続いて中国とも国交を正常化させると予測された。これらの状況から、北朝鮮は孤立を避けようと従来の方針を転換し、日本との国交を打診したのであった。日本は六五年の「日韓基本条約」において韓国を合法政府としていたため、直ちに正常化交渉ができるわけではなかったが、北との交渉を進める機会ができた。

そして九〇年九月、金丸信を代表に、社会党も加わった訪問団が平壌を訪れた。訪問団は国を挙げての歓迎を受けたのだが、訪朝の最後に北側の要望で金丸だけが一人残留して交渉することになった。言葉も分からぬ金丸が日本側の通訳もなく、たった一人で交渉の場に残ることになったのである。外交の原則からは日本側の失態と言える事態だった。そして金丸は、北に対する戦争被害の謝罪と賠償を行うことを約束してしまった。

一一月から正常化のための予備交渉が開始されたが、日本側は金丸の約束を取り消すことから交渉を始めねばならなかった。さらに北への核開発疑惑に踏み込む必要があった。翌九一年一月から正式会談が開催され、以後八回にわたり交渉がなされたが、交渉は結局のところ進展せずに終わった。しかし、日朝関係も含めた緊張緩和が背景となり、韓国と北朝鮮は九一年九月に揃《そろ》って国連に加盟することになる。

①戦争協力とは何か?

「日米構造協議」の過程で折しも「湾岸戦争」が起こると、米は日本にも戦争協力を求めた。各国が国連の主導する多国籍軍に自主的に軍隊を派遣した(三四ヵ国が派遣)が、日本はそのための国会自体を開かなかった。憲法に違反する論議となるためである。

米は貿易不均衡を是正する構造協議の延長上に日本の軍事負担を要求した。これに対し、日本では小沢だけが自衛隊派遣を主張したが、海部首相以下みなが派遣に反対だったため、軍事力を提供する代替案として一〇億ドルの財政支援を行った。

ところが、日本の財政支援には米の連邦議会や海外から厳しい批判が起きた。一〇億ドルは大蔵省の査定で定めた金額だったが、それが米の要求に比して少ない額だと思われたことや、日本経済は中東の石油で支えられているにも拘わらず、その中東で危機が起きているのに他人任せであるのかとの批判だった。

日本は一〇億ドルもの支援をしながら却って批判を受けることになり、またそれが日米構造協議の悪化にもつながると思われたことから、米の財務長官からの要望を受け容れて追加支援を決定した。国会で議論することなく、橋本龍太郎蔵相の決断により法人税を臨時徴収し、日本は諸国への支援金を含め総額で一三〇億ドルの巨額な資金を提供した(多国籍軍の戦費の総額は七一〇億ドル)。さらに、戦争終結後にペルシャ湾に残存した機雷の掃海を行うために自衛隊を派遣した。それは公式的には自衛隊初の海外派兵となったが、憲法の問題はなし崩しのままだった。

湾岸戦争の開戦時は、日本ではまだ不動産投機が続いており、バブル崩壊の影響が認識されていなかった。そのため支援を求めてきた米に対して、米より日本の方が経済力があるので支援すべきだとの感覚が日本側にもあった。

米は実質戦力の中核になってはいたが、戦費については経済力の不足を日本などの同盟国の財源で補わなければ湾岸戦争を遂行できなかった〔九一年の「合衆国国家安全保障戦略」(National Security Strategy of the United States, August 1991) では「独と日本の増大する役割」として、両国は「経済的・政治的指導者」として世界に登場しており、米との政治的・軍事的・経済的な「絆」が世界の安定に寄与していると評価した〕。しかし、資金援助のみの協力はその負担に見合うほどの評価を得ることがなかった。

日本では多国籍軍への海外派遣は議論すらされなかったが、自民党内では、資金援助によって米を満足させることができなかったため、安全保障政策を再検討した。さらに深刻だったのは、後にクウェートが各国の支援に対する感謝広告をワシントンポストに掲載した際、そこに日本が記載されていなかったことだった。一兆五〇〇〇億円もの資金は現地への協力として認識されていなかった。自民党では、国連の平和維持活動（ＰＫＯ）に何らかの人的貢献をすべきだという意見が表れ、憲法の枠内で可能な軍事貢献策を考案するようになったのである。小沢は後のＰＫＯ法案につながる「国連協力法案」を作成し、自衛隊の海外派遣を行える法改正を試みた。憲法における集団的自衛権の見直しに着手したのである。そして国会に法案を提出したが、この時には参議院で廃案となった。

一方で、海部は選挙制度の改革を企図した。従来の中選挙区制度から、都道府県単位の「小選挙区」と「比例代表区」を並立させる制度を求めて法案を提出した。国会では与野党が共に反対して廃案となったが、なおも海部は選挙制度改革を強く求めた。衆院解散も辞さぬ意気込みだったが、金丸・小沢はこれを支持せず、海部は改正を強行できなかった。党内では竹下派と金丸派の対立（「一龍戦争」）が続いており、幹事長の小沢は竹下系の橋本・梶山らを政策中枢から排除しようとしていた。その中で金丸や小沢の意向に沿わない衆院解散を行うことは困難だった。そして党内をまとめられなくなった海部は総辞職に追い込まれた。

かくして海部内閣は、リクルート事件の政治不信を払拭しようと、選挙制度の改革や政治資金規正などの政治改革を図ったが、それらは自民党内の強い反発から審議未了や廃案となって、ついには退陣に追い込まれた。それが竹下派に擁立された海部内閣の限界だったのである。

②自衛隊はなぜ海外へ派遣されるのか?

海部の辞任後は、竹下・金丸との協議によって宮沢喜一（宏池会・宮沢派）が擁立され、九一年一一月に内閣が成立した。宮沢の擁立は、竹下の「総主流派体制」の下で経世会と宏池会の関係が良好に保たれていた結果と思われた。宮沢内閣では、九〇年の末から株価が下落して始まった「バブル崩壊」と、自衛隊の海外派遣を求めて廃案となった「国連協力法案」の練り直しが課題となった。

バブル景気の崩壊では、地滑り的な株価の下落が既に従来の不景気とは異なる様相を見せており、その後にわたって地価・株価の大幅な下落が続いていく。宮沢は日銀との協同歩調によって、銀行の不良債権の処理に公的資金を投入することを密かに模索した。しかし、その過程で宮沢が「公的資金を投入してでも不良債権を処理すべき」と発言すると、官庁・マスコミ・経済団体・金融機関までもが反対を示したため、結局実施できなくなった。対応を失い、資産価値の下落はまだまだ続いていくことになる。

一方で宮沢は軍事的な国際貢献に意欲を見せ、「国際連合平和維持活動」への参加協力を行う「PKO法案」を成立させた。国連憲章第一章の「国際の平和および安全を維持する」活動として、国連が紛争地などへ軍隊を派遣する業務に対して、自衛隊や警察が同行して協力する内容である。日本の自衛隊・警察は武器の使用ができないため、国連の後方支援業務にのみ従事するとして、海外への派遣が容認された。そして、九二年には実際にカンボジアへ派遣された。

七八年の紛争から内乱が続いたカンボジアは、九一年一〇月の国際会議で協定を調印し、内乱を収束させた（200頁）。ペレストロイカの影響から市場経済を導入し始め、越軍も撤退したのが背景となった。以後は国連の暫定統治下に置かれ、民主制度の導入が図られた。暫定統治に当たる国連組織ＵＮＴＡＣの代表には日本人職員の明石康《あかしやすし》（事務次長特別代表）が任命されるなど、日本も和平問題に関与した。統治の最大の目標は人権意識を根付かせることだった。国連からの要請に基づいて、宮沢内閣はＰＫＯ法案による自衛隊と警察の派遣を閣議決定し、六〇〇人の自衛隊員のほか警察や選挙監視要員をカンボジアに派遣したのである。

派遣された部隊は道路建設や水の供給などを行ったが、交戦権を否定する憲法の制約から、隊員の装備は自衛のための拳銃や小銃に限られた。紛争地におけるＰＫＯ隊員の安全確保が不安視されていたが、そうした中での九三年五月四日、ついに現地ゲリラの攻撃により岡山県警の警部補が殺害される事件が起きた。

本来は海外への派遣などされないはずの警察官が死亡した同事件は、文民（非軍人）である警察官を紛争地に送りだすＰＫＯ法案の問題を浮き彫りにした。ところが、事件に対して、宮沢は「ＰＫＯ要員の殺害は止むを得ない」と発言し、一層議論を紛糾させた。結局、何らの法的な解決策も立てられることはなく、この事件以後は自衛隊の派遣も二〇〇二年の東ティモール派遣まで見送られることになる。

★「ＰＫＯ」
日本ではＰＫＯを国連の平和維持「活動」と訳しているが、ＰＫＯはPeace Keeping Operations

なのであり、本来は平和維持「作戦」である。活動実態としても武力による紛争の仲裁や巡回、武装解除、武器の運搬、捕虜交換を行っており、その主体となるＰＫＦは「平和維持軍」である。それを敢えて「活動」と訳したのは憲法との矛盾を不鮮明にする意図があってのことであった。自衛隊は後方支援のみ行い、危険地帯には派遣しないと説明されたが、紛争地に安全地帯など存在しない。結局、二〇〇一年の「ＰＫＯ法改正」からは後方支援だけでなく地雷の撤去作業なども行うようになった。現在も法の不備を抱えたまま海外派遣は続いている。

６　ソ連崩壊

マルタ会談での冷戦終結によってゴルバチョフにはノーベル平和賞が贈られた。ソでは共産党の体制を改めようと大統領職が設置され、ゴルバチョフが初代大統領となったが、未だ党の力は大きかった。ペレストロイカは保守派に配慮しながら進めねばならず、政権基盤は脆弱であった。

原油価格の急落から収支不足に陥り、多くの物資生産が停止していた。市場経済の導入を図ったが、不十分な導入にしかならず、食糧不足を解決できなかった。一九九一年には食糧の配給制を実施せねばならず、改革の効果を国民に実感させることはできなかった。生活苦の不満はゴルバチョフに対する批判となった。西側諸国では民主化を進めたゴルバチョフの評価は高いが、ロシアでは現在も生活を悪化させた政治家との印象を残している。

何より、東西ドイツが統一されたことは、ソが冷戦に敗退したとの評価を内外に持たせた。また、ソはキューバやインドシナへの財政支援を続けていたが、それについてもソの人民の不満を招いた。自身らが恵まれないのに、なぜベトナムやラオスへの支援をせねばならないのかは理解できるものではなかった。さらにアフガン侵攻の負担が重くのしかかっていた。ソは七八年からアフガンに六二万人の兵士を投入していた。アフガン政府に社会主義の原則を守らせようとしたが、溝を深めるばかりで解決しなかった。国民はその状況にも不満を増大させた。

そして、グラスノスチ（情報公開）がそれまでのソ領内の不公平さや不均衡をも明らかにすると、それは民族間での紛争を呼び、バルト三国ではソからの独立が宣言された。ゴルバチョフは独立の取り消しを求めたが、拒否されたために経済封鎖に踏み切った。しかし民族対立としての混乱を余計にもたらすばかりであった。

こうしたソの様子を見た米は混乱に拍車をかけようと経済制裁をしかけた。ソが原油価格を急落させたのはこのためである。ソ連邦に統合されていた各地はソの統制下にいる利益を失い、独立を望むようになった。

バルト三国の独立宣言に危機意識をもった保守派はクーデターを決行し、ゴルバチョフを監禁した。ゴルバチョフが各地の自治を認めたことに反対したためである。ゴルバチョフが各地に政治の選択権を与えたのは革命の勃発を防ごうとしてのことで、ソ連邦を護るための措置だったのだが、保守派の一部はそれが社会主義の放棄に他ならないとクーデターを起こしたのだった。しかし、保守派のクーデターは政府内部の合意を得ていたわけではなく、ロシア共和国代表のエリツィン（Boris Yel'tsin）の反対を受けた。エリツィンが市民の先頭に立って反対すると、軍の主流派もクーデターを支持しなくなり、その結果クーデターは失敗した。

ゴルバチョフは解放されたが、もはや求心力はなく、実権はエリツィンに移った。エリツィンには市民の支持も集まっていた。エリツィンはゴルバチョフにロシア領内での共産党の活動を停止させ、党中央委員会を解散させた。党の解体によって連邦政府の統合力は喪失し、各地で共和国の独立宣言が続いた。ウクライナの市民投票で圧倒的に独立が求められると、ロシアも連邦制の放棄を決定した。連邦体制の中心たるロシア共和国までが主権宣言を発したことが決め手となり、ゴルバチョフは大統領の職務停止を宣言し、ソ連邦は解体された。

かくしてソは九一年一二月に崩壊し、一五の共和国へと分裂した。それら旧ソ連邦の諸国は、「独立国家共同体」（ＣＩＳ）を結成することで協力関係を保とうとしたが、この後は民族対立を抱えていくことになる。

他方で、ソが崩壊したこの九一年からユーゴスラヴィア内戦が開始された。クロアチアとスロベニアが分離独立し、セルビアとの戦闘が開始されたのである。ＥＣ（欧州共同体）の仲介によって停戦したものの、バルカン半島にはまたも大量の難民が生み出された。また、これらの地域に挟まれたボスニアも独立を宣言したが、ボスニアにはセルビア人もクロアチア人もムスリム教徒もいたことから独立についての意見統一ができず、以後も内戦を継続させた。ユーゴはこうした内戦を抱えたまま事実上解体されていくことになる。

また、ソの崩壊はモンゴルにも波及し、九二年には社会主義を放棄して「モンゴル国」に改められた。

ソ連邦は人類が社会主義の成立をかけた壮大な実験場と言われた。そしてその実験は失敗した。人々はスターリンを信じたのではなく、「隣人をうらやむことがない社会」を信じた。しかし、革命の理念は帝国主義的な勢力圏拡大の政策に打ち消され、一国社会主義を称した独裁に終始した。つまり、ソは社会主義であったから崩壊したのではなく、社会主義を実現できなかったために崩壊したのだった。

7　雪解けで現れた足跡

①冷戦終結は世界に何を与えたか？

ソの崩壊は、同時に米が唯一の超大国として世界に君臨することになることを決定した。米の政治家たちは大挙してモスクワを訪れ、歴史的瞬間を自分の目に焼き付けようとしたが、日本からモスクワを訪れた国会議員は一人だけだった。日本の多くの政治家にとってソ連崩壊は遠い世界の出来事だった。バブル崩壊と金融機関の不祥事に目を奪われていたからである。冷戦崩壊による世界構造の変転に対し、世界の動向を分析したり、その後の展望を描いたりすることが出来ていなかった。

しかし米では、ソの崩壊によってそれまでソが管理してきた核技術や核科学者が世界に拡散すること予測して、新たな危機への対処を進めていた。つまり、ソの崩壊が平和をもたらすのではなく、むしろ世界中に危機を分散させたのだと認識したのである。ＣＩＡが強力な組織に改編され、米軍も世界的な再編を行うようになった。国連によるカンボジアの暫定統治も、インドシナ半島の政情を不安定にしたのは越軍がカンボジアに介入するからであり、またそれができたのはソの支援があるからだとの認識から始められたものだった。米にとってのソの崩壊は、新たな脅威への体制を再構築すべき新事態の始まりだった。

他方、中国では鄧小平の後継者として登場した江沢民が「改革開放」を継承し、経済発展を推進した。江沢民は、日中戦争期に汪兆銘政権下の南京中央大学に進学して日本語を専攻した経歴のある人物で、その実父も戦時には日本軍に協力していたと言われる。日本が敗戦した後に共産党に入党した。

胡耀邦の死去を契機にしていた天安門事件に対して、鄧小平が鎮圧を決行した際に、上海市長であった江沢民は胡耀邦を追悼する上海のメディアに圧力をかけた。これが功績となり、江沢民は鄧小平に抜擢されて総書記となった。以後は、鄧の後継者としてその政策を引き継ぎ、自らを中心とする指導体制を確立した。

日本が他国にさきがけて中国への借款を再開させると、江沢民はさらなる中国イメージの改善のために、宮沢内閣に天皇の訪中を要請した。そして一九九二年一〇月に天皇・皇后の初の訪中が実現した。

②「反日」の論理とは何か？

江沢民は「愛国教育」にともなう一貫した対日強硬路線を敷いていた。天皇・皇后を中国に招待して日本への感謝を表明した後、各国の制裁が解除されると、九四年には早くも「愛国主義教育実施要綱」制定し、翌年からは反日教育を開始した。「抗日戦争記念ならびに世界反ファシスト戦争勝利五〇周年大会」では、それまで日中戦争の被害者数を二一〇〇万人と公表していたのを三五〇〇万人に変更した。

九八年一一月には、天皇・皇后の中国への招待の返礼として、日本側が江沢民を「宮中晩餐会」に招待すると、江沢民は晩餐会においても批判演説を行った。最高儀礼としての祝宴の場でその国を批判するのは外交儀礼上の慣習からは異例であり、これには中国の外交官も止めたと言われる。江沢民はその制止を振り払って批判演説をしたのだった。また、早稲田大学からの名誉博士号の授与が打診されたが、早大が「対華二十一ヵ条要求」を行った大隈重信の創立によることを理由にこれを拒否した。江沢民はその強気な反日姿勢を随所で目立たせた。

ところが、中国の文人である魯迅が留学した東北大学では直筆の漢詩を贈呈しており、そこには「日中友好」と書いた。一見すると、江沢民の振る舞いは支離滅裂であるが、強硬外交のアピールは、実際のところ日本に対してよりも中国のメディアに対するものだった。日本へのタカ派外交で中国国内の支持を得てきた江沢民は、日本にもてなしを受けたからといってそれに媚《こ》びたり、取り入ろうとするように見られるわけにはいかなかった。そして、本当は敵意を持つのではないのだという日本へのメッセージが東北大学への訪問だった。江沢民は滞在中のどこかで日本側にこのメッセージを伝えねばならず、そのためにわざわざ東北まで訪れていたのである。

日本の国会でＰＫＯの派遣問題が紛糾した時にも、もしもそのタイミングで中国が自衛隊の海外派遣を批判したり、反対などすれば一層こじれることが予想されたことから、日本の外務省は事前に江沢民に対して理解を求めたいと打診した。日本による経済制裁解除を背景に、中国側はＰＫＯを理解する旨を応えたが、しかし江沢民はその後に「自衛隊の海外派兵に反対する」と発言した。これは日本側を強く憤慨させたが、この時にも江沢民の意図は、日本がやろうとしているカンボジアへの派遣は復興支援であって、派兵ではないのだからそれには反対しないとの意味だった。要するに、自衛隊派遣を単に認めてしまうことはできないので、反日的な姿勢を見せながら容認したものだった。この後も江沢民は、侵略戦争への公式な謝罪を求めるなど反日姿勢を継続した。江沢民の不可解な行動の意味は日本のニュースでは伝わりはしなかった。

その一方、江沢民は「中越戦争」においては越から謝罪を求められる立場にあった。しかし、越からの謝罪要求に対しては、江沢民は「もう過去のことは忘れよう」と述べた。さらに〇二年二月には越の歴史教科書から中越戦争の記述を削除するよう要求した。戦争被害については追及するが、中国の加害責任には向き合わない態度である。これらはなおさら日本人の心証を悪化させた。

また、宮沢内閣期には韓国との間での慰安婦問題も課題となった。九一年に元慰安婦の女性三名が東京地裁に提訴したことをきっかけとしたものだった。九二年に宮沢が訪韓すると盧泰愚は会談の席で慰安婦問題に言及したが、日韓両政府の間では事前に調整が図られていた。日本側が何らかの反省を示し、韓国側がそれを受け容れることで政治問題化することを避けようとの申し合わせがあったのである。日本は慰安婦問題に旧軍の関与があったことを認め、お詫びを表明した。さらに宮沢が首相を辞任する直前には「河野談話」による謝罪も示された。九三年「心からお詫びと反省の気持ちを申し上げる」と謝罪し、日本軍の強制連行があった事実が認められた。

ポスト冷戦期に至り、冷戦構造の中では議論すらされなかった歴史問題が表面化する事態が起きたのである。冷戦的な対立は自明ではなくなり、日本と中韓との歴史問題は政治的に取り組まれる段階へ入った。それは戦争責任の議論が、国際環境の変化によって可能になっていたことを意味した。

第11章

ポスト冷戦期の世界

1 「五五年体制」の崩壊

①なぜ崩壊したのか？

宮沢内閣期には、「経世会」（竹下派）の内部分裂が起きた。結果としてこの分裂が「五五年体制」を崩壊させることになる。党内では、リクルート事件以来の政治改革要求の高まりがあった。宮沢も政治改革を公約に掲げたが、実際には積極的に改革しようとせず、その態度には野党からも竹下派からも不満が出ていた。ついには野党からの内閣不信任案が提出されると、竹下派は賛成に回り、宮沢の退陣を求めた。宮沢は衆院を解散したが、そこへさらに経世会会長の金丸が脱税および収賄容疑で逮捕される「東京佐川急便事件」が起きた。これによって、亀裂の生じた自民党の内部で、竹下派の内部分裂までもが起きたのである。

金丸は宮沢内閣の成立を担い、九二年一月に副総裁に就任したが、八月に五億円の闇献金が新聞に報道された。金丸は副総裁職の辞任に追い込まれ、経世会の会長も辞任した。これが竹下系と金丸系を分断する問題となり、結局「一龍戦争」が継続されることになる。

小沢は羽田孜《はたつとむ》を担いで竹下系の会長就任を阻止しようと動いたが、竹下の意向によって小渕恵三が経世会の会長となると、小沢は困難な立場に追い詰められた。小渕恵三・橋本龍太郎などを代表とする小渕派が経世会の本流となり、さらに宮沢内閣の幹事長にも竹下系の梶山静六《かじやませいろく》が就任した。党内で圧迫を受けることを危惧した金丸系の小沢・羽田は経世会を離脱した。今や全く分裂した「七奉行」の溝は深く、協力関係に立つことはもはや困難だった。

そして党の分裂はこれに留まらなかった。山崎拓（中曽根派）、加藤紘一（宏池会・宮沢派）、小泉純一郎（清和会・福田派）らが経世会に反旗を翻したのである。三者は「ＹＫＫ」と称し、派閥横断的な結束により経世会支配を打破することを唱えた。

経世会を抜けた羽田・小沢は自民党からも離党して、新たに「新生党」を結党し、総選挙で自民党と対峙する関係となる。こうして大量の離党者を出したまま行われた解散総選挙では、自民党は過半数を大きく割り込んだ。宮沢首相は連立を試みたものの、その後の政権の維持は困難であるとの判断から、総辞職を決定した。かくして、約三八年間続いた「五五年体制」は、変転する世界潮流とバブル崩壊とを背景に瓦解したのである。

経世会の分裂は「五五年体制」を崩壊させた。宮沢内閣の辞職は、自民党の分裂を具体化・尖鋭化し、宏池会（宮沢派）もポスト宮沢で分裂することになる。

②自民はなぜ選挙に敗れたか？

最大派閥・経世会の分裂や造反《ぞうはん》は、新たな政党を乱立させる「新党ブーム」を起こすことになった。羽田孜・小沢一郎は「新生党」を結党し、武村正義・鳩山由紀夫は「新党さきがけ」を結党した。そして政権として発足したのは、「日本新党」の細川護熙《もりひろ》を盟主とする七党一会派による連立政権（新生・さきがけ・社会・公明・民社・社民連・民主改革連合）であった。自民党は選挙に敗れて野党となった。

細川の「日本新党」は、二大政党制を目指し、かつ政権交代を容易にするために「小選挙区制度」を導入しようと考えた。そのため細川の連立政権とは、選挙制度の改革を軸に集まった政権と言えた。また、自民党の出身ではない細川（熊本県知事から参院選に出馬）には、従来の自民党にあった利益団体とのしがらみから解放された政治が期待された。

かつての自民党が、政・官・財および利益団体（業界団体）との癒着を構造化させたことは、自民党政権を安定させる一方で政策を拘束してきた。自民党を支持する各団体の利益を守らなければならないことから、政策の自由度を奪われていたのである。そして冷戦の終結が、日本の共産主義化を防ぐという保守政党の役割を低下させた。

こうした連立政権を成立させていたのは小沢だった。連立政党のうち、新生・社会・公明・民社・社民連の五党は選挙前から統一会派（非自民・非共産連合）を結成することで合意していたのだが、五党だけでは国会の過半数に達しないことから、小沢は「新党さきがけ」と「日本新党」を取り込むべく行動した。つまり、小沢は自身らの「新生党」の党首（羽田）や、連立内での最大議席をもつ社会党の党首（村山富市）ではなく、議席数第五位にしてキャスティング・ボウトを握った細川を敢えて擁立することで、自民党を野党に追い込むと同時に、連立内部で自らが強い影

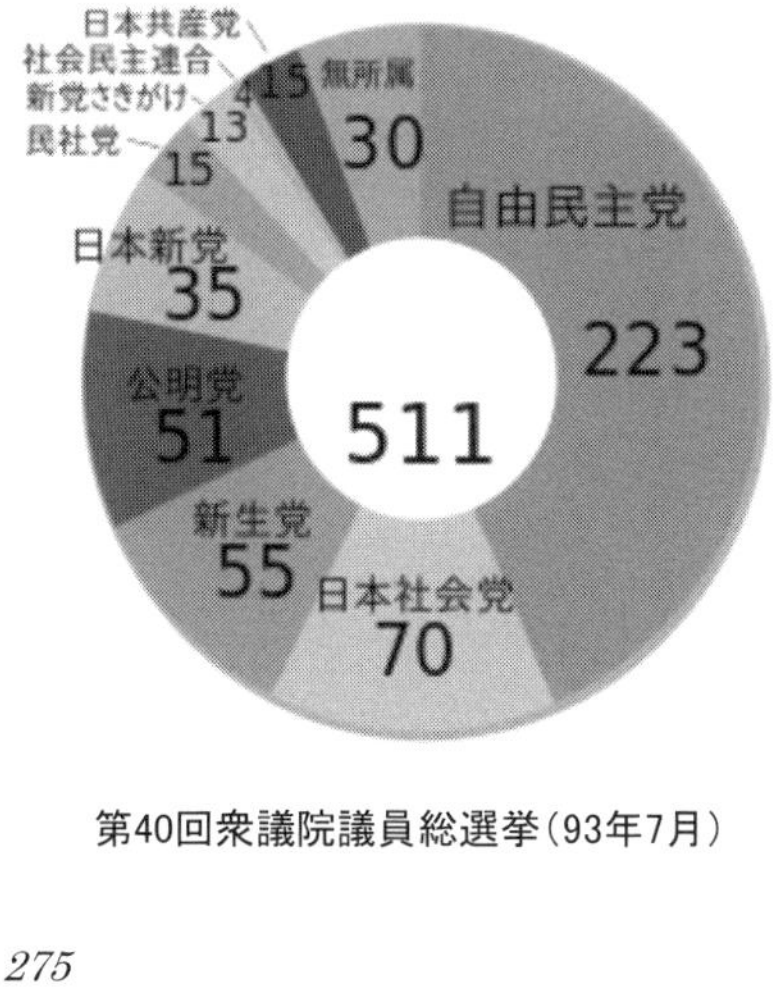

第40回衆議院議員総選挙（93年7月）

響力を保持したのである。それはあたかも「勢力均衡論」（『明日のための近代史』第2章3参照）の如くであろう。そして細川内閣は、羽田・小沢の推し進めてきた政治改革法案を成立させた（小沢らは二大政党制を目指していた）。これによって選挙制度は、「小選挙区・比例代表区」並立制となる。

③連立政権はどのように運営されたか？

「新党ブーム」では、各政党が政策によって政権獲得を競った。また焦点となっていた政治改革では、選挙制度改革とともに政党助成金や政治献金の公開が義務化されるようになった。そして、従来の自民党政権の政策を大きく転換させていくことになるのがコメの貿易自由化である。

コメ問題は、貿易の自由化と関税について国際的に協議するＧＡＴＴにおいて扱われていた。ＧＡＴＴは、世界銀行とＩＭＦとともに世界経済の三本柱とされる協議の場で、途上国の開発にも配慮しながら自由貿易の拡大を図る会議である。そこでの交渉はラウンド（円卓）と呼ばれ、七〇年代までに関税引下げなどで大きな成果をあげてきた。

ＧＡＴＴの参加国は、第八回交渉として八六年から開始されていたウルグアイ・ラウンドから一〇〇ヵ国を超え、知的財産権やサービス貿易（金融・運輸・建設・情報通信などサービス業の取引）などの新しい分野も対象にするようになった。ウルグアイでの最大の焦点は農業製品の関税で、この交渉が九三年までかかってようやく合意に達したのだった（関税化および保護措置の削減）。

これによって日本は、米国から強く要請されていたコメの輸入自由化を避けるために、外国からコメを買い上げることにした（ミニマム・アクセス）。コメの輸入義務を負うことになったのである。不必要な輸入であるが、バッシングや構造協議の摩擦の元になっていたコメの輸入問題を前進させるためとされた。日本の判断では、外国産のコメを輸入しても大した量にはならず、自由化を認めるよりは国産米を保護できると考えた。しかし、九五年から輸入を始めてみるとカリフォルニア米やタイ米を主とした海外の安いコメの輸入が拡大していった。日本は過剰なコメの備蓄を抱え、後には結局コメの関税化を認めることになる（関税を払えば誰でも自由に輸入ができるルール。九九年四月から開始）。ちなみに、ＧＡＴＴは九四年にＷＴＯ（世界貿易機構）が設立されたことで発展的に解消することになる。

連立政権は当初は高い支持率を獲得し、自民党にはできなかった改革を推進した。しかし、税収拡大のための新たな税として「国民福祉税」導入を構想し、しかもそれを唐突に発表すると、国民には不信感が現れた。新税は消費税三％を「福祉目的税」に改めて七％に引き上げるものであったが、細川首相は関係省庁にも十分に伝わらないうちに、深夜の記者会見で突如それを発表した。

新税の案も小沢が大蔵省と立案したもので、細川はその案をそのまま発表していたが、記者会見の席上で税率の七％という数字の根拠を問われると、しっかりと答えることができなかった。実際には、バブル崩壊から続く不況対策として所得税の減税が求められており、その分の財源をどこに求めるかが問題となっていた。そして政府は赤字国債の発行か、消費税を増税するかの選択肢をあげた。しかし、首相がその構想を十分に理解していない様子が露呈すると、世間の目には細川が小沢の言いなりのように映り、連立政権内からも批判が出た。細川政権の大きな長所は、政治資金を公開するなどの自民党とは異なる透明性であったはずなのに、その長所が失われたように思われた。この後は、政権内部で新党さきがけが自民党との意見調整を求めるようになり、小沢と対立するなどしたことから、連立政権はわずか八ヵ月で瓦解する。後継内閣には小沢が中心となり羽田孜が組閣した。

小沢は羽田内閣においても連立を維持しようとしたが、自身の新税導入に反対していた社会党の村山富市だけは排除したいと考えた。但し、連立与党の中で第一党になっていたのは七〇議席をもつ社会党だった。小沢は連立与党の内部に新たな会派として「改新」を結成し、新生党・日本新党・民社党の参加を得た。これらの議席を足せば社会党を凌駕した。しかし、こうした小沢の社会党排除の行動を見た村山ら社会党は「信義に反する」として連立政権から離脱した。

その後の国会では内閣反対に回った社会党が、六九年時の「沖縄の核密約」を訴追した。羽田内閣は野党となった自民・社会・さきがけの各党を敵に回しての国会に臨むことになったのだった。さらに法相の永野茂門が「南京事件はでっちあげ」と発言して歴史問題を紛糾させた。永野は法相就任からわずか一一日で更迭されたが、その発言は内閣の国際的信義をも損なうことになり、自民党と社会党によって内閣不信任案が可決されると、六四日間で退陣を表明した。

2 自社さ連立政権

一九九四年六月、社会党委員長・村山富市を首班とする内閣が成立した。片山哲内閣以来四六年ぶりの社会党を中心にした政権であった。それはまた、「五五年体制」下で対立してきた自民党との連立政権であり、自民・社会両党による初の協力関係が成立した。そして先の連立政権から離脱した新党さきがけも内閣に協力した（自社さ連立政権）。つまり小沢と対立した三党による組閣でもあった。

自民・社会の両党が協力するようになったのは、選挙制度改革に反対する点で利害が一致したためであり、まさに小沢の政治手法に反対しての協力だった。両党は、以前の「五五年体制」的な議会の安定システムを取り戻そうとしており、そのため村山政権には「守旧派連合」としての性格があった。閣僚には、河野洋平（自民党総裁）が外相に就き、武村（さきがけ代表）が蔵相に就いた。

また社会党は責任政党の立場に就いたことから従来の「自衛隊違憲」・「安保反対」の立場を転換した。「自衛隊合憲」・「安保堅持」を国会で表明し、それはＰＫＯを認める動きとなった。但し、それと同時に九五年の衆院では「戦後五〇年」を迎えるにあたって歴史問題の解決を促進するとした。六月に「歴史を教訓に平和への決意を新たにする決議」が可決され、「財団法人・女性のためのアジア平和国民基金」（アジア女性基金）の設立と、日本政府の歴史問題に対する公式見解としての「村山談話」の発表が行われた。

①日本政府の歴史認識とは何か?

村山は「自民党政権では解決できなかった過去の戦争の歴史認識問題など内外の諸課題にけじめを付ける」と述べ、新政権の三党合意事項に「過去の戦争を反省する決議を行う」ことが盛り込まれた。しかし、衆院本会議における「歴史を教訓に平和への決意を新たにする決議」では、与党である自民党議員にも多数の欠席者が現れ、全会一致には至らなかった。そのため、改めて戦争責任を表明する「村山談話」の作成が検討された。

「村山談話」の作成作業では、村山の過去の演説を集積した文案が作成された。村山は、もしも閣内で異議があった場合には直ちに罷免するとの決意を示し、「村山談話」は閣内の一致を見た。そして、「植民地支配と侵略によってアジア諸国に損害と苦痛を与えた」ことを「お詫び」する「村山談話」が発表された。以後の「村山談話」は政権交代を経ても、なお日本政府の公式見解に位置づけられ、アジア外交の新たな出発点ともなった。

また内閣は、日本社会に長い間置き去りにされた諸問題の処理を行うとして、談話の発表だけでなく、「被爆者援護法」の成案や、水俣病未認定者救済・従軍慰安婦への補償に取り組んだ。これらの歴史問題はかつての社会党が国会で解決を要求し、自民党が拒否してきた諸問題であった。

他方、韓国で国費による元従軍慰安婦の訴訟が起こされていたことから、韓国人元慰安婦への補償も求められた。九四年八月段階で、民間基金による「お見舞金」の支給は行われていたものの、政府の公式な保障はなかったため、総理府と外務省が主体となり九七年一月から保障が開始された。

しかし、保守派からは強い反対意見が出された。韓国への賠償問題は「日韓基本条約」の締結時に解決しており、慰安婦の賠償についても解決したとの主張であった。そのため政府が基金を設立し、資金は民間からの寄附とする「アジア女性基金」が設置された。国費は投入しないものの、被害者に誠意を伝える方法として実施されたのである。

国民の募金と、政府による医療福祉支援金が集められ、首相からは旧慰安婦の被害女性個々に謝罪の手紙が送られた。対象は韓・比・台・蘭・インドネシアで、個々人が特定できない場合には相手国の政府へ宛てた。基金は約六億円を集め、二〇〇七年三月まで韓国・フィリピン・台湾・インドネシアにおいて、元慰安婦への支援と女性の尊厳に関する事業に使用された。基金構想は、政府内で意見が衝突していた賠償についての合意点ともなった。

多くの女性の尊厳を傷つけながら、請求権が放棄されたことを理由に放擲《ほうてき》されてきた慰安婦問題は、「証言」を軽視する「実証史学」の問題点を追及しながら、日本社会に人権への意識を問いかけた。当時すでに元慰安婦は高齢化しており、この機会に前進させなければ解決の機会を永久に喪失する恐れがあった。

②連立政権で何が変わったか?

細川政権では自民党によって聖域化されていたコメの輸入問題に踏み込んだ。そして村山政権では、官僚勢力の抵抗を受ける歴史問題での補償・賠償を政府主導で前進させた。連立する自民党が、社会党に最大限に配慮して官僚の抵抗を抑え、歴史問題に対する従来の政府の立場を変更させた。これらは自民党政権では行ない得ない政策だった。一方、自民党も日米安保の堅持の他、増税など従来の社会党が反対してきた政策を成立させている。最大野党であった社会党が与党化したことにより、増税案が国会を通過しやすい状況になった。両政党と官僚のそれぞれの妥協から、財政負担と国民負担が成立していたのである。

一方で、村山政権期は天災にも人災にも見舞われた時期であった。九五年一月一七日の「阪神淡路大震災」によって死者約六五〇〇人の被害が出た。その後の三月二〇日にはカルト教団・オウム真理教による神経ガス散布事件も起きた。この「地下鉄サリン事件」では主として警視庁関係者が標的にされ、午前八時前後の千代田線・日比谷線・丸ノ内線において有毒ガスが散布された。前代未聞の国内テロ事件であった。また、経済状況においてもバブル崩壊の影響が引続き、それらが政権運営に困難をもたらした。

村山政権は、九六年度の予算編成で消費税の増税を決定した。税率を五％に引き上げ、その内の一％を地方自治体に充当するというものである。つまりは、地方への利益分配という条件付きで消費税率の引き上げを行ったのである。この増税案は、細川・羽田政権期に大蔵省において秘密裏に立案されていた「国民福祉税」を基にした構想であるが、村山政権がこの構想を提示すると、そこへ大蔵官僚の「天下り」や過剰接待の問題が浮上してきた。そして以下に見る通り、特に大蔵官僚の「天下り」を政府が助長するかのような政策が行われていたことが問題となって、批判が噴出することになる。

最も問題となったのは、「住宅金融専門会社」（「住専」）に対する政府の財政支援であった。「住専」とは、銀行が共同出資して住宅金融を専門に扱う会社である。一般の銀行が個人向け融資に消極的だったために成立していたのだが、バブル期に見られた大企業の融資離れによって（233頁参照）、銀行は個人への融資に力を入れ始めた。各銀行が住宅ローン市場に力を入れ始め、「住専」がそれまで専門的に扱っていた市場を侵食するようになったのである。次第に「住専」は銀行の扱わない不動産を処理する役割ばかりを担うようになり、ついにはバブル崩壊による不良債権を多量に抱えて九五年に破綻した。

この「住専」に対して、政府は公的資金六八五〇億円を投入し、救済措置をとった。しかしながら、バブル崩壊の影響が全国的に蔓延し、一般企業の倒産が続く中で何故「住専」だけを救済するのかと、社会的な追及が起きた。その結果、住専を構成していた会社のうち六社の社長が元大蔵官僚であったことが明らかとなった。また、大蔵省は住専の経営に「農協」の資金を活用しており、農水省との密約があることも発覚した。それでも公的資金が投入されたため、世論の反対や不信感を強く集めることになった内閣は、九六年一月に辞任を表明した。

しかし、この後も金融機関を公的資金で救済することが習慣化していった。住専への特別な配慮が前例となって、一部の銀行や官営事業の経営失敗に対して税金が投入されるようになる。経営への反省や失敗の分析よりも公的資金で解決してしまうことが、日本経済に体質化していくのである。

村山政権の後任は、同じ連立の枠組みによって自民党が政権を担当した。自民党は前年の総裁選で橋本龍太郎が総裁となっていた。橋本は同じ「竹下派」の梶山静六を官房長官に就け、「構造改革」・「財政再建」を構想した。一方、小沢は羽田内閣を支えた新生党・日本新党・公明党の一部を合同させて「新進党」を結党し、自民党に拮抗できる第二党を成立させた。「一龍戦争」はかつての「経世会」内部の争いから、党首同士としての対決となるのであった。他にも、大政党が有利となる小選挙区制への移行を踏まえて、各小党の間での団結が促された。

3　冷戦後の日米関係

湾岸戦争の後、日米関係の関心は再び経済問題に戻った。米の景気は戦争の影響で低迷し、一九九二年の選挙では与党が敗北した。景気の立て直しを掲げて登場したクリントン民主党政権は、経済力強化のために国内外での経済政策を総合的に推進しようとした。

九三年四月、クリントンは宮沢首相との共同記者発表で、これまでの日米関係では安全保障が最重要だったが、今後は経済問題に特別の関心を払う必要があり、貿易相手国との公平で開かれた関係を必要とすると述べた。その交渉では制裁をちらつかせ、中国に接近して日本を牽制しながら、日本の貿易に「数値目標」の導入を要求して規制をかけてきた（「通商法スーパー３０１条」）。

米は、日本に自主規制を求めるのではなく、円高を奨励することで日本の輸出産業を抑制し、日本政府には減税と市場開放を強硬に求めた。「日米自動車交渉」では、日本の自動車メーカーが米の生産した自動車部品を購入することや、フランチャイズ契約により米国車の販売拠点を増やすことが決定された。日本国内では、こうしたクリントン政権の政策が日本を無視する姿勢であるとの非難が起きた。

①アメリカのポスト冷戦戦略とは何か？

冷戦が終わると、世界一の軍事国家である米は、軍事力の意味を問い直すことになった。財政赤字の点からも軍事費の縮減は避けられなくなっていた。そのためクリントン政権は新たな戦略構想を発表した（Bottom-Up Review－防衛計画の再評価）。それは、冷戦期の封じ込め政策を転換し、国際システム上の諸政策に関与することで、相手国を米の政策に同調させていくとした「関与政策」（engagement）であった。ポスト冷戦期の戦略として、軍事力には依らずに、経済的利点を理解させることで相手国の協力を得る政策と言える。

これにより同盟国との関係も捉え直されることになったが、同時にこの戦略を継続するためにはソに代わる新たな世界的脅威が共有される必要があるとされた。そしてそれは、「大量破壊兵器拡散の危機」・「民主主義に対する危機」、そして「米の国益に対する経済的危機」に求められた。ソが崩壊した時、当時の宮沢首相は「これで日本も平和の配当を受けられる」などと語っていたが、ポスト冷戦時代は新たな危機を生み出しており、平和は無条件には配当されなかった。

また、米軍の戦力は「ほぼ同時に起こる二つの大規模な地域紛争に勝利するために必要な戦力」(二正面戦略)が維持されるべきとされた。東アジアにおいては、中東と朝鮮半島に対する二正面戦略が想定され、一〇万人規模の戦力が必要と算出されたが、その中には日本の自衛隊が含まれていた。一〇万という数字は、脅威に対する所要兵力を算出したというよりも、事実としては、米の財政を抑えるために自衛隊を活用しようと、そのための数字を宛がったと言うべき性格だった。

米の民主党には、外交政策における蓄積・政治的経験のある人材が少ない傾向があった。外交方針としては親中国の傾向が強く、主要な貿易相手国として中国を重視した。その一方、既に同盟関係にある諸国には厳しい姿勢を示す傾向があり、対日外交などでは外交的配慮は軽視されがちだった。

そうしたクリントン政権から新構想が発表されると、日本国内では米が想定している新たな脅威・「米の国益に対する経済的危機」というのが、実は日本を指すものではないかとの憶測を呼んだ。九〇年代前半には貿易摩擦が頂点に達し、日本の「安保タダ乗り論」や「日本脅威論」がかつてなく叫ばれていた。実際にその後の「日米構造協議」では、米が貿易不均衡の是正を強気に要求し、協議は決裂した。対する日本側も、ジャパン・バッシングに反発し、日本の経済的自立や外交の独自性の必要を求める「米国離れ」の声が上がった。そして日本では安全保障についての自立的な動きを見せるようになる。

②連立政権で安全保障はどうなったのか?

九四年二月、細川内閣は「防衛問題懇談会」を設置し、「防衛計画の大綱」(七六年)を見直すように諮問した。懇談会は、八月に「樋口レポート」と呼ばれる報告書(「日本の安全保障と防衛力のあり方 - 21世紀へ向けての展望」/懇談会の座長だったアサヒビール会長・樋口廣太郎からこう呼ばれた)を内閣に提出した(提出時は村山富市政権)。

「樋口レポート」は、総合的な安全保障戦略の観点から、日本に必要な防衛力を導き出しているという点に新しさがあった。それまでの「防衛計画の大綱」は、軍事戦略の色彩が強く、国防については米に追従することが方針化されていた。これに対して「樋口レポート」では、まず国際情勢を自ら分析して戦略目標を定め、その上で必要な防衛力を算出していた。

レポートは「総合的な国力において、米にはかつてのような圧倒的優位性はない」との前提で分析された。それは冷戦期には機能不全に陥っていた国連が新たに機能する時代になるとの期待を込めた認識からだった。そして今後は日本が「能動的な秩序形成者」として行動すべきとの決意が示されていた。

その中では、米との協力に並行して、「多角的安全保障協力」(国連ＰＫＯへの貢献・安保についての地域的対話・軍備管理)を築くことが日本の安全確保になるとされた。「米との協力が日本の安保の重要な柱であることはこれまでと変わらない。しかしそのような防衛力と安保政策を、協力的安全保障の視点からどのように位置づけるべきかが今後の新しい問題である」とし、以後は如何に敵を減らし、味方を増やすかが重要だと述べられた。

この「樋口レポート」は米の警戒感を呼び起こした。多角的安全保障協力について説明した後に日米安保に言及する構成だったため、国防総省や国家戦略研究所(ＩＮＳＳ)の知日派の論者たちが、日本が日米安保を軽視し始めたのではないかとの懸念を表した。知日派らは、以前よりクリントン政権の対日政策が貿易を中心とした経済問題に偏《かたよ》り過ぎていることに批判的だった。そして彼らは「樋口レポート」が危険だと警鐘することで、政府内での自らの立ち位置を向上させようと動きだした。その動きの具体化が、国際政治学者ジョセフ・ナイによる「ナイ・イニシアティブ」である。

ナイは「相互依存論」の提唱者で、軍事力よりも経済的な関係こそが国家の動向を定めることを説明してきたが、日本との関係に対しては、日米同盟こそが日本の安全保障にとっての中心であり続けるべきと考えていた。そのため、九四年九月に国防次官補に就いたナイは、日本が多国間主義的な方針を打ち出した「樋口レポート」を、「米国離れ」の動きと危険視したのであった。そして発表されたのが新たなアジア・太平洋戦略としての「ナイ・レポート」（「東アジア太平洋地域におけるアメリカの安全保障戦略」）である。

そこでは、米は太平洋地域での兵力展開を継続するとされており、米側の策定による一〇万人の配備が改めて主張されていた。防衛力を自ら算出しようとした「樋口レポート」に相対する内容が示されたのである。そして、日米安保同盟は「アジアの重要問題に対して米の影響力を拡大する手段として重要」であり、その上で、米の国益は「アジア地域全体に永続的に関与すること」にあると述べ、そのための日本の役割が力説された。米軍駐留の経費の分担率が高い日米安保の性格と、在日米軍基地の戦略的意義とを強調し、「日本との関係ほど重要な二国間関係はない」と訴えた。

また在日米軍基地は、アジア地域だけでなく「中東その他、地球規模での安全保障上の偶発事件」にも対応できる拠点として、米のアジア太平洋戦略は日本列島に「依存」して初めて成立すると明言した。米の戦略は日本の費用分担なしでは不可能で、とりわけ年間四〇億ドル以上の経費を負担する日本は、「同盟国のなかでも最も気前のいい基地提供国」と評した。それは、国内に軍隊を配備するよりも、日本に駐留させる方が「米の納税者にとって安上がりだ」として、米国議会は巨額の「思いやり予算」を提供してくれる日本について理解を深めるべきと主張した。

③自民党政権に戻ると安全保障はどうなるか？

ナイは、「日本を今後も自主防衛能力を持てない状態にしておくには、日米同盟を維持する必要がある。日本が米に依存し続ける仕組みを作れば、我々はそれを利用して日本を脅し、米に有利な軍事的・経済的要求を飲ませることが出来る」と述べた。

日本を操る意味で日米同盟を最重要視した「ナイ・レポート」は、「樋口レポート」の言う「多角的安全保障協力」などは日米同盟に取って代われるような案ではないのだと繰り返し批判した。そして、日本はそれに対する回答としての「新防衛大綱」を九五年一一月に発表した。その内容は、日本の周辺において危機的な事態が発生した場合には「日米安全保障体制の円滑かつ効果的な運用を図ること等により適切に対応する」と、日米安保に基づいた行動をとることの表明だった。つまり「ナイ・レポート」の示唆を全面的に受け容れ、「樋口レポート」は全く修正されたわけである。背後では、防衛庁が「第三次世界大戦に備えて軍備増強は必要不可欠」だと主張していた（防衛庁長官は自民の衛藤征士郎）。そしてこれが所謂《いわゆる》「周辺事態」概念の登場ともなった。

「新防衛大綱」では、「樋口レポート」の「多角的安全保障協力」は削除され、それに代わって日米関係が「多国間安全保障や国連の活動に資するもの」と定義付けられた。そして、ナイが求めた日本による地球規模での安全保障上の貢献と、日米安保強化が明記された。日米安保の強化を図り、「米国離れ」を阻止するというナイら知日派の意図は日本側の同意を得た。それが「新防衛大綱」によって確認されたということである。

ナイの構想は、九六年四月に「日米安保共同宣言」として実現された。日米両国は以後も日米同盟が極めて重要であることを確認し、防衛協力を日米に限定せず、地球規模で行うと宣言された（日本側は一月に成立した橋本龍太郎政権）。また、「日米防衛協力のための指針」（旧ガイドライン／209頁参照）も見直され、九七年九月には「新ガイドライン」（「新・日米防衛協力のための指針」）が定められた。

「ナイ・レポート」から「新ガイドライン」が成立するまでの一連の経緯は、ナイが主導したことから「ナイ・イニシアティブ」と呼ばれているが、日本はこのナイの示唆に従って新たな防衛大綱を策定し、

「新ガイドライン」に準拠した「周辺事態法」を成立させることになる。

新ガイドラインでは、旧ガイドラインで「極東における事態」とされていたのを、「日本周辺地域における事態」に改めた。先の共同宣言では、日米安保の目的がアジア・太平洋地域の安定とされていることから、ここでの「日本周辺地域」とは極東のみならずアジア・太平洋地域の全般を指している。ミサイル実験を行う北朝鮮や、中国と台湾の対立を理由にしたものだった。そして「周辺地域」への拡大は、日米安保条約の「極東の平和及び安全の維持に寄与する」（第六条）という「極東条項」を上書きして、自動的に拡大してしまったことを意味している。

日本が自ら国際情勢を分析し、米からの外交的自立をすべきとしていた「樋口レポート」の決意は消え、日本を「最も気前のいい基地提供国」とするナイに従ったのだった。

④「平成不況」はどのように起きていたか？

村山が辞任した後、「自社さ連立」の枠組みを継承したまま橋本龍太郎が首相に就任した。橋本は厚生族の議員で、社会民主主義的な政策を唱えていた。そのため社会党は連立を崩そうとはしなかった。しかし橋本の採用した方針は新自由主義だった。既に、「小選挙区」と「比例代表区」を並立させる選挙制度が定められ、橋本内閣は「自立的外交」・「行財政改革」・「強靭な日本経済の再建」・「長寿社会の建設」を掲げた。

ところが「自立的外交」を掲げながらも九六年の「日米安保再定義」で橋本が決定したのは、既に見た通り、ナイ・イニシアティブに従って米軍に自衛隊を提供するものだった。北朝鮮の核兵器開発を理由にして、米の要望通りに「周辺事態法」をつくり、軍隊ではないはずの自衛隊が米の軍事戦略に組み込まれることになった。

そして国内では米兵の少女暴行事件などから、特に沖縄で基地問題への不満が高まっていたため、基地移設問題を提起した。政府は沖縄の要望の聞き取りを行うと、クリントンとの首脳会談で普天間飛行場の返還を要求し、代替基地を名護市辺野古《なごへのこ》にする案と引き換えに合意を取り付けた。

「住専」問題で低下していた内閣支持率は六〇％まで上昇し、橋本はそれを背景に衆院を解散した。そして行われた九六年一〇月の「小選挙区・比例代表並立制」実施の総選挙では、自民党は議席を増加させ、宮沢内閣以来三年ぶりとなる単独政権を復活させた。

橋本は、先の公約を「六大改革」（財政構造改革・行政改革・社会保障構造改革・経済構造改革・金融システム改革・教育改革）として打ち出し、それを推進する主体として首相直属の「行政改革会議」を設置した。なかでも「財政改革」を優先し、徹底した支出の抑制を図るとともに、消費税の引き上げを実施して、医療費も引き上げられた。医療費の国民負担分はそれまでの一〇％から二〇％へ上がった。

そしてこれらの財政引き締めは、銀行の「貸し渋り」を発生させることになり、却って景気は悪化していった。銀行は不良債権への後悔から融資を避けるようになり、それればかりか返済期限前に返済を迫る「貸しはがし」まで行うようになった（融資の際の「損失条件」によって返済期限以前に取り立てができた）。バブル時には、銀行が企業に対して不必要な融資を無理強いしたにも拘わらず、不景気になると今度は無理にとり上げた。「銀行は晴れの日にむりやり傘を貸し、雨が降ったら取り上げる」のだと言われた。

但し、銀行が貸さない以上に、企業が設備投資を行わなくなったことが原因だったとの指摘もある。借りてまで設備投資を行う企業がいなくなったことこそが停滞を招いていたということである。いずれにしてもその中での橋本の財政構造は効果を得ず、負債はむしろ膨らんだ。消費税と医療費の引き上げにより、国民負担は九兆円も増しになり、負担が増大する結果となった。

4　権利を知らない日本人

①「地位協定」の問題とは何か？

一九九五年九月、沖縄で米兵三名が小学生女児への拉致監禁による強姦事件を起こした。警察は逮捕状をもって身柄の引き渡しを求めたが、米軍は日米地位協定を盾に犯人を基地内に匿《かくま》おうとした。同様の事件は他にも複数起きている。これらの犯人らは最終的には那覇地裁の実刑判決を受けるなどしたが、裁判所に請求（起訴）しない限りは犯行が明白であっても引き渡しがされないことが地位協定の問題として浮き彫りとなった（逮捕状が出ていても起訴まで逮捕の執行・取り調べができない。／犯人が特定できず基地内に逃げ込まれれば捜査もできない）。

六〇年の安保改定が生み出した「地位協定」で、日本は米軍関係者の犯罪に対する第一次裁判権を手放した。「地位協定」は、米兵が日本の法で裁かれるのを如何に避けるかという見地から作られている。沖縄県からは協定の改正が強く求められ、また日弁連（日本弁護士連合会）も改正を提言してきたが、政府間の合意によって「今後は配慮する」との約束程度で済まされている。地位協定の改定は沖縄が求めても日本政府が求めなければ進められない。そのため改正には至らず、再発防止ができるのかについては議論自体がされていない。それ以前に、地位協定はそもそも治外法権を前提にしているのである。

二〇〇八年には、米兵二名がタクシー運転手に強盗目的で暴行し、運転手が精神的負担からその後に亡くなったという事件が起きた。地位協定（18条）では米兵が公務外で犯罪を行った場合には、米政府が見舞金を支払うことになっている（金額が不十分な場合には日本政府が補填する）。ところが、同事件では、被害者が生前から賠償を求めていたにも拘わらず、防衛省の沖縄防衛局は九年間も放置した。当局が米側に請求を行ったのは被害者が亡くなってからだった。被害者遺族が弁護士を通して請求するまで無視されていたのである。米側は示談で応じたが、その示談書には一四五万円ばかりの見舞金と引き換えに、事件責任を「永久に免責する」と条件づけられていた。遺族が条項の削除を求めると、米側はこれを容れず、結局見舞金の支払いすらも行われなかった。

②「条約改正」は守られたか？

不平等な地位協定を改定できないのは、地位協定の背後に日米合同委員会による何千件もの合意議事録があり、全容の把握が困難であることが要因との指摘がある。地位協定それ自体の条文は二八条に過ぎないが、日米合同委員会で無数の「密約」がつくられており、全容を知っている者は外務省にさえいないのではないかと言われているほどである。その把握の困難さに、日本国民の無知と無関心が重なり、なおさら不平等な協定が撤廃できないでいる。

一方、ワシントンでは地位協定を扱う職員が少ない上に、国防総省の担当職員が頻繁に異動するため継続的な交渉ができず、統括責任者は不在状態であると言う。米は米軍を守るための地位協定を一二〇ヵ国と結んでおり、日本に限らず、米軍人がなるべくその国の法律で裁かれないようにしている。しかし欧州では国内法の適用が原則であるし、基地内に立ち入れないなどという国は他にはない。

冷戦後に民族紛争やテロとの戦いが拡散したのに伴い、地位協定の内容も多様化したが、各地の主権意識の高まりから地位協定の交渉は米にとって困難なものになってきている。米にとっては何らかの事故で軍人が裁かれるなどすれば、国内世論が海外駐留に反対し始めるかもしれないという認識がある。

そうした中で、日本は地位協定の改定を進めないだけでなく、米軍の費用を多分に負担している。地位協定（24条）で日本政府が税金から賄うことを規定しているのである。七八年から開始された「思いやり予算」によるもので、年に八〇〇〇億円を超える額が支払われており、二〇二〇年時点で累計二〇兆円を超えている。当初の「思いやり予算」は基地の従業員の経費の一部であったのが（六二億円／243頁）、その後は建設費用などにも拡大し、九六年からは「思いやり予算」とは別に経費（ＳＡＣＯ経費）が支払われるようになった。その費用はグアムの基地建設に充てられたという。ナイが「最も気前の良い同盟国」とした通りであろう。先のトランプ政権からも「他国が見習うべきお手本」と評された。

米軍の治外法権を認める地位協定のため、米軍機は普段から日本の上空を飛行できるが、低空飛行やルートについては日本の航空法に従う義務がない。日本の空を飛ぶのに、日本の法や国民生活を無視して構わないことを政府が認めているからである。明治百年では「近代化の原動力となった先人の国民的自覚と聡明と、驚くべき勇気と努力、そしてその所産である事績」を賞賛するのに、先人が達成した不平等条約の改正は踏みにじられている。

筆者は、日本人は権利に対する認識がそもそも低く、またその原因は敢えて法を教育しない公教育にあると考えている。それは法意識や裁判・犯罪の捜査に対する無知・無思考も引き起こしており、地位協定の改定を目指すのなら、国内の法の意識や教育を改善せねばならないと考える。権利を教えない傾向は、戦前の教育から引き継がれているもので、かつ国民の権利の問題を道徳・倫理に置き換えることで覆い隠していることを指摘できるが、権利と道徳教育については別の機会に論じたい。

5　「アジア通貨危機」と「日本列島総不況」

一九九七年には国際経済における「アジア通貨危機」が財政悪化に追い打ちをかけた。タイの通貨（バーツ）の大暴落をきっかけとする金融危機がアジア全土を襲った。

アジア各国は八〇年代に高い経済成長を実現してきたが、その中でタイは米との間で固定相場制を採用していた。相場を固定すれば、米は為替による変動のリスクなしに投資ができ、タイも為替リスクのない輸出が可能となる。しかし結果としては海外資本が大量投入され、輸入ばかりが増大し続けた。そして投資家らの投機によってタイの通貨・バーツの「空売り」（売却益を狙った先物取引：売却値を先に決めておき、後の売買の際に実価が値下がりしていれば差益を得られる。必ず値下がりするものに対する先行取引）が発生すると、バーツを買い戻すための米ドルがタイ国内で不足し、債務が急激に増加した。

タイの景気が一度傾くと外資が急激に流出しはじめ、不良債権が増加していった。そのため九七年七月に変動相場制に移行し、バーツの価格を切り下げることで対応を試みたが、それまでに大量に売却されていたバーツの価格は半減し、景気の悪化は止められなかった。通貨の下落は、インドネシアや韓国に影響を拡大し、他の周辺諸国を含めた東アジア諸国全般の通貨を大幅に減価させた。

韓国では盧泰愚政権が瓦解した後に、民主化運動を担ってきた金泳三《キムヨンサム》が大統領となり、軍閥政権に初めて終止符を打った。しかし、通貨危機の影響から大企業の連鎖倒産が起こり、韓国はＩＭＦ（国際通貨基金）の管理下に置かれた。財政再建が指導されたが、もはやＮＩＥｓの時代は終わりを迎えた。

インドネシアでも経済危機を背景に民衆の反対運動が起こり、スハルト政権が瓦解した。通貨危機がインドネシアに波及すると国民の中に民主化運動が起きた。それまでにインドネシア経済は急成長を見せていたが、外国企業と結びついた政治腐敗が次第に明らかになり、九八年にスハルトは退陣に追い込まれた。副大統領のハビビがすぐに大統領に就任したが、政治の浄化が求められるようになった。

バーツの空売りは対アジア融資の多くを不良債権化させたが、その影響は日本にも及んだ。日本は韓国へ四〇億ドルもの支援をしたが、アジアの不況化は折しも日本国内での構造改革による緊縮財政と重なり、融資の焦げ付きを多発させた。これによってバブル崩壊からの不況はさらに回復の見通しを失っていった。

橋本内閣の行政改革は、従来の「官僚主導」の政治から、首相の主導による「官邸主導」に改変しようと内閣の権限強化を図った。その際の課題は、省庁ごとの「縦割り」による省庁間の連携の無さや、情報ルートの欠如のために総理大臣がリーダーシップを発揮できないことだとされた。それはまた「阪神・淡路大震災」の反省でもあった。

そのため中央省庁を再編し、それまでの二二省から一二省へと省の数を半減した。それにより、「国土交通省」（建設省・運輸省・国土庁）、「総務省」（総務庁・自治省・郵政省）が新設された。大蔵省も「財務省」へ再編することが決定された（実施は二〇〇一年）。行政処理の効率化を図るために、関連分野の行政を一体化したのである。かつ官僚の「割拠主義」を解消しようとしたものだった。

さらに「独立行政法人」設置も推進された。行政の一部を国から独立させることで政治的中立性を保つための設置である。公共の見地から、政策を立案する機関と、実施する機関とを分離する目的で、政策を実施する機関を本省から独立させ、民間の発想をも取り入れようとした。政策の立案は行政が行うが、その政策を実施するのは行政から独立した法人が行うのであれば、予算や人事に官僚的縛りがなくなり、かつての癒着構造も解消されると考えられた。

この改革に対しては「族議員」からの抵抗があった。各省との関係が深い自民党の議員は行革案に反対するようになり、各省庁の官僚が既存の体制を守ろうと族議員を援護するようになった。「アジア通貨危機」の影響が重なり悪化する経済問題と、自民党内部からの抵抗を抱えた橋本内閣は、九八年の参院選を迎えると、過半数を喪失する大敗を喫した。

①日本はいつまで不況でいればいいのか？

参院選に惨敗して橋本が辞任すると、竹下は小渕恵三を総裁に指名した。これに対しては竹下派内からも反発が出たが、総裁選の結果は小渕の圧勝に終わった。竹下の影響力が顕在であることが象徴された総裁選であった。

他方では、小沢の「新進党」が自民に次ぐ第二党になり、それに危機感を抱いた「新党さきがけ」と「社民党」（社会党から改称）を中心とする中堅若手議員らが「民主党」を結成した。しかし、実際の「新進党」は内部での対立が激化するばかりで一致を見ず、九七年には解散し、小沢はその後に「自由党」の党首に就くと小渕内閣に協力するようになった（解散した新進党は自由党ほか六つの党に分裂する）。

景気回復を最大眼目にして宮沢喜一を蔵相に就けた小渕内閣は、大規模支出を実施することで景気の浮上を図ったが、橋本内閣期以来の金融機関の破綻が起きていた。北海道経済を支えてきた都市銀行の「拓殖銀行」（拓銀）が破綻し、「四大証券会社」の一つに数えられた山一證券が自主廃業に追い込まれた（野村・大和・日興で「四大証券」）。経営陣は多額の負債を隠していた。さらに、政府主導で設立されていた「長期信用銀行」（長銀）までもが破綻した。

「長銀」とは、吉田茂内閣による金融の長短分離政策（短期の資金融資は一般の銀行、長期は長銀）を由来にする銀行で、池田勇人蔵相の主導の下に創設されたものである。企業の設備資金などの融資を専門的に行ったが、バブル期に企業の運転資金が余剰となったことで顧客が減少したため、長銀は土地や株に投資を拡大して、バブル物件を求める顧客やリース会社に大量融資を行った。政治的には、池田との関係から宏池会との関係が極めて深く、宏池会の集票・献金の源泉となっていた。自民党全体にとっても石油公団や東京電力への融資などの「政策金融」の担い手だった。その長銀の経営が破綻すると小渕内閣は保護に乗り出した。とりわけ宮沢蔵相と宏池会の人脈によって、長銀の一時的な国有化を図る「金融再生法」が提出された。

ところがその後、長銀における粉飾決算が発覚して逮捕者が続出すると、自殺者を出すまでに紛糾した。結局、長銀は米の投資組合に売却され「新生銀行」に改称することになった。また長銀と並ぶ「日本債券信用銀行」も再生法の対象となり、同様にソフトバンクを中心としたグループに売却され「あおぞら銀行」に改称された。

こうしてバブル崩壊によって金融機関までもが破綻したが、以後もデフレ不況を解決することはできず、「失われた三〇年」と呼ばれる現在の状況にまでつながっていく。その要因の一つには、消費税の増税と引き換えに減税が行われたことで、却って政府収入が減少していたことがあった。村山内閣期に内定した消費税の増税によって政府には約四兆円の税収増があったが、新自由主義に基づいて所得税と法人税を減らすと約六・五兆円の収入減になった。高所得者の負担が軽減する所得税減税が行われただけの結果となったのである。

橋本政権で成立した「財政構造改革法」では、赤字国債の発行を毎年削減していくことになっていたが、景気の悪化を加速させ、金融腐蝕が明るみに出るばかりだった。小渕内閣は「特別減税」による応急処置しかできず、抜本的な財政再建は先送りされた。ついにはその「特別減税」も廃止せざるを得なくなり、「財政構造改革法」を停止して、健康保険料の引下げを含めた約一〇兆円の緊縮財政を行った。一方、消費税は五％に増税し、国民負担はまた増えた。日本企業の代名詞だった終身雇用は当たり前ではなくなり、それればかりかリストラによる人員削減が進んだ。極めて深刻な就職氷河期を迎えるのである。

②日米安保の拡大は何と引き換えか？

小渕は厳しい国会運営を背景に、自由党の党首となった小沢との関係修復を図った。また、竹下派と長年にわたり懇意であった公明党との協力関係も求めて、自民・自由・公明による「自自公連立」政権を成立させた。

連立政権では、公明党の政策を受け容れつつ協力関係を維持したため、公明党の求める「ばら撒き政策」に配慮した「地域振興券」を導入した。自民党はそれらの政策導入と引き換えに、九九年五月に「日米ガイドライン関連法」(「周辺事態」による安保の書き換え) を成立させた。

こうした連立政権と、その政策実施の中で、少数党である自由党の小沢は埋没しがちとなった。すると、小沢は自民党と自由党との合併を要求し始めた。しかしその渦中に小渕が病に倒れ、在職のまま死亡した。後任の総裁には小渕が病床で幹事長の森喜朗 (清和会系・福田派) を指名したとのことで、森が後継首相に就任した。小渕の死去に続いて、竹下も死去するのだが、既に病状を悪化させていた竹下が死去すれば、竹下派からは候補を出せなくなるだろうとの判断から、清和会系でかつ小渕・竹下に近い立場にあった森が就任したと言われる。しかし、指名の様子が不透明でその就任経緯は国民には全く分からなかった。森内閣は発足時から支持率が低かった。そのうえ森が失言を繰り返すなどしてメディアとも対立したため、選挙への見通しの無さから結局退陣した。

社会では不況に臨む低価格ブームが起こり、「一〇〇円ショップ」や格安航空券が登場した。インターネットが一般家庭にも普及し始め、パソコンの「二〇〇〇年問題」が話題となった。

小渕の死去後、竹下派は橋本が引き継いで会長となったが、自民党最後の長老として内閣製造に影響してきた竹下の死去は、自民党内の最大の調整者の不在状況を生み出した。一般社会においては、バブル崩壊の後遺症として不良債権問題や金融危機が覆いかぶさり、リストラの発生から中高年自殺者の増加が社会問題化する中で、改革的変化を期待する国民の支持を集めた小泉純一郎 (清和会) が登場する。

6　ポスト冷戦期の世界と紛争

中東・バルカン半島・アフリカでも民主化が進んだ。しかしこれらの地域の民主化は、決して平和的に進んだのではなく、流血を伴う痛みに満ちた道程だった。そして現在なお解決せずに継続している問題である。

①「オスロ合意」はなぜ踏みにじられたか？

湾岸戦争はパレスチナ問題に影響を与えていた。ＰＬＯのアラファトはフセインと親交があり、イラクを支持していたが、そのために反イラクの湾岸の産油国からの支援を打ち切られて苦境に陥った。窮したアラファトはイスラエルとの対話路線を選択した。

湾岸戦争に至るまでに、パレスチナでは民衆による反イスラエル運動が激化し、イスラエル軍に対して投石などで立ち向かっていた。自然発生的に起きたその運動は「インティファーダ」（一斉蜂起の意）と呼ばれたが、そうした反対運動が激化するパレスチナでアラファトが対話路線を選択したのは大きな転換だったわけである。

イスラエルでも一九九二年の総選挙で二五年ぶりに労働党が政権を奪取してラビンが首相となると、ラビンは自身と親交のあったノルウェーのホルスト外相に仲介を依頼し、ＰＬＯとの交渉を秘密裏に開始した。

かくして九三年、イスラエルのラビン首相と会見したアラファトは、和平のための「オスロ合意」を成立させた。両者が相互に承認を与え、米のクリントン政権もＰＬＯが合法政権であることを承認した。パレスチナ人に正式に自治が認められた。この和平をもたらしたアラファトとラビンの決断に対してノーベル平和賞が贈られた。

ところが、ラビンは九五年に暗殺され（ユダヤ教徒による狂信的犯行）、右派のネタニヤフ政権が誕生すると、再び両者の関係は悪化し始めた。パレスチナでもムスリム原理主義者が中心となって結成した「ハマス」（抵抗運動の意）が活動を開始し、ムスリム国家としてのパレスチナ建国を標榜した。パレスチナはハマス（ガザ地区）と、ＰＬＯ（ヨルダン川西岸地区）で分裂するようになった。

ＰＬＯは非宗教的な民主国家を建設することでイスラエルや欧米との共存を選択したが、その内部では若い世代を中心に批判が現れ始めた。アラファトを中心とした幹部が独裁的な政権運営を行っているとして批判された。そうした情勢から民衆はＰＬＯに代わってハマスを支持するようになり、そして彼らは二〇〇〇年に「第二次インティファーダ」と称して再びイスラエルと衝突した。

オスロ合意にはパレスチナの自治が認められるという大きな前進があった。また米の仲介によりパレスチナの「民主化」が促された。その民主化によって選挙も実施されたが、選出された勢力は和平路線を嫌うハマスであった。つまり、宗教・難民・民族問題の解決がないまま、民主化の形態だけが与えられた結果、対イスラエル強硬路線という民意を表出することになったのである。

②ＮＡＴＯはなぜ冷戦後も存在したか？―コソヴォ紛争

民族対立の続くユーゴでは、九六年にアルバニア系住民とセルビア政府の間で衝突が起きた。セルビア領内のコソヴォ自治区において、アルバニア人が独立を求めたのである。九八年のはじめに武力衝突が激しくなり、四〇万人近くの避難民が発生した。

安保理で武力介入が検討されたが、中ロ両国が反対したことから武力介入は否定されたため、ＮＡＴＯが仲裁に入った。ＮＡＴＯは平和維持軍の駐留を提案したが、セルビアはこれを拒否してアルバニア人の虐殺を続けたため、ＮＡＴＯ軍はユーゴの空爆を行った。ボスニア内戦（268頁）も続いていたためにコソヴォだけでなくユーゴ全土を爆撃したのである。

そもそも、冷戦が終結し、ワルシャワ条約機構が解体された後にもＮＡＴＯが残存したのは、ユーゴの内紛が続いていたためでもあった。ユーゴ空爆はＮＡＴＯが初の武力行使に踏み切ったのと同時に、ＮＡＴＯの新たな役割を創り出した。何よりも、ユーゴはＮＡＴＯの加盟国ではないにも関わらず、欧州の平和のためとして集団安全保障を発動したのである。

安保理決議を得ていないＮＡＴＯの軍事介入は国際社会の足並みを乱し、ＮＡＴＯへの批判も現れたが、チェコ・ハンガリー・ポーランドの加盟によりＮＡＴＯは拡大されることになった。コソヴォ紛争は、最終的にはＮＡＴＯに加盟していないロシアとフィンランドが仲介し、セルビア勢力はコソヴォから撤退した。空爆は停止され、国連がコソヴォ地区を暫定統治下に置いた。

かくしてコソヴォ紛争を契機にＮＡＴＯは民族紛争やテロに対して軍事行動を行うようになった。つまり、欧州の平和維持活動がＮＡＴＯの役割に含まれるようになったのであったが、コソヴォ紛争を実質的に解決したロシアとの間に溝ができることにもなった。そしてこの溝は後のウクライナ問題として噴出することになる。

バルカン半島・旧ユーゴスラビア

③アフリカの黒人差別は何と闘ったか？——「アパルトヘイト」

英の統治下にあった南アフリカ共和国（当時は南アフリカ連邦）は大戦時に連合国として参戦し、戦後は白人を主とした国民党（ＮＰ）が政権に就いていた。国民党は人種差別を政策化し、白人と非白人（有色人種と呼ばれた）の差別的待遇を制度化する「アパルトヘイト」を法で定めた。そして四八年からは、少数の白人による政治的支配を政策化した（「分離発展政策」）。安価な労働力を確保するための政策だった。黒人は居住地も制限され、国籍も与えられなかった（居住地に名目上の自治権を与えて外国人として扱った）。

　これに対し、国連は六〇年に経済制裁を実施し、「人種差別撤廃の日」（三月二一日）を制定するなど、南ア政府への反対行動をとった。南アは孤立を避けるために法的差別の撤廃を掲げ、差別は徐々に緩和された。しかし差別の根絶には至らなかった。

　南アは八〇年代にかけて、国際社会からの批判が高まる毎に緩和政策をとったが、国内では反政府運動を弾圧していた。差別撤廃の運動を行う黒人解放運動の指導者の一人であったマンデラ（Nelson Mandela）などは反逆罪で投獄された。

　但し、アフリカでは八〇年にジンバブエが建国されるなど、黒人政権による独立が進んだことで（旧植民地からの独立――「ローデシア紛争」）、南アでの反差別運動も高まった。国連の経済制裁の負担も続いたため、八九年に大統領となったデクラークは民主化政策に転換した。政治活動の規制を排除するとともにマンデラも釈放された。続いて九一年にはアパルトヘイト法の廃止を宣言した。

　民主化した南ア政府に対して、経済制裁をとっていた世界各国は制裁を解除していった。そして九四年、南ア史上初の通常選挙が実施され、マンデラによる政権〔アフリカ民族会議（ＡＮＣ）〕が樹立された。白人体制の崩壊であった。

　マンデラ政権はそれまでの経済制裁による不況からの回復を目指した。以後は高い経済成長率によって富の再配分に取り組んだのだが、経済の回復よりも早く、黒人の失業問題や治安の悪化が進んだ。そのため、先進諸国による投資や企業進出が停滞する悪循環を生み出した。富の再分配政策は、マンデラの引退後も後継政権（ムベキ政権・ズマ政権）によって現在まで継承されており、貿易と投資を通じた経済活性化を目指すアフリカン・ルネサンス構想（経済的自立）を目標にしている。

7 「アフリカ大戦」と「コンゴ戦争」

ザイールでは、三二年間にわたって統治していた軍事政権が打倒された。その際に起きた大虐殺に端を発して周辺諸国が介入し、「アフリカ大戦」の危機を迎えた。

①「アフリカ大戦」の危機とは何か？

ザイールで一九六五年にクーデターを起して軍事政権を樹立したモブツは、それから独裁体制を敷いてきた（119〜120頁）。国内外からその独裁体制に対する批判が現れたことから、モブツは八三年以降ＩＭＦの勧告による経済再建計画を実施し、外資の導入にも本格的に着手した。九〇年には一党独裁を廃止し、複数政党制の導入を宣言した。

しかし一方でモブツは憲法を無視し、大統領職を独占した。民主化は受け入れても政権の座を譲ろうとはしなかった。モブツは反対勢力や政敵を徹底的に弾圧し、結局は独裁体制を構築した。弾圧された反体制勢力は国外に逃れたが、近隣諸国の政府などと結びつき、アフリカ諸国を巻き込んでいくことになる。

この時期、隣国のルワンダでは部族同士の反目を背景とした「ルワンダ紛争」が勃発していた。ルワンダの二大部族と言われるフツ族とツチ族による対立である。そして、ルワンダ政府はフツ族系による政権で、ザイールのモブツ政権と良好な関係を保持していた。この紛争によって、ツチ系の一部は隣国のウガンダに逃れて難民化した。

ウガンダに逃れたツチ系は、ウガンダ政府の支援を受けて武装組織「ルワンダ愛国戦線」を結成すると、フツ系政府の打倒を掲げて九〇年一〇月にルワンダに侵攻した。そしてツチ系「ルワンダ愛国戦線」

は、フツ系のルワンダ政府を打倒した。

しかしその後の九四年、政権を追われたフツ族の住民が、ツチ族の大虐殺を始めた（「ルワンダ虐殺」）。一〇〇日間で、一〇〇万人ともいわれるツチ族が虐殺された。フツ族は報復を恐れたためにさらに暴力を拡大し、虐殺はザイールにも及んだ。

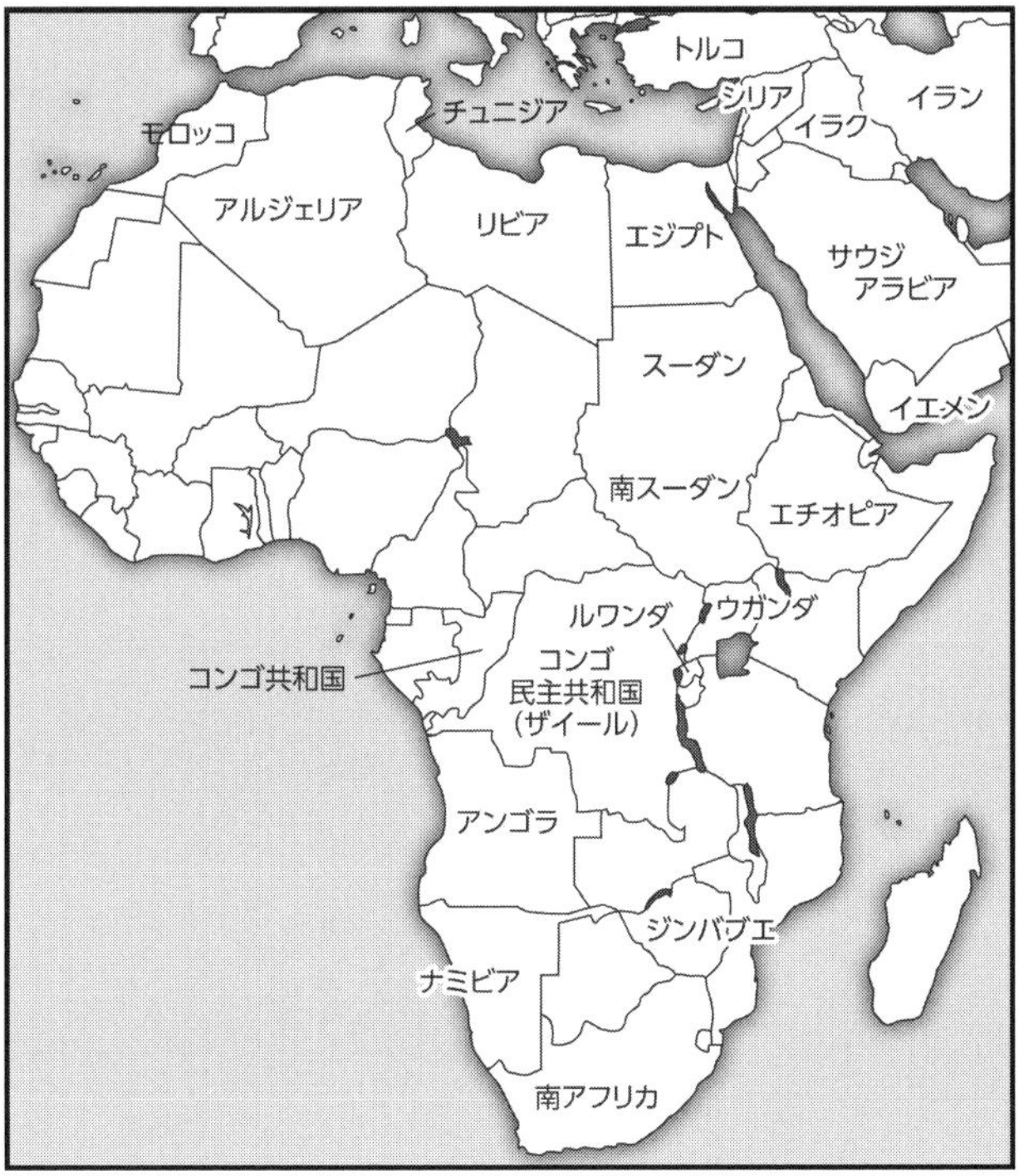

アフリカ地図

ツチ族が運営するようになったルワンダ政府は、ザイールに住む同族の住民に軍事支援を呼びかけ、武装組織化を図った。そうした状況から九六年八月にザイールで戦闘が発生した。ルワンダ軍が蜂起し、ザイール政府に反対する勢力をも巻き込んで拡大した。もはや部族間紛争ではなく、国家間戦争の段階に突入したのである。

九七年には、アンゴラ軍がルワンダ側を支援してザイールに侵入した。ザイール軍は潰走《かいそう》し、モブツはモロッコに亡命したが、その直後に死去した。ザイールでは、反政府軍を率いたカビラ（Laurent Kabila）がキンシャサを制圧して大統領に就任すると、ザイールは国名を「コンゴ民主共和国」に改めた（「第一次コンゴ戦争」）。

②なぜアフリカの治安は悪いのか？—「第二次コンゴ戦争」

カビラは終身大統領となることを宣言し、自らが理想としてきた資本主義と社会主義の融合を実現しようとした。しかし、ルワンダとウガンダを後ろ盾にするカビラ政権は、傀儡的であるとして国民の支持を得られなくなっていった。カビラは政権の安定のために「脱ルワンダ・脱ウガンダ」を図り、コンゴ人による内政に改めていくのだが、それはルワンダ政府の警戒を呼んだ。ルワンダ勢力がコンゴから撤退すれば、同族のツチ族がまた虐殺されるのではないかとの懸念である。ルワンダはコンゴに介入し、「コンゴ民主連合」（ＲＣＤ）という反政府勢力を組織した。そして、九八年八月に政府軍との間で全面的な戦闘となった（「第二次コンゴ戦争」）。

コンゴの全土で戦闘が起こり、ルワンダ・ウガンダの支援を受けた反政府軍連合は首都キンシャサにまで迫ったが、カビラは他のアフリカ諸国の支援を取り付けて対抗した。アフリカ諸国の大戦へと拡大していったが、九九年一月に南アのマンデラの仲介によって停戦合意がなされた。ルワンダ、ウガンダ、アンゴラ、ナミビア、ジンバブエが撤兵に合意したものの、停戦協定には当事者であるカビラもコンゴ民主連合も招かれず、コンゴ国内では戦闘が続くという結果をもたらした。

そうした中で、二〇〇一年一月にカビラが大統領宮殿内の警備兵によって暗殺される事件が起きた。再び近隣諸国の介入が起こることを恐れたコンゴの議会は、カビラの息子を大統領に選出した。第二次コンゴ戦争は〇二年に正式に終結するが、終結に至るまでに五五〇万人以上もの死者を出していた。

コンゴ戦争が容易に停戦に至らなかったのは、コンゴの天然資源（金やダイヤモンドの他、多くのレアメタル）の豊かさによるものだった。それらを政府が独占したので、国民に不満が蓄積し、そこに民族問題も重なったのである。周辺諸国が介入していたのも、民族問題だけでなく豊かな天然資源を求めたところがあった。

コンゴ政府はその富によって兵器や傭兵を集めたことで、広大なコンゴに軍を展開できた。但し、戦闘は政府軍ではなく民兵によって行われており、統制のない民兵部隊が大規模な強姦や虐殺を行った。政府や組織のトップが停戦の合意をしても、末端の兵士が勝手に戦闘を継続する事件が相次ぎ、停戦の機会は度々失われていた。〇二年の最終和平合意の後も近隣各国との戦闘は頻繁に起こっており、治安の悪化は現在も改善されていない。

第12章

新自由主義の世界

1　グローバリズムとIT革命

①日本は何に負けたのか？

日本国内で政権争いをしている間に世界は大きく変わっていた。その変化とは、技術の構造が「ものづくり」からIT（情報関係の技術）へと移行したことであり、さらに中国をはじめとした新興国が工業化したことである。とりわけ中国の膨大な労働力は大きく影響した。それらは世界の経済構造を変化させていたのだが、バブル崩壊後の日本では、自民党が内紛に終始するなどして世界の動向について行けなかった。

そうした日本を余所《よそ》に、中国は安価で豊富な労働力を武器に外国企業を誘致して、世界の工場となることで工業化に成功した。世界は生産の分業体制を構築するようになり、とりわけ人件費の安い中国はその生産プロセスを担った。米との貿易関係が深化し、米にとって日本と同等の輸入比率を占めるようになった中国は、二〇〇一年にはWTO加盟を果たし、GDPでも日本を抜いて世界第二位の経済大国となった。日本はこれに対して、従来型の産業構造を転換できず、中国との関係づくりにも全く出遅れることになった。

日本企業が活躍した一九八〇年代までの製造は、部品の製造から製品化まで国内産業が統合的に行っていた（垂直統合方式）。精密な日本の製造は確かな技術で信頼ある製品を生み出し、それが日本の強みであった。しかし中国の工業化によって、製造工程の大部分を中国に発注した方が合理的になった。工場をもたない製造業（ファブレス）が登場し、収益率が低い製造工程は自社から切り離して、収益率の高い開発・販売だけを行う企業が登場した（代表的な企業がアップル）。国際分業が可能となったことは、世界の製造業のあり方を一変させた。そして、そうした生産方式への転換を真っ先に遂げたのが米であった。

②アメリカはなぜ大国でいられるのか？

クリントン政権は「双子の赤字」の解決のため、支出削減と増税によってドルの信用回復に努めた。ドル高を維持して海外からの投資を呼び込むとともに、高額所得者の所得税率を引き上げた（累進課税）。失業者への福祉は削減するのではなく、受給条件に将来の就職を加えるなどして改変した。従来の製造・重工業中心の経済体制からIT産業や金融を重視する経済に転換し、IT教育も推進した。教育に力を入れることは政府の新たな介入の形態であり、新自由主義の否定であった。これらは「クリントノミクス」として知られるようになる。

これまでの米では、共和党が高所得者層を優遇したのに対して、民主党は貧困層をターゲットに政策を展開してきた。それに対してクリントンは「忘れ去られた中間層」を打ち出して、中間所得層の減税実施を方針にした。かつての民主党の貧困層最重視の傾向を、中間層および貧困層へと改めたのである。かつ国防費の削減と本格的な増税を実施した。

減税とマネーサプライによる新自由主義に比して、クリントン政権は民間の経済活動に積極的に関わり、雇用の創出や経済競争力の強化を目指した。労働者の最低賃金を引き上げて、労働力の質的向上を図った。市場の動向やマネーサプライよりも、消費者と生産者の取引に着目し、需要と供給の関係を分析するのが「クリントノミクス」であり、その結果、低所得者層の給料は増加し、失業率も抑えられた。

またクリントン政権は積極的に公共政策を拡大した。それは自由競争が原則とされた従来の経済政策の方向転換であり、公共事業への投資拡大を契機に民間の投資を呼び込んだ。他にも、それまでに米軍が蓄積してきたハイテク技術の情報公開を推進することで、民間の技術革新を促した。米の企業は業績を回復し、ＩＴ産業は世界的に拡大して高い経済成長を見せると、ついには「双子の赤字」を解消させた。

クリントン政権は、長らく米を悩ませていた「双子の赤字」を解決するほどの成果をあげたが、同時に多くのスキャンダルを抱えた。それらは不正会計や不正融資にまつわるもので、いずれも確かな証拠がないままであったが、九八年に浮上した大統領自身の女性問題については逃れることができなかった。クリントンは女性問題とほぼ同時に、内戦の起きていたアフガンやスーダン（国内のムスリム勢力間の衝突）への爆撃を行ったが、スキャンダルから目をそらすためだとの批判を受けた。クリントンは二〇〇〇年の任期で辞任するが、民主党は選挙に勝つことができなかった。

③グローバリズムの影響とは何か？

ＩＴ革命後の世界はグローバル化の潮流を迎えた。地球上を一つの共同体と考え、経済・社会の全体的な発展を目指す思想としての「グローバリズム」が登場し、他国籍企業が国境を越えて地球規模で活動する時代だとされた。しかし、それは同時に自由貿易や市場主義経済を全地球上に拡大させる性格を併《あわ》せ持ち、米国中心のルールづくり（Americanization）としての「新自由主義」展開の前提にもなった。

交通・通信の世界的な拡大が国境を越えた人的・物的交流をもたらし、世界規模の動きが飛躍的に高まったが、その影響によって国家間の相互依存が格段に進み、同時に多国籍企業による寡占《かせん》状態をも広めた。大資本による寡占状態は、資金・資本に乏しい国家の成長を構造的に抑制し、低開発国では産業が多国籍企業に支配されることになりがちなのである。

資源価格が高騰した場合には、資源国と無資源国の格差が発生し、資産のない国家や個人の貧困を固定化していく。そのため有力な産業が少ない無資源国にとっては、世界を一つの市場として共有するメリットが無くなってしまう。

また、グローバル企業による好景気に湧いた米でも、オバマ大統領就任時の〇九年には国民の七人に一人が貧困層であった状況に見るように、多国籍化した大企業の利益が国民全般の利益には結びつかず、格差を助長することも問題である。

地球市場の統合としてグローバル化を見た場合には、新自由主義の拡大と相まって優勝劣敗・弱肉強食の経済競争の傾向が表れがちとなった。そして主導的立場にたった米が、民主化と貿易自由化を発展途上国や低開発国に強要するようになり、その際に軍事力を背景にするため、グローバル化は大国の軍事増強とも結びついた。それは、中国が経済発展し、ロシアが安定を求めた時に、冷戦的な大国間対立を再構築する可能性をもっていた。

2　新自由主義と「ネオコン」の暴威

米では、ジョージ・ブッシュ（ブッシュJr）が共和党の代表として就任した。湾岸戦争を指導したブッシュの息子である。石油会社を経営していたブッシュJrは、一九九四年にテキサス州知事となり政治家になった。テキサスでは、クリントン政権期での好景気を背景に二〇億ドル以上の超過歳入を出し、その利益を減税に使用した（州の最高減税額を記録）。企業の経済活動を援護する「経済右派」としての評価を確立することになり、共和党候補となった。大統領選でも一兆三五〇〇億ドルの減税を公約に掲げた。

①タリバン政権はいかに登場したか？

クリントン政権の末期に行われたアフガンやスーダンへの武力攻撃は、イスラム主義を標榜して国際的に活動していたムスリム勢力との対立を問題にしていた。

アフガンでは、ソ軍が撤退した後も国内の民族紛争による混乱が続いており、ソ連侵攻時にも増して荒廃していた。各地が自警のために武装し、村々を牛耳るムジャヒディンが軍閥化し、その間での武力抗争が始まったことで無法地帯と化したのである。

その中で人々の治安や生活を護ろうとする組織が発生した。治安の回復に努め、誘拐された村人を救出するなどして人々の支持を得るようになった。その組織をタリバン（ムスリム学徒の意）と言った。タリバンは、厳格な規律をもってルールを敷き、軍閥を駆逐していった。軍閥政治に疲弊した社会で民衆は彼らを支持し、ついに九六年に政権が樹立された。

またタリバンはパキスタンの支持を得ていた。インドと対立するパキスタンが、アフガンを親パキスタン国家にしようと、タリバン政権の樹立を軍事・財政面で後押ししたのである。アフガンの軍閥からパキスタンに逃れてきたアフガン難民に訓練や武器を供給し、アフガンに攻め込ませるなどしたのだった。タリバンを中心とした勢力は、パキスタンによる最新兵器によって勝ち進み、彼らの信奉するムスリム原理主義による統一を図った。

かくしてアフガンにはタリバン政権が樹立されたが、政治経験のないタリバンの政権運営は遅々として進まなかった。そのうえ民衆のタリバン離れを抑えるために恐怖政治を敷き始めた。

そして、そこに国際テロ組織である「アルカイダ」（ムスリム指導者をムハンマドの子孫に限らず選ぼうとするスンニ派の一つ／アフガンはスンニ派が大多数）が来訪した。アルカイダは当時既に米の施設に対するテロ攻撃を始め、反米組織となっていたのだが、タリバン政権は、アルカイダを率いたビン・ラディンらに庇護を与えた（ムスリムの教えでは客人をもてなし、敵対する者に客を引き渡すことなどはしない）。そのために、タリバン政権とテロ組織との関係が築かれることになった。

②アルカイダとはどのような組織か？―「9・11同時多発テロ」

アルカイダの創始者であるビン・ラディン（Usāma bin Lādin）は、もともとは米からの支援を受けて、ソ軍と戦っていたムジャヒディンの一人だった。ソのアフガン侵攻に対抗するために、米のCIAが訓練したムスリム義勇兵によって組織されていたのがアルカイダだったのである。アルカイダは、パキスタンとサウジとの共同の下に、当初はソ軍と戦っていたが、その後ソ軍が撤退したため、ムスリム政権を樹立した。

しかし、九一年の湾岸戦争において米軍がムスリムの聖地（メッカとマディーナ）に常駐すると、アルカイダは反米意識を高めるようになり、米を標的としたテロ活動を起こし始めた。米は、アルカイダの指導者とされたビン・ラディンを国際犯罪者として指名し、これを匿うアフガンのタリバン政権と敵対した。そして、両者の対立の頂点として起こされた事件が、二〇〇一年の「9・11同時多発テロ」である。

米国内の旅客機四機がハイジャックされ、ニューヨークの世界貿易センタービルと、国防総省（通称：ペンタゴン）の本庁舎に機体を衝突させた。うち一機は乗客がハイジャッカーと格闘して途中で墜落させたが（ユナイテッド航空93便）、その機はホワイトハウスへの突入を謀っていた。いずれも旅客機の乗員・乗客は全員死亡した。米国本土に初めて被害をもたらした大規模テロは、その後の「アフガン戦争」・「イラク戦争」へと関係づけられていくが、テロ組織が複数の計画を同時に実行する犯行は、それまでのテロの概念になく、事件にはそうした新しさがあった。

ブッシュは徹底抗戦を表明し、大統領権限を強化した。「大統領がテロを計画、承認、実行、支援したと判断した国家、組織、個人に対して」は攻撃できるという新たな法を決議した。これが非常時の緊張感を背景として、上院・下院ともにほとんど満場一致で可決されると、ブッシュ政権はテロ組織がタリバンであると断定し、タリバンが政権をとるアフガンへの侵攻が決定された。但し、タリバンはアルカイダと同一組織ではないし、それ以前にタリバンとは運動組織（非国家主体）であって国家ではない。そのため米国が非国家主体に戦争をしかけることは、国家と国家で行われるはずの戦争の形態からは逸脱した行為だった。

ところが、従来のテロをはるかに上回る過度の被害から、「戦争」形態によって9・11への報復がなされても黙認されるような被害感情があった。ブッシュはテロがもはや戦争行為なのだと述べ、その支持率は九〇%以上にも達した。国連も米への同情的態度を示した。世界に同時中継されたテロ被害のニュース映像が繰り返されたことで、そうした雰囲気がもたらされたのである。そして一〇月七日からアフガンへの侵攻が始まった。

アフガン侵攻の主体となったのは「有志連合」としての英・仏・加・独の派遣軍隊で、国連軍は出動しなかった。国連の決議によるものではなかったためＰＫＯの対象にもならなかった。テロを行ったのはアフガン政権ではないのに、それでもアフガンに対して戦争をしかけることに正当性があるのかという問題は結局のところ解決しないいままだった。

米軍は圧倒的な軍事力でアフガン政権を打倒し、二ヵ月間程度でタリバン政権を壊滅させた。その後は暫定政府が求められ、国連による復興計画が開始された。その後一一年に、米軍がビン・ラディンをパキスタンで発見・殺害したとの報道があった。遺体は秘密裏に水葬されたことになっている。

③イラク戦争の理由とは何か?

ブッシュ政権は事件を契機にイラン・イラク・北朝鮮との戦いを表明した。「国際テロ組織」・「ならず者国家」、「悪の枢軸」などと批判し、自国を防衛するためには先制攻撃が必要だと主張して、積極的な武力行使を表明した。そして実際にイラクへの軍事介入を行なった。

イラク侵攻の根拠は、イラクが安保理の決議に違反して、大量破壊兵器を保持している疑いがあるというものだった。またイラクには、湾岸戦争以来の国連による経済制裁をすり抜けて密貿易を行い、軍備増強を行っているという観測が前からあった。

米は9・11テロが起きてから、イラクとアルカイダの関連性を疑い始めるようになっていた。そこへイラクと敵対するイスラエルの元首相(ベンヤミン・ネタニヤフ)が訪米し、イラクのサダム・フセイン大統領が核兵器を開発しているとの情報をもたらすと、米はイラクとの開戦に踏み切ったのであった。

しかし、イラク攻撃に対しては、仏・独・ロ・中の各国からの強い反対が起きた。大量破壊兵器については国連の査察に任せるべきであり、米の独善的な判断によって行われるべきではないとの批判である。英は参戦を選んだが、それに反対して辞任する閣僚が相次いだ。

仏でもシラク大統領(Jacque Chirac)は自身が保守派で、核実験を進めた立場でありながらも、独のシュレーダー首相とともに開戦に反対した(シラクは仏の独自外交を主張し、就任とともに核実験を行って国際的非難を浴びた保守派。核武装による自立を訴え、その独自外交の理念は当時の仏国内では支持された)。

このように世界的懸念を押し切って進められたイラク戦争では、「ハイテク兵器」が用いられ、GPSやレーダーによる誘導爆弾など高性能兵器によって特定の拠点を効率的に破壊する戦争が展開された。軍事的要所のみを精密に狙って破壊する「ピンポイント爆撃」が実施され、米の兵器の威力・性能が誇示された。連合国側の一方的な勝利のうちに終了し、フセイン大統領は逮捕されて、イラクには占領政策が開始された。

米英がイラクを攻撃したのにはイスラエルとの問題が関係していた。米ではプロテスタント福音派（国民の二五％を占める）がイスラエルを支持しており、米での親イスラエル政策は彼らの支持を得られる政策となる。そして米がイスラエルを経済支援し、イスラエルが米から兵器を買い上げるという関係が米の軍需産業を支えてもいる。兵器は生産すればどこかで使用せねば採算を得ないが、それがイスラエルであり（次いで日本）、米の軍需産業の構造（輸出と生産）を支えているのである。そして中東の石油利権はその中心的な課題であり、その利権は英にとってもまた同様の問題である。

イラクの占領統治は米英や連合国暫定当局が担ったが、その後の現地では米軍を狙ったテロが絶えず、米軍には湾岸戦争時以上の犠牲者が出た。反米テロが激化したのは、イラクのテロ容疑者らが拘束される収容所で、米兵がイラク人を拷問していることが発覚したためだった。米兵による虐待・強姦が度々起きており、それがテロを引き起こしていたのである。

そして侵攻の大義名分であった「大量破壊兵器」はついぞ見当らなかった（というよりも核兵器がないと思っているからこそ侵攻できた）。しかし、それでもブッシュは中東の非民主国がテロの温床になっているとして、サウジやシリアなど王制の国を米が民主化していくべきだと宣言した。これに対して中東各国は「アメリカ式」を押し付けるものだと批判したが、ブッシュ政権は米が世界の民主化の旗手であるとアピールし、中東の民主化を推し続けた。こうした姿勢は、軍事大国としての米の覇権に対する世界的な懐疑や嫌悪を生んだ。世界各地のムスリム教徒が米の自国中心の態度を非難した。その非難はやがて米国内でも広がり、ブッシュの支持率は低迷した。

④アメリカ・ファーストの「ネオコン」とは何か?

ブッシュ政権の外交方針は、「米の価値観による民主主義」を世界に移植することだった。これはかつての共和党の伝統的な「他国不干渉主義」(モンロー主義)からは逸脱した外交と言える。米の二大政党の傾向では、民主党が負担を顧みずに民主主義の理念(民族自決・国連創設などの世界秩序の構築・「近代化論」(ロストウ路線)・「ニューディール政策」など)を拡大させようと国内外で行動するのに対し、共和党は米の負担になるような行動は避け、謂わば「米ファースト」の態度をとってきた。

ところが、ブッシュ政権はアフガンやイラクのような非民主国への直接的な軍事行動をとった。この傾向は、共和党の伝統的な保守主義とは分けて考えられ、「新保守主義」または「ネオコン」(ネオ・コンサバティブ)と呼ばれる。

ネオコンの外交方針を、従来の保守主義・伝統外交(モンロー主義)から見た場合には、ブッシュ政権には外国への過剰介入が目立ち、その高いリスクを自ら負う点で立場が異なっている。また国際的な比較として、軍事力を重視する「現実主義」(勢力均衡論/『明日のための近代史』、第2章3)から見れば、ネオコンは勢力均衡の原則を破り、理想主義を押し付けているということになる。しかし、理念外交を重視する「理想主義」(相互依存論)から見ても、武力行使を積極的に選択する点でネオコンは異質である。

ネオコンの政策傾向は、レーガン政権から徐々に現れており、「利益にならない外交はしない」という共和党の方針は少しずつ変容しつつあった。たとえリスクがあっても米の価値としての民主主義を世界に広めようとする点では「理想主義」的ではあるが、そのために軍事力に依拠する点で「現実主義」的な性格がある。つまり、「他国に干渉する保守主義」なのである。そしてネオコンは、経済政策においては「小さな政府」を目指すこともまた特徴である。

ブッシュ政権は、石油企業・軍需産業とキリスト教右派（反イスラム）を支持母体に成立していた。ブッシュの出自は石油会社の経営者であり、「反イスラム」の姿勢はパパ・ブッシュの政権期から伝承されたものでもある。また、副大統領のチェイニーも石油会社の経営者で、ブッシュ政権自体に軍産複合の体系があった。そして中東の原油に関する利権を追求する姿勢から武力行使も辞さないタカ派外交を展開した。

経済政策では新自由主義路線によって、自由の権利と所有権とを拡大させようとした。そして減税と自由貿易が目指されたが、実際には二つの戦争による膨大な軍事支出により、クリントン前政権期の財政黒字を消却してしまった。即ち、財政を犠牲にしてでもタカ派外交を展開したために、米はまたも新自由主義の下で不況を迎えることになった。

こうした性格は、「アメリカ覇権主義」・「新帝国主義」との批判を世界中に噴出させた。また国内には深刻な経済格差が生まれたが、富裕層に有利な政策を実施し、格差は広がるばかりであった。クリントノミクスで回復した経済力をすっかり食い潰したアフガン・イラク戦争は、その都度ブッシュや政府関係者が所有する関連企業に莫大な利益をもたらした。その後、ブッシュ政権は上下両院の選挙において民主党に大敗することになる。

3「自民党をぶっ壊す！」

産業構造の変化に対応できなかった日本はさらに衰退した。失業率は上がり、就職難が継続した。情報化が進んだことで社会の多様性を生み出したが、不況の中では展望を開き難かった。改革が求められる中で登場したのが小泉純一郎であったが、その改革とはグローバルスタンダードと称した新自由主義の推進であった。

①自民党の保守とはどのような性格か?

ブッシュはイラク攻撃を「国連安保理の決議も必要ではない」との独善的姿勢で行った。その態度に世界中から不信感が出た中で、ブッシュを強く支持したのが日本の小泉政権だった。

小泉の政治的基盤は、岸・佐藤派からの継承派閥・「清和会」(旧福田派)である。「憲法改正」・「軍備拡充」を目指す復古的なタカ派色があり、外交においては親米傾向が強い。「清和会」は福田赳夫の首相退陣直後に結成され、安倍晋太郎が派閥の長を後継した。当時の清和会には、三塚博・加藤六月・塩川正十郎・森喜朗らが「安倍派四天王」として所属した。一九九一年に安倍が急死したため、四天王の中から三塚博が後継会長になったが、その中で台頭したのが小泉である。三塚の後の派閥領袖には森が就いて、小渕の死去に伴い組閣した。「清和会」は「清和政策研究会」に改組され、それを小泉が実質的に支えた。嫡流派閥としての「清和政策研究会」は、小泉内閣期に自民党内の第一派閥の地位を占めることになる。

既述の通り、森喜朗の首相就任には不透明性があり、国民感情を逆なでしたところがあった。実際には、自民党の幹部「五人組」(幹事長(森)・官房長官(青木幹雄)・参議院議員会長(村上正邦)・幹事長代理(野中広務)・政調会長(亀井静香))の間で話し合われて、森が選出されていた。森内閣の官房長官には「清和会」の派閥領袖の二世である福田康夫・安倍晋三が就任したが、それは小泉による人事だった。森内閣の支持率は低調だったが、党内の主流派となった清和会は他派閥を切り崩していった。それによって小泉は党内での地位を固めていった。

首相に就いた小泉は「テロ対策特別措置法」・「イラク特措法」を制定した。海上自衛隊を米軍の後方支援のために出動させ、陸上自衛隊を復興支援のために海外派遣させられるルールをつくった。「イラク特措法」の影響から、自衛隊では射撃能力の向上を図るとして、「至近距離射撃と制圧射撃を重点的に練成して、隊員に射撃に対する自信を付与した」としている（『イラク復興支援活動行動史』）。万が一の戦闘の際の攻撃の根拠は九条との整合性を考慮し、「自己保存」（正当防衛）とされた。しかし実際には、「危ないと思ったらとりあえず撃って、事情聴取で急迫不正の侵害があったと説明するように指示された」と証言されている。憲法など無視して、米の手伝いをするのが特措法の目的だった。

一方で、小泉は〇二年九月に北朝鮮を電撃訪問して「日朝首脳会談」を実現すると、拉致問題の解決・植民地支配の清算・国交正常化に向けての「日朝平壌宣言」を調印した。北朝鮮によって行われていた日本人拉致の事実を認めさせたことで、金正日総書記からの謝罪を引き出した。

米のイラク攻撃を強く支持した小泉は、陸上自衛隊をイラク南部のサマーワに派遣した。派遣は小泉がブッシュの私邸で約束したものだった。「人道復興支援」を目的とする派遣としたが、他国の軍隊がテロで犠牲者を出している最中での派遣には、反対の声も多かった。そして、その渦中にイラクにいた民間邦人が現地の武装集団に拘束される事件が起きた。人質をとった武装集団は自衛隊撤退を要求した。

ところが、小泉は外交手続きは行うものの撤退の要求は明確に拒否した。人質に対する「自己責任論」を展開し、野党や一部のマスコミから批判を受けてもブッシュ支持の姿勢を崩さなかった。人質事件は結果的には犠牲者を出さずに解決したが、小泉は事件後の被害者に外交経費を請求し、「責任がもてない者は危険地域に行くな」との自己責任論の姿勢も決して崩そうとはしなかった。それ以上に、日米同盟こそが外交の基軸であることを強く表明し続け、〇四年には「米軍と自衛隊の行動を円滑かつ効果的にする有事法制」を成立させた。

②「自民党をぶっ壊す」は何を意味したか?

「自民党をぶっ壊す!」と声高に唱えて登場した小泉は、メディア戦略に力を入れ、派閥に左右されない「官邸主導」を表明した。解かりやすい言葉で熱弁をふるう小泉の演説は国民の政治的関心を集め、街頭演説に数万人を集めたほどだった。回復し難い不況に陥り、リストラが社会問題化した中で、従来の自民党を辛辣《しんらつ》に批判して見せる小泉は、閉塞《へいそく》した政治状況を打開する期待を集めて「小泉旋風」を巻き起こした。

改革の主眼は国営事業の民営化である。経済学者の竹中平蔵を経済財政政策担当大臣に起用し、民営化を軸とする「構造改革」を掲げた。民営化の対象は、道路公団・石油公団・住宅金融公庫・交通営団の各団体に向けられた。これらは族議員からの反発を受けたが、小泉は自身の「構造改革」に反対する政治家らを「抵抗勢力」だと批判し、表立って対立した。そうすることで、改革を進める内閣と、それに干渉して妨害する「抵抗勢力」との対抗図式を描いて見せたのである。

郵政民営化・道路公団民営化・不良債権処理・規制緩和を課題とした改革は、テレビ・新聞・ウェブサイトに頻出する議論になった。改革の賛否をめぐる論戦が国民の目に映され、「改革派」と「抵抗勢力」の対立構図は具体化したが、それは誰が小泉改革に反対しているのかを目立たせる効果をもった。国民の高い支持率を後ろ盾に、「自民党政治」(派閥や政治手続きの慣行)を無視した改革を進めたのである。

中央省庁の再編も進められ、〇一年には大蔵省が解体された。橋本内閣時の方針に沿った解体だったが、それまで業界を操作する立場にあった銀行局・証券局を大蔵省から取り外し、金融庁として独立させた。バブルや不祥事(住専問題や天下り)の原因が大蔵省のあり方に求められ、その権力構造を解体するためだった。そして大蔵省は財務省に改められた。

民営化の中でも、小泉の最大眼目は「郵政民営化」だった。しかし、党内では反対が根強く、国会では自民党の造反議員が続出して民営化法案が否決された。小泉は直ちに衆院を解散して「郵政解散選挙」に打って出た。

総選挙では、小泉が法案に反対した自民党の議員全員に自民党公認の看板を与えず、その選挙区には「刺客」候補を新たな公認として送り込んだ。小泉自身が出演するテレビCMによって郵政民営化の賛否が総選挙の争点であることを押し出し、「抵抗勢力」を打ち倒す選挙なのだとイメージづくりを行った。「刺客」候補には多くの新人女性候補が擁立されており、それもメディアの関心を集めた。「小泉劇場」と呼ばれた「郵政解散選挙」は無党派・無関心層の支持を集めた結果、三〇〇議席を超える圧勝となった。再提出された「郵政民営化法案」は衆参両院の可決を得て成立したが、それは前回の審議において反対票を投じていたはずの多くの議員の賛成を受けて成立していた。

小泉は、以前に経世会支配に対する反旗を翻し（YKK）、造反行動をとった。それは自民党の嫡流でありながら弱小だった福田派からの反旗だった。敗れた小泉はその後に宮沢内閣で郵政大臣となり、民営化の方針をこの頃から立てるのだが、そもそも郵政省とは田中派の牙城なのであり、経世会支配の基盤の一つだった。党内で民営化の反対が多かったのもそのためであるし、福田派にとってはこれを破壊せねば、首相を輩出する派閥になどなれなかった。それが「自民党をぶっ壊す」や「派閥にとらわれない官邸主導」の意味だったのである。選挙では景気対策として民営化を語っていたが、その実は自民党内の派閥争いそのもので、財政政策は何らの功も挙げなかった。しかし、小泉の派閥は党内での最大勢力となることに成功した。

③日米両国に保守政権が成立するとどうなるか？

新自由主義の政策に対して多くの日本国民には誤解があった。バブル期の記憶による誤解である。新自由主義は中曽根内閣がバブルを演出した際の政策だったがために、景気対策として有効だとの誤った印象があった。そしてその誤解は「小泉劇場」の虚飾によって解かれることがなかった。

小泉には郵政民営化の他にもう一つの政権公約があった。それは総裁選で「必ず参拝」すると公言していた靖国神社の公式参拝である。小泉は、いかなる批判があろうとも八月一五日に必ず参拝するとして、首相就任以前より公式参拝を宣言していた（公式参拝とは、公用車を使用し、または玉串料を国費から献納する参拝）。そして、その公式参拝の前例こそが中曽根の参拝である。それは、新自由主義＝「保守の政策」というさらなる誤解を広めることになる。

但し、中曽根政権と大きく異なったのは、中曽根が中国の親日派との関係を構築していたのに対し、小泉にはそのようなパイプなどなかったことである。中国との関係の違いは、田中派の協力を得ていた中曽根内閣と、岸の系統に属する「清和会」（福田派）との差でもある。小泉の発言に対して、中国・韓国からは早々に懸念の声が寄せられていた。外交のパイプのない小泉は中韓に対する配慮から、〇二年には八月一三日に参拝し、以後は、八月を避けて参拝した。参拝の公私の別については明言しなかった。

しかし、このような諸事情を理解する国民はほとんどいなかった。高い支持率を誇った中曽根内閣を模倣するほど小泉への支持も集まった。バブルは新自由主義の恩恵などではなく、また中曽根政権期とは全く別の派閥によってなされているのに、国民の理解はないまま進められた。新自由主義の採用により、国債発行額の抑制や公共事業を削減し、医療費・年金などの社会保障も削減された。その一方で相続税の減税は行っており、富裕者に有利な政策を行った。そして小泉はブッシュとの個人的に良好な関係をアピールし続けた。私的交流の機会をつくり、ジョージ・純一と呼び合うなどして、うち解けた関係を度々メディアに流した。

小泉行政の規制緩和によって「労働・土地・貨幣」が商品化され、所有権拡大の名の下に「土地ころがし」や、労働力の商品化・貨幣売買（空売り）が拡大した。社会では、非正規雇用者が増大し、深刻な格差問題が起きたが、それだけでなく失業などに対する社会的保障が不整備であったために、失敗すると立ち直れない構造が社会化した。それはまさにブッシュ政権と足並みを揃えた新自由主義の推進による「構造改革」なのだった。

米の政策に同調し、競争重視の「結果主義」や「自己責任論」が一般社会にも現れると、リストラ・非正規雇用の増大が助長され、「ワーキングプア」や「弱者切り捨て」の態度が社会問題となった。そして、このような「弱者切り捨て」の体質が指摘された場合には、構造改革は「痛みを伴う」ものだと言い逃れした。

一方、米では国防省が世界に展開していた米軍の配置を見直していた。大量破壊兵器やテロに対する即応可能な体制が目指され、太平洋からインド洋にかけて（東シナ海、北朝鮮、台湾海峡、中東、北アフリカ）の新体制が構想された。その体制は、日本の自衛隊と共同して築くことになっており、自衛隊と在日米軍の役割分担を定める「ガイドライン」が新たに作成された。これによって、米の世界戦略の中に自衛隊が位置づけられ、沖縄の米軍基地移転問題の変更や、原子力空母の横須賀配備、自衛隊の全国的再編成までもが求められることになった。小泉は全面的にこれを受け容れた。

「有事法制」も成立させたが、それは福田派の課題でもあった。小泉の父・純也は佐藤内閣期の防衛庁長官で、その際に密かに研究されていたのが有事法制だった。その研究は福田赳夫内閣期に動きを見せた

サンクトペテルブルクでのサミット（2006年7月）
（226頁と比較されたい）

が、立法は見送られていた。つまり、福田赳夫内閣以来ようやく成立した福田派内閣において復活したのが有事法制だったのである。

米の共和党に同調した新自由主義の採用や、富者優遇の政策、マスコミへの積極的な露出は、いずれをとっても中曽根内閣に先例を見ることができる。長期政権を維持した小泉内閣は任期満了により退陣することとなるが、任期満了による退任はまさに中曽根政権以来だった。そして、首相として迎える最後の八月一五日に小泉は靖国に参拝した。小泉引退による総裁選では、岸信介の孫である安倍晋三（官房副長官）が選出され、清和会政権が確立することになる。

4　新自由主義がもたらしたもの

①共和党は「嫡流派閥」をどう見たか？

小泉は中曽根政権を模倣し、米との蜜月関係も再演しようとしたが、それに対して米側は日本を冷ややかに見ていたという負の側面までも中曽根政権時と同じく繰り返された。

日米間の貿易摩擦として現れた米国産牛肉の輸入問題では、米は自国の利益を護るために日本に輸入を強要した。小泉がブッシュの独善を支持しても、米は日本に配慮などしなかった。また、ブッシュ政権の強硬外交が米国内で強く批判を受けると、ブッシュは北朝鮮に対しては融和的な姿勢に軟化した。純一郎が拉致問題に強く臨もうとしたのに、ジョージはその後ろ盾になるような行動はとらなかったわけである。

小泉政権による国内政治への影響は何より「清和政策研究会」（福田派）が台頭したことである。自民党内では、小渕内閣で官房長を務めた野中広務《のなかひろむ》が引退したことで旧竹下派が退潮したのだが、経世会支配に抵抗してきた小泉が主導権を掌握すると、党の慣行は次々に改められていった。二〇〇三年の総選挙で絶対多数の議席を確保すると、小泉は選挙候補者の資格を制限して七三歳定年制を導入した。その対象は中曽根と宮沢であった。小泉は長老に引退を勧告したのである。

中曽根は、選挙制度が「小選挙区・比例代表制」へ移行した際に、比例代表の北関東ブロックにおける終身一位を約束されていた。小泉による引退勧告は、党執行部が約束していたことを小泉が一方的に破棄したことになる。中曽根本人は「政治的テロだ」と強く反発して、記者会見において引退しないことを公言したが、定年制は覆せなかった。

後に中曽根は小泉に対する評価として、小泉内閣の最大の功績はアフガンとイラクへの自衛隊派遣によって国際貢献をしたことだとし、最大の失政は参院で否決された郵政民営化法案を成立させるために衆院を解散したことと述べている。そして、「小泉内閣は、私がやったような政治の本道、たとえば財政とか行革とか教育ではなくて、道路と郵政をやっただけだ。どちらかと言えば端っこのことだ。それを劇場政治として面白くやったんだな。俺に言わせれば印象派の政治だ」と述べた。中曽根にしてみれば、自身の政治主導をそっくり真似た小泉に引退を押し付けられたのであった。

小泉はイラク戦争を強く支持して、自衛隊派遣の他にも米国債の購入による後方支援を行った。続く安倍内閣でも、米軍基地の名護市辺野古への移設推進を改めて表明したり、集団的自衛権の行使を可能とする安全保障法制を進めることになる。それは、沖縄へのさらなる負担転嫁を前提にしたものだった。

小泉政権期には、米軍ヘリ墜落事件が起こり、その対応をめぐって沖縄の稲嶺恵一《いなみねけいいち》知事は首相に面談を要請したが、小泉はこれを拒否した。安倍政権では、沖縄で自民党公認候補が選挙に敗北しながらも、基地移設は粛々と進められようとした。それまでの沖縄県知事は、旧田中派（橋本・小渕・野中・梶山など）とのパイプがあったが、福田派が最大派閥となったことで沖縄の政治ルートにも変化が生じていたのだった。

②「ガイドライン」とは何か？

安保条約は、冷戦が終わると何らかの補強なしに存在意義をもつことができなくなった。そのため「ナイ・レポート」の中でそれは改めて定義された。しかし、そこから改定された「新ガイドライン」は、日本の平和や安全には直結しないような自衛隊の活動まで認める内容になっていた。

「日米防衛協力」と称するガイドラインは、日本が他国に攻撃された際の自衛隊と米軍の具体的な役割分担を定める文書であるが、ガイドライン自体は条約ではないため、両国の閣僚間で作成できるとされている（日米安全保障協議委員会）。つまり、国会承認を経ることなしに策定されてきたのである。とりわけ新ガイドラインでは、日本の軍事分担を「日本防衛」のみならず、アジア・太平洋の「周辺地域」での米軍の軍事行動に対する兵站支援・情報支援に拡大したことから、日本の軍事戦略方針である「防衛計画の大綱」にも影響を与えるにも拘わらずである。その上、高度に政治的な安全保障の枠組みにまで多大に影響を及ぼし、条約の性格をも変えてしまうのに、「ガイドラインは条約ではないから」との理由で国会の審議もなく策定されている。しかし事実としては、安保条約の「極東条項」を変更してしまっているのは既述の通りである（287～288頁）。

新ガイドラインでは、日米両政府が「相互協力計画」を「平素から検討」するとして、朝鮮半島での有事を想定し、日本が直接攻撃されていなくても自衛隊が米軍の活動を後方で手伝えるよう改定された。軍事行動をとる米軍に対して自衛隊・国交省・警察庁が協力し、兵站・情報・船舶検査・機雷除去・捜索・救難活動を米軍に提供する。その活動範囲についても、「周辺事態」（日本周辺で日本の平和と安定に影響を与える事態）に対応するとして、明確な地域は限定されなかった。そして、この「周辺事態」の解釈は現在も拡大し続けている。

さらに九八年には、自衛隊と在日米軍・米太平洋軍とが共同する作戦までが計画され、共通の実施要領を確立した。その後、「緊急事態において各々の活動に関する調整を行うため」の調整メカニズムを「平素から構築しておく」として、それを策定するための「日米政策委員会」が新設された。委員会は内閣府・外務省・防衛省の課長レベルの実務機関になっており、日米の「共同作業」の焦点は既に政治レベルにシフトしていた。

そして、共同作戦を策定するにあたって、日本には軍事行動の実施を可能とする法整備も必要になった。それが、九九年に公明党の「ばら撒き政策」(地域振興券)の受け容れと引き換えに成立させた「日米ガイドライン関連法」(「周辺事態法」と「自衛隊法改正」)や、二〇〇三年の「有事法制」などである。

これらは、「自衛隊法」の一部を改正し、米軍への後方支援や相互協力のあり方(役務・物品の相互の提供)を定め、自衛官の武器使用も可能にした。自衛隊による武力発動には国会承認が必要とはされているが、緊急時には事後承認で構わないとしている。緊急時でない発動などあり得ないのであるから、実際には国会の承認なども必要ないことになる。

かくして「周辺事態法」が制定され、自衛隊が米軍の活動を後方で手伝えるようになると、翌二〇〇〇年一〇月の「アーミテージ＆ナイ・リポート」(「日米の完全なパートナーシップへの前進」)では、「日本の集団的自衛権の禁止は同盟協力にとって束縛」だとの指摘も出された。

そして〇三年からは「イラク特措法」によって自衛隊員がイラクに派遣された。イラクを「日本の周辺」とする拡大解釈を根拠に派遣したものである。非戦闘地域への限定派遣としながらも、現地では自衛官の事故死が起きた。〇九年までの派遣隊員一九七〇〇名のうち三〇名が死亡したが、戦闘による死亡のほか原因不明の例もある。

米が開始したイラクとの戦争によって日本の対イラク関係が規定され、犠牲までも生み出したのである。

5 「リーマン・ショック」と「世界同時不況」

①韓国のエンタメ産業はどうして発展したのか？

朝鮮半島では二〇〇〇年に初の南北首脳会談が行われた。韓国ではアジア通貨危機に対応しきれずに退陣した金泳三の後、同じく民主化運動の担い手であった金大中《キムデジュン》が大統領となった。金大中は一九五〇年代から韓国の民主化運動を担った政党政治家で、長く軍事政権と戦ってきた。朴正熙が軍事政権を成立させると、金は日本と米とを行き来しつつ独裁反対の活動を展開した。七三年八月、東京にいた金が拉致され、五日後にソウルの自宅前で目隠しをされたまま釈放される事件が起きた（金大中拉致事件）。拉致は韓国のKCIAが実行したものだったが、日本の主権侵害の上での犯行であるため、日本は金の身柄引き渡しを求めた。事件は国際的波紋を広げたが、朴政権は裏で当時の田中角栄首相に三億円の闇献金を渡して収束を図ったと言われている。その後、金はソウルで死刑判決を受け、それは減刑されたものの自宅軟禁を強いられた。そうした経歴の金が軍事政権の崩壊を背景に大統領になると、民主化のみならず北との関係改善も図られたのである。

金大中は親日路線を実施し、歴史問題で膠着しがちだった日韓関係を急速に改善した。九八年に小渕政権との間で「日韓パートナーシップ宣言」を行い、交流の促進を求め合うと、日本のアニメや映画などが韓国に流入するようになった。日本のエンタメ作品は韓国に多分に刺激を与え、韓国の芸能産業は政府政策化していく。

金大中の外交方針は、次の盧武鉉《ノムヒョン》政権にも引き継がれた。ところが〇五年に島根県で「竹島の日」が制定されると当初は良好な関係だった日本との関係は一変した。韓国は強硬な反日政策を展開し始め、反日デモが起きた。さらに、韓国内で戦前に日本に協力して得た財産は政府が没収できるとした弾圧法をつくり、実際にも没収を執行した。

盧武鉉は北朝鮮との宥和方針も継承し、〇七年には第二回の南北首脳会談が開催された。しかしその後の進捗は見られないまま、不正資金の疑いで捜査が及ぶと、盧武鉉は投身自殺した。

次の李明博《イミョンバク》政権は北との対話路線を破棄して強硬路線に転換したが、北でも一一年には金正恩《キムジョンウン》が将軍となると、再び緊張関係に陥った。

②「リーマン・ショック」は何を明らかにしたか？

小泉政権は不況に際して〇三年頃からドル買いを始めた。円安に導いて輸出を伸ばそうとしたもので、円高を防ごうとする政府の為替介入である。政府の為替介入は、米の勧告を受けて直ぐに停止するが、これにより大手輸出企業は利益を上げた。そして景気が上向きになると日本企業は再び生産工場を国内に回帰させ始めた。世界の分業体制には未だ理解がなかった。さらに問題だったのは、その景気回復が米でのバブルに便乗したに過ぎないものだったことである。

米では好景気を背景に〇三年頃から住宅価格が上昇していた。住宅ブームが起きると、低所得層を対象とした住宅ローンが開始された。通常の住宅ローンよりも審査基準が甘く、経済的信用を無視した「サブプライム・ローン」である。貸付の利率も高いのだが、返済に行き詰まった場合でも、住宅価格が上昇していれば家を売却して一括返済でき、さらに売却益を得られるとされた。これによりバブル期の転売と同様、借金による不動産投資が行われるようになった。転売による実価のない資産価値の上昇こそバブルの特徴である。しかし価格は必ず上がるのだとして販売された。

利用者は貧困層の間でも急増した。しかし、〇六年にもなると住宅価格は上がらなくなり、ローン会社の資金繰りが悪化し始めた。サブプライム・ローンは証券化され、金融商品として海外にも販売されていたため、〇七年には日本を含めた世界市場において株価が急落した。これに投資していた個人や金融機関は損失を出した。そのため株を売却する動きが加速し、世界的な株価の暴落を招いた。

そして〇八年には、米の大手投資銀行リーマン・ブラザーズが経営破綻した。サブプライム証券を大量に抱え込んでおり、負債総額は史上最大の六千億ドルになった。リーマンの破綻は、大手の金融機関の業績を連鎖的に悪化させ、国際的な金融危機を引き起こした（リーマン・ショック）。各国政府は税金を投じて銀行に資本注入や損失保証を行い「金融機関の公的管理」に踏み切ったが、国際的な金融収縮が起きたことで市場は麻痺した。米の銀行が破綻したことで「世界同時不況」が引き起こされたのである。

その経済危機は世界恐慌に匹敵する影響があり、世界的取り組みによらねば解決できないと考えられた。そして中国やブラジルなどの新興国の存在が不可欠となったが、何より重要な問題として、いずれの国や地域においても政府の介入なしには経済を支えられないことが明らかになったのである。

そのためこのリーマンショックによって、世界各国の経済外交の舞台がそれまでの主要八ヵ国会議（G8）から、中国・インドなど新興国を含めた二〇ヵ国の「G20会議」へ交代することになった（Gはグループを意味）。

G8は、九八年にロシアがG7（先進国首脳会議）に加盟して成立したものである。途上国との協議の重要性が高まってきたことを背景にしていた。当時のロは途上国を代表する立場として加入しており、かつ米ロ間の関係改善も目的として成立していた。G8は「主要国首脳会議」に名称を改め再編された。九九年になると、さらに一二ヵ国が加わることになり、G20となった（EU、アルゼンチン、オーストラリア、ブラジル、中国、インド、インドネシア、メキシコ、サウジアラビア、南アフリカ、トルコ、韓国）。そしてG20は首脳会合として開催されるようになったのである（それまでは財務大臣や国際金融機関の出席によった）。

ショックの震源地となった米は、巨額の公的資金を投じたことで早期に回復した。一方、不況の余波で株価を暴落させた日本は輸出が減退すると、古い体制のままの製造業の不振を回復できなかった。米中ではGAFAやBATと呼ばれる企業群が成長したのに比して、日本企業は経営縮小を行い、非正規労働者の失業を招いた。格差は拡大するばかりで、新自由主義の政策が貧困を増大させたことは明白であった。

6　政権交代で日本の何が変わったか？

①民主党政権の成立背景とは何か？

安倍晋三は、「美しい国」というテーマの下に「戦後レジームからの脱却」や教育制度改革を訴えて登場した。安倍は、小泉の靖国参拝のために途絶えていた中国・韓国への訪問を表明し、関係改善を求めた。また北朝鮮の核実験に対して国連が制裁を決議すると、これに同調するとともに厳しい経済制裁を実施した。国内では「教育基本法」を改正し、防衛庁を「防衛省」に昇格した。

安倍は良好な日米関係をアピールしたが、閣僚のスキャンダルが続いた。自殺者までも出したことから内閣支持率は小泉政権以降で最低となった。その後も久間章生《きゅうまふみお》防衛大臣が戦時の原爆投下を「しょうがない」と失言し、直後に辞任するなど閣僚の失態が続いた。久間の後任には小池百合子（小泉政権による郵政選挙での刺客候補の一人。後に東京都知事）が就いた。

安倍内閣は郵政民営化に反対して除名された議員らを復党させたが、世論の反発を招き、そこに「消えた年金問題」までが起きた。支払ったはずの年金が社会保険庁の不手際で支払われないという不祥事事件である。その最中の参院選で自民は惨敗し、過半数を割った。参議院第一党になったのは民主党である。

安倍は体調を崩して辞任したが、福田康夫内閣・麻生太郎内閣期においても失態の報道が目立った。民主党は国会で自民党法案（自衛隊の海外活動・年金問題など）の問題を追及した。リーマンショックによる不況は国民生活にも影響し、さらに支持率を低迷させると、ついには民主党に政権を奪われた。

民主党は「郵政解散選挙」に惨敗したが、その間マニュフェストを漸次《ぜんじ》改正していき、実現度の高い政策を主張するようになると、二〇〇九年の総選挙に圧勝した。それによって鳩山由紀夫の民主党内閣が成立した。鳩山とは吉田茂に対抗してその当時の民主党を結党した鳩山一郎の孫である。

〇九年の総選挙では戦後最多の三〇八議席を獲得したが、野党が選挙によって過半数を取得して政権交代が起きたのはこれが初めてだった。政権交代は国民の関心を多く集め、自民党政治における停滞感や腐敗の刷新が期待された。そのため鳩山内閣は「脱官僚」・「政治主導」を掲げ、無駄な歳出を見直すとした「事業仕分け」を行うなどした。

しかし、仕分けによる経済的な効果は思うほどには上らず、また内閣は普天間基地の移設問題に着手するも、沖縄と米との合意点を見出せなかった。その後は鳩山や小沢一郎幹事長に金銭問題疑惑が相次いで、翌年には早くも辞職した。

次期首相には菅直人《かんなおと》が就任したが、菅内閣は消費税増税案を突如として提出し、そのまま参院選に突入して惨敗した。これによって民主党は野党の協力なしには国会運営ができなくなるが、自民党との協議には繰り返し失敗し、予算成立の見通しを立てられなかった。そして「3・11東日本大震災」による最悪の惨事が発生した。

②震災被害は避けられなかったのか？─原発の神話

地震によって津波が発生したことで福島県の原発が破損し、原子炉が融解して水素爆発を起こした。放射性物質が溢《あふ》れ出し、一〇万人以上の住民避難を要する惨事となった。チェルノブイリ事故に並ぶ世界最悪の原発事故である。現在もなお放射性物質の汚染が続き、敷地の再利用までには早くても一〇〇年かかると言われている。

　実は、津波による被害は想定されていたことが判っている。地震に対する「長期評価」によって三陸沖での大津波の発生が予測され、防波堤の強化が必要とされていた。費用は数百億円とされたのだが、しかしその費用の捻出が惜しまれたのだった。当時、〇七年に起きた中越沖地震によって既に新潟の柏崎刈羽原発が停止していた。世界最大規模の原発の停止であり、東京電力（東電）には数千億円の損失が出ていた。津波対策が提案されたのはそのタイミングであった。原発の再稼働ばかりが優先され、津波対策は無期延期となった。そして最低限の緊急時の対策すら置き去りにされた。その上、電力事業を牽引《けんいん》する立場の東電は、東北の他の電力会社に対して、東電に足並みを揃えて「津波対策を行わないよう」指示したのである。

　東北の電力会社はリーダーたる東電への遠慮から、津波対策の検討を止めてしまった。電力会社は発電技術の情報共有などの必要から協力関係に立ってきた。東電はその盟主の立場にあり、そのため各社が忖《そん》度《たく》したのである。また、原発の安全対策についての管理機構として「原子力安全保安院」が設置されているが、その保安院とは原発を推進している通産省の下にある。つまり保安院による規制とは、原発推進を前提にした規制なのであり、当時は柏崎刈羽の再稼働を最重視した上での対応だった。

　福島では、津波対策のないままプルサーマル計画（使用済み燃料の再利用）が推進された。それは地元からの要望でもあったが、その間に度々あった津波対策の機会は悉《ことごと》く排除され、大惨事は来るべくしてやって来た。そして震災は電気へ依存する都市の脆弱性や、原発への依存を露呈した。

　参院選に敗れた菅内閣は非常時により一時的に延命した格好になった。深刻な放射能汚染をとり上げ「脱原発」を主張したが、公的資金の支出は認められなかった。東電は費用対効果を気にして放射能汚染の対策にも必ずしも有効な対策を優先しなかった。対応に手間取る政府では首相と党幹部が対立するようになり、やがて退陣が表明された。内閣は民主党の野田佳彦が後継した。

野田政権でも問題となったのは消費税の増税案であった。しかし増税を進めようとする首相に対して、公約にしていなかった増税はすべきではないと小沢が反対し、民主党は分裂した。そもそも政権担当の可能性がなかった民主党が政策能力を備えるようになったのは、自由党と合併したことで小沢が入党したことが大きかった。小沢は農協や企業団体を訪問し、「一人区」を中心に意見交換を図る選挙対策を行い、マニュフェストに大規模な補助金交付を導入した。旧自民党の手法である。

しかし小沢は、〇九年に政治資金規正法違反により起訴されたため離党することになった。その後、小沢は新党を立ち上げ、内閣は野党との協力関係を構築しようと内閣改造を繰り返すなどしたが、一二年の衆院選で民主党政権は大敗した。

③政権交代はなぜ起きたのか？―グローバリズムとの関係

自民党政権の崩壊と政権交代は、グローバリズムが世界的に促進させた経済的な相互依存関係の影響を受けてのことだった。

グローバルスタンダードに合わせれば、企業の海外移転が積極化するなどの国際化が図られる。国境を越えた経済依存と競争が進展する世界で、国際競争力をつけるためには企業の活動を制限することはできない。しかし企業の海外進出とは、国内の雇用や税収を減少させることに他ならない。グローバル化は市場の自由な活動を重視するが、そうなればもはや一国の国内事情だけでは市場の操作などできなくなる。そして、それは自民党の政治手法とは正反対の動向だった。

旧来の自民党が支持を調達する手法は、道路・港湾・河川・農業基盤などを整備する〝地方利益〟の実現だった。過剰なほどの手厚い保護を与える地方公共事業の優先がその特徴である。この地方利益を実現するために負担となるのは、高い食料品・高い航空運賃・安い預金金利によって徴収された税金であり、つまりは地方の公共事業を国民全体で薄く広く負担しているという構造がある。

ところがグローバル化へ対応すると、この構造を成立させられなくなった。例えば、大型店舗の出店を自由化すれば、それは市街地の商店街に補助金を交付して保護していた政策が否定されるようになる。また外国企業の活動を自由化しても、国内産業の保護は貫徹できなくなる。当初の自民党はその政治手法とグローバル化のバランスを取ってはいたが、グローバル化の進行は止められず徐々に各業界の自由化を進めていった。そうなれば選挙での組織票もなくなるのであり、保守政党としての機能も喪失する。それが政権交代の環境となった。民主党は脱落したが、自民党は改めて国民の求心力を得る「何か」を用意しなければ保守としての立場を保持できなくなった。

④なぜ自民党が「愛国」を求めるのか？

二〇一二年、自民党は公明党と連立し、第二次安倍内閣を発足した。政権復帰した自民党は、保守派としてのイデオロギーを打ち出すことで新たに支持者との結束を得ようとした。それを具体化させたのは安倍の「美しい国」である。国民の帰属意識を創り出すことで、共同体意識をもたせようとの取り組みであった。

また「新しい歴史教科書をつくる会」の登場もそうした影響からであった。戦後の歴史教育を「日本人の誇りを失わせるもの」と断じて、失われた「日本人としての自信」を回復させるために、「物語」としての歴史をつくることを唱えた。「日本」または「日本人」を主語にしたナショナリズムを興そうとの運動であるが、それはつまり、失われた政治的つながりを文化的に補強して取り戻そうとする動きなのだった。

「つくる会教科書」では、作者の主観的判断から予め決定された価値に当てはまる歴史を選びとって「ストーリー」が作られる。その主義・主張に歴史的事実を従属させて作成した、教科書ならぬ「教化の書」である。

再登場した安倍の政権運営は前回の拙劣さから不安視されていたが、安倍は党内の各派閥を取り込んで党内に敵のいない状態をつくり「一強体制」を構築した。その上で、国民の統制を目指す教育のつくり替えを行った。

「愛国教育」を行おうとする安倍内閣の背後には、「日本会議《にっぽんかいぎ》」が存在していた。同会は、「明治百年」を背景とした「元号法制化運動」を展開した団体などによる「日本を守る国民会議」と、宗教団体を中心とする「日本を守る会」が合一したもので、「新しい歴史教科書をつくる会」と足並みを揃えて結成された。

日本会議は発足以来「誇りある国づくり」を謳い文句に、「憲法改正」・「侵略戦争の否定」・「愛国思想教育」・「道徳教育強化」を目指している。夫婦別姓の反対や「国籍条項」の維持も主張しており、第二次安倍内閣の首相補佐官・衛藤晟一《えとうせいいち》は「安倍内閣は憲法改正の最終目標のために、みんなの力を得て成立させた」と述べて、安倍政権と日本会議との関係を明らかにしている。

そして安倍は、自民党結党の理由は経済力の回復と独立の回復（自主憲法の制定）にあるとして祖父の岸以来に憲法改正を訴えた。国民の反対運動によって辞職に追い込まれた岸以後の内閣は、改憲を行わないことを表明するようになったが、安倍はその改憲の取り組みを復活させたのである。その目的は岸が果たせなかった「戦後帝国主義」構想の実現に他ならない。

憲法の前文では、日本が第一次大戦後の国際的な合意を一方的に破ったことに対する自己理解の表明として、戦後日本は「平和維持と人権を圧政する政治の除去に参与する」ことを説明しているが、安倍はそれを「へりくだった」態度だと批判した。安倍が憲法を改正したがるのは「日本軍」を復活させるためだが、決してそうとは言わずに、日本人の誇りや自尊に訴えて、米への従属から脱するとした。しかし実際には誰よりも米に追従することを岸の施政で既に見た。

また安倍は「わたしが政治家を志したのはほかでもない、わたしがこうありたいと願う国をつくるためにこの道を選んだのだ」と、政治家になった動機を述べた。その意識には主権者への視点が見られない。そもそも政治家は国民の信託に基づき政治を行う公務員であるのに、民主主義（＝主権在民）と憲法秩序を無視した態度であるばかりか、「憲法尊重擁護義務」を負う公務員としては憲法違反の態度である。そうした態度は次章に後述するように、浅識《せんしき》な憲法改正議論や、国民や国会を無視した政治の強行を引き起こすことになる。

その一方で、リーマンショックで危殆に瀕した日本の製造業は、〇九年頃から回復し始めた。それは中国への輸出に救われたためだった。中国の急速な工業化が、建設や工作機械の需要を生み、それを日本の製造業が供給した。日本の製造業は構造変化に対応できないながらにして、対中輸出に救われたのである。さらに政府は企業再生支援や、エコカー減税に見るような購入支援策を行い、また円安傾向によって輸出は回復を見せた。観光行政に力を入れ、ビザ発給や観光客へのサービスの充実などでインバウンド（観光訪日）が見込まれた。コロナ発生までは来日客が年々拡大し、三〇〇〇万人以上の来訪を得て、世界で最も旅行したい国とされている。

第13章
「民主」と世界の分断

米では、二〇〇九年にオバマ（Barack Obama）民主党政権が成立した。初のアフリカ系米人による就任であった。オバマはマイノリティへの配慮や、医療保険制度の導入を掲げた。また「米には核廃絶に向けての責任がある」と表明し、核廃絶の世界を目指した。実際に一五年には「イラン核合意」を成立させ、キューバとの国交回復も果たすなど、それまで米が敵対してきた諸国との対話路線の上に、人権・民主の理念外交を展開した。

1 「アラブの春」

①なぜ民主化が求められたか？

一〇年一二月、北アフリカのチュニジア共和国で独裁政権への抗議として青年が焼身自殺した（チュニジアは地中海に面したアラブ連盟に属する国／ムスリムで禁じられている自殺によって抗議した）。これを機に革命運動が起こり、一ヵ月の内に民主政権が誕生した（「ジャスミン革命」）。革命の背景には役人の横暴と高い失業率問題があった。デモの力によって独裁政権が打倒されると、それはアラブ世界一帯に影響を与え、中東各地で民主化運動が起きた。アフリカでもエジプト（ムバラク政権）や、リビア（カダフィ政権）で政変が起き、長きにわたる圧政が否定された。こうしてアラブ諸国に民衆の政治参画を拡大させたのが「アラブの春」である（257頁地図参照）。

民主化要求の運動はスーダン・ヨルダン・エジプト・モロッコなど中東・北アフリカの各地に波及し、政府の治安部隊との衝突が相次いだ。エジプトでは運動の象徴となった黄色いベストの販売が中止され、スーダンでは戒厳令を意味する非常事態宣言が出るなどした。そしてアルジェリアでは、長く大統領の地位にあったブーテフリカに対する反対運動が起きた。高齢であるうえ健康状態の疑わしい大統領が選挙に出馬すると表明したところ、若い世代を中心にデモが発生したのだった（303頁地図も参照のこと）。

これらの背景にはいずれも現地の生活苦があった。例えば、アルジェリアはアフリカ有数の産油国であるが、石油の国際価格によって経済が左右されることを原因として、リーマンショック後の不況とインフレが問題化し続けていた。若者らの反発は失業問題を背景にしており、各国の政治問題には共通性がなくとも、生活の安定を求める点では共通していた。

独裁体制が敷かれていたチュニジア、エジプト、リビア、イエメンでは政府反対運動によって政権交代が起きた。アルジェリア、スーダン、サウジ、モロッコ、ヨルダンでは政府が政治改革を行い、最低賃金を引き上げるなどして、デモの抑制と引き換えにその要求を受け容れた。このうちモロッコとヨルダンでは国民の支持が高い国王の下で民主的な憲法改正を実現した。しかし、シリアでは独裁者が権力を維持したまま内乱に陥った。またリビアでは独裁者を排除してもなお内戦に発展した。

リビアはエジプトとチュニジアの間に位置する国であるが、六九年にクーデターで政権に就いたカダフィによる独裁体制が続いていた（カダフィ大佐は、エジプト革命時のナセルに影響を受けた将校）。「アラブの春」の影響によって反政府暴動が起こると、カダフィは弾圧を図ったが、欧米諸国の軍事介入を招いた。反政府勢力が軍事支援を要請し、ＮＡＴＯがそれに応えたためである。

カダフィは殺害され、独裁政治は終焉したが、豊富な石油資源をもつリビアは外国資本の進出や、部族間対立のために安定しなかった。国連の支援によって暫定政権が成立したが、一部の部族が勢力化した「リビア国民軍」が暫定政府に反対し「リビア内戦」が起された。

内戦に際してトルコとカタールが暫定政府を支援し、トルコは派兵まで行った。すると、エジプトをはじめとしたアラブ諸国に加えて、ロシアが国民軍側についたため内戦は国際的な対立となった。最終的には国連が仲裁したものの、激しい戦闘が一年以上も続いた。

こうした「アラブの春」ではそれぞれの地域で異なる結果が出ているが、同時にそれらは連環してもいた。チュニジアは他国よりも民主化を促進したが、それはイエメン・シリア・リビアで内戦が起きた時に、チュニジアのムスリム過激派がそれらに参戦するために国外に出たためだった。チュニジア国内には穏健なムスリム政党が残存することになり、ムスリム以外の政党との協力関係ができたからである。その一方、シリアでは五〇万人の死者と五五〇万人以上もの難民を流出させており、今世紀最大の人道危機を迎えている。

②パレスチナ問題に妥協はあるか？

アラブ各地の紛争はその後も収まることがなかった。パレスチナをめぐる争いでは、イスラエルが〇八年からガザ地区への攻撃を開始した。アラファトが〇四年に死去した後、ＰＬＯを後継したアッバスが穏健派だったことから和平交渉に期待がかかっていた。ところが、イスラエル側が強権的に占領地区を拡大しようとしたことなどから、パレスチナでは二〇〇〇年の第二次インティファーダを機に新たな武装組織としての「ハマス」が結成され、イスラエルに対抗するようになった。パレスチナは「オスロ合意」に基づいて、ガザ地区と、ヨルダン川西岸地区を自治領としたが、それが過激派のハマス（ガザ）と穏健派のPLO（ヨルダン川西岸）とに分離するようになった。

ハマスはムスリム国家樹立を目指してイスラエルとの対決路線をとったため、国際社会はハマスをテロ組織と見なした。イスラエルはハマスに空爆を行ない、〇九年からは地上作戦も展開したが、ハマスは地下壕に潜伏しながら戦い、戦闘はその後も継続された。

一四年には再びイスラエルがガザを空爆したのに対して、ハマスもロケット弾で応戦し、大規模な戦闘が展開された。ハマスはエジプトからの支援を受けていた。戦いは一時的に収束したが、一八年にガザでデモが起こるとイスラエルがデモを弾圧したため、それへの抗議として再びハマスが攻撃を加えた。双方の市民に連日の被害が出た。イスラエルの空爆はその後も継続し、二一年のコロナ禍の中でも実施されたが、それには国際的な非難があったため、エジプトが仲裁に乗り出して停戦となった。

他方、「アラブの春」で独裁政権の打倒に成功したイエメンでは民主化は遂げたものの、部族間の対立が激化して一四年には内戦へと発展した。シーア派組織が武装蜂起し、大統領を辞任させると、スンニ派のアラブ諸国とも対立するようになった。特にサウジはシーア派を警戒し、一五年には空爆を実施した。イエメン情勢はさらに混乱し、その後も内戦が継続している。イエメンのシーア派組織の背後にはイランの後援があると見られている。

なお現在、イスラエルに対して劣勢のハマスは、武力攻撃を誘発してその被害を国際世論に訴えることで打開を図っており、一方のイスラエルはそれをさせまいとハマスの好戦性を訴えている。両者が絶対の正義を主張して譲らない宗教的対立はそもそも当事者間での解決が困難であり、共存共栄を配当できる第三の価値を共有せねば展望を見出し難いのである。

2　ウクライナ問題の背景と原因

①NATOとロシアはどのような関係か?

ウラジミール・プーチン（Vladimir　Putin）は元ＫＧＢ（秘密警察）のスパイで、冷戦末期には東独に赴任していた。ベルリンの壁がまさに崩壊する現場におり、東独のデモ隊が押し寄せる中で逃亡した。それが彼にとってのソ連邦消滅の経験にもなった。東独とソの崩壊を目撃したプーチンには「第一の敵はＮＡＴＯだった」との認識がある。ロシアとＮＡＴＯとの確執は、ソ連崩壊後もユーゴ内戦やムスリム問題への対処方法において絶えず続いてきた。そして、旧ソ連邦の構成国がＮＡＴＯに加盟しようとする動きが問題になった。その焦点となるのがウクライナである。

ウクライナは、かつてのソ連邦の中でロシア共和国に次いで大きな国であった。二〇二二年現在でも欧州で二番目に国土の広い国である。肥沃な農地が広がり、鉄鉱石・天然ガス・石油など豊かな天然資源を有している。世界第二位の穀物輸出国でもあり、欧州での小麦のシェアが極めて高いため「欧州のパンかご」と言われている（ウクライナの国旗は空と穀倉地帯を表す）。

だが、ウクライナが焦点となるのはそうした資源以上に、欧州での地政学上の要所であるためである。ウクライナはかつてポーランドに占領されていた西部と、ロシア帝国の一部だった東部とに分かれている。東部ではロシア語を話すロ系住民が多いが、西部にはウクライナ語を話す欧州系住民が多く、西部には欧州の一員との自己認識がある。そうしたウクライナはＮＡＴＯとロが対立する際の緩衝国家としての役割を負ってきた。

ソの崩壊後、旧ソ連邦の国々が緩衝地帯化した。NATOに加盟してもしなくても、緩衝国として中立的立場をとることが生き延びるための措置だったのである。NATOに加盟すればロの脅威からは護られるかもしれないが、それがロを刺激した結果に報復を受けるかもしれない。直接の報復を受けなくても、自国のNATO加盟がロの軍拡の口実にされれば、それに対応するため自国も国防費を増額せねばならず、国内の福祉や教育の予算を削るはめになる。それはグローバル化の中で自国経済や人材育成が立ち後れるという足枷《あしかせ》になる。

二二年現在NATOには東欧諸国も含め欧州のほとんどが加盟している。しかしながら、それは当初から必ずしも緊張緩和を約束するものではなかった。例えばデンマークはNATO加盟国であるが、自国の領土内に敢えて「非武装地帯」を設けてロへの配慮を示している。さらにグリーンランド（チューレ基地）を除き、本土には米軍の駐留を許さないことも方針としてきた。また同じくNATO加盟国のノルウェーもロとの国境を非武装地帯にしてきた。他方、スウェーデンとフィンランドは二二年までは中立を表明し、NATOとは距離を置くことでロとの対立を避けてきた。

NATOはロを牽制しながら東方へと加盟国を増やしてきたが、ロと国土を接するウクライナの加盟はまさに勢力の均衡がかかっていると見られるのである。とりわけ東欧やバルト三国とは異なり、旧ソ連邦を形成していたウクライナの加盟は、これまでの親ロ国としての立場を棄てることも意味するため、ロには認めがたい動きと思われた。

②クリミア危機はなぜ起きたか？

ウクライナでは〇四年に成立した親欧米政権によって、NATOとEU（欧州連合）への加盟が検討されるようになった。しかし政権内部で分裂し、一〇年には親ロシア派のヤヌコビッチが大統領に就任した。

EUとの政治・貿易協定が話し合われたが、ロが圧力をかけるとヤヌコビッチは協定の調印を見送った。これに対して、欧州との経済交流を求めるウクライナ西部の親欧米派や若者が大規模なデモを起こした。デモは数日間のうちに膨れあがり、ヤヌコヴィチはロへ逃亡した（「マイダン革命」）。

今度はまた親欧米派の政権が成立し、NATOとEUへの加盟が再び求められた。すると、プーチンはこれに猛反発し、翌週にはウクライナのクリミア半島へ侵攻した。マイダン革命はロとの対立を明確化する分岐点になったのである。

一四年二月、クリミアにロシア人部隊が侵入した。ロの旧軍人が運営する民間の軍事会社の部隊であった。それがロ国軍の兵士ではないとの口実で他国の領土に押し入ったのである。そしてロ系住民が多く住むクリミアで住民投票を行わせると、住民が自治を求めているのだと主張し、「クリミア自治共和国」としてウクライナから独立させてロに編入した。ロにとってのクリミアが黒海の軍事的・通商的拠点として重要であることは近代から変わっていない（近代ではクリミアはバルカン諸国とともに南下政策の対象地域）。また人気の保養地でもある。ウクライナ政府はロの介入に反対し、ソ連崩壊時に結成した「独立国家共同体」（CIS／旧ソ諸国間の協力機構）から脱退した。

プーチンはその後もクリミアの住民が介入を求めたのだと言い張った。「非合法のファシスト政権によってロシア人が迫害されている」との口実をつけた。同様の言いがかりは、「ベルリンの封鎖」でも、「プラハの春」でも使われたものである。クリミアでは以後も併合を不服とする反対運動が続いた。そもそもロはウクライナに対して安全を保障するとした九四年の「ブダペスト覚書」（ウクライナが核兵器を放棄する代わりに米英ロがウクライナの領土保全を約束した）を破棄しており、明確な協定違反である。

この一四年のウクライナ危機に際して、プーチンとの外交交渉を担ったのは独のメルケル首相（Angela Merkel）であった。ソ連時代の東独で物理学者となり、ソの支配下を生き延びた人物である。ベルリンの壁が広報官の失言から崩壊したその夜に、西独へと壁を越えた一人でもある。統一ドイツでは議員となり、新生ドイツを支える大臣を務めた。そうしたメルケルが交渉役として期待されたのは、それまでも欧州とロの橋渡し役を担ってきたためであり、プーチンの恫喝に動じない唯一の西側リーダーと見られたためだった。奇しくもベルリンの壁崩壊を異なる立場から目撃した二人である。

メルケルはプーチンに国際法違反を指摘すると、プーチンはクリミアの軍隊はロ軍ではないと嘯《うそぶ》いた。メルケルによる交渉は昼夜を徹して行われ、最後には停戦の合意文書が作成されたが、クリミアの併合は黙認された。

プーチンの目論みは一先《ひとま》ず達成された。但し、ウクライナは徴兵制を復活し、リトアニアとスウェーデンもロに備えようとやはり徴兵制を復活させた。また〇八年に領土問題でロと軍事衝突したジョージア（旧グルジア）も一五年からは徴兵制を復活させた。〇八年時にも、やはりジョージアに親ロ派による独立地域（アブハジアと南オセチア）をつくらせて共和国として独立させていた。これをめぐってロとジョージアが衝突したのだった。国際社会はその両地域に対する独立国家としての承認を現在まで与えていないが、他国の領民に勝手にロシア国籍を与えて独立させるその手法はヒトラーによる領土併合と同様である（『明日のための現代史』上巻、第6章3参照）。

NATOに加盟する東欧だけでなく、旧ソ連邦の構成国までもがロとの対抗関係を進めるようになった。ウクライナに隣接するジョージアとモルドバは明確にNATOへの加盟路線を選択するようになり、中立を保ってきたフィンランドの国内でも加盟の声が上がるようになった。ロの孤立は進み、中立していたノルウェーやアイスランドも以後の方針を再検討し始めた。

そしてロは九四年以来続いてきたG8への参加を停止した。それまでムスリム過激派のテロを共通問題にしていたG8は、対ロ制裁グループへと傾斜した。G20での外交は継続されているが、しかしながらG

8にもG20にも国連のような決定権も国際法上の強制力もないため、ロの行動を抑制できず、そのためにさらなる問題が起きることになる。

③ウクライナ問題の背後には何があるのか？―「シリア内戦」

シリアでも「アラブの春」を契機に民主化運動が起こり、二〇二二年現在まで続く内戦が起きている。シリアでは、中東戦争の過程で政権を握った一族・アサド政権（シーア派）による独裁体制が敷かれてきた。その中ではスンニ派が弾圧されてきたが、スンニ派はアラブの春を機に行動を起こした。当初は民主化を求めていたが、反政府軍としての「自由シリア軍」を組織し、内戦に突入していったのだった。

自由シリア軍にはシリアの国軍の一部も加わった。そうした状況から他のアラブ諸国と同様にシリア政府も打倒されると思われた。ところが、そこにロシアが介入してアサド政権を支援し、さらに中国とイランもアサド側に加担したことで、政府は容易に倒れなかった（中国はシリアの産油企業の大株主である）。

中ロの動向に対して、米は反政府運動を支援し、トルコとサウジも同調した。各国が介入したことで内戦は長期化していった。そして混乱の過程で、シリアとイラクとの国境地域にムスリム過激派組織・ISが出現したのである。

ISは、「イラク・レバントのイスラム国」（ISIL／カリフ国家）を自称して登場してきた。現在までにはその支配領域を喪失しており、ほとんど壊滅状態であるが、各国に分散しゲリラ活動を継続している。元々はイラクに侵攻した米に反対する過激派としてアルカイダに属したが、現在は絶縁状態で分立しており、ネットや動画サイトで世界各国から兵士を募っている。

内戦の混乱こそがISの台頭を促していたのであるが、ISはスンニ派国家の建国を目指す立場から内戦に介入した。急拡大するISを問題視した米のオバマ政権はシリア空爆を実施したが、現地の泥沼化によってシリア国民の半分が難民となり、今も生活場所が失われている。

シリアの他にも、アフガンや南スーダンから難民が流出し、欧州に混乱をもたらした。ＥＵは各国に難民の受入れを割り当てたが、各国ではそれへの不満から反ムスリムの傾向が現れ、ＩＳが過激行動を起すとさらなる反感が起きて、反ムスリム傾向は一層強まった。

独や仏では移民排斥の政策が支持され、英はＥＵから離脱した。一七年に「アメリカ・ファースト」を標榜して登場したトランプ（Donald Trump）が支持されたのにもその影響を見てとれる。トランプはメキシコからの移民排斥を主張して登場していた。

成立したトランプ政権は、オバマ政権が行っていたシリアの反政府軍への支援方針を、ＩＳの殲滅へと切り換えた。孤立するＩＳの勢力が弱まると、トランプはシリアから米軍を撤退させることになるのだが、それに比べてプーチンは多額を用いてアサド政権への支援を継続してきた。そして、その支援ルートこそが「ウクライナ・ルート」なのである。

④トランプ政権とは何だったのか？

オバマ政権は核の拡散防止につとめたが、イラクとアフガンへの派兵は停止できなかった。イラクからは一一年に撤退するが、その後ムスリムの過激組織が紛争を起したことから、一四年にはイラク空爆を行った。アフガンやパキスタンでは米軍による無人機（ドローン）攻撃が盛んに行われた。それらはテロに対する先制防衛を口実にしたが、民間人にも犠牲を出していた。

オバマ政権に期待されたのは、ブッシュによるイラク政策の失敗とリーマンショックの挽回だった。イラク戦争に反対していたオバマがイラクから撤退したことには、無益な消耗をなくす点で支持が集まった。しかし、イラク撤退は同時に米の中東に対する影響力低下をも印象づける結果となった。また、シリア内戦の解決ができない中でＩＳが台頭したことから、平和路線を採るオバマ政権が軟弱だとする共和党からの非難が強まり、選挙では共和党が圧勝するという事態になった。代わって政権に就いたのが、不動産業で財を成したトランプだったわけである。

「イスラム国」を絶滅すると宣言しながら登場したトランプは大統領に就任すると、「米国ファースト」を掲げて米の利益追求政策を実施した。財界人を起用して保守・タカ派政権をつくり、国民にはＳＮＳで頻繁に情報発信した。その内容は拙劣な内容でしかなかったが、当初は「解りやすい言葉」として人気を集めた。実際の政策では、オバマ政権の外交を全否定し、国連をも軽視する姿勢を誇示してタカ派外交を展開した。温暖化対策のための「パリ協定」が米の産業にとって障害だとして離脱し、さらにコロナ禍が蔓延する中でＷＴＯからも脱退した。他にも、ＴＰＰや軍縮協定から離脱し、ユネスコまで脱退して、国際協調を次々と否定していった。

このうちの「パリ協定」は、温暖化対策の地球会議ＣＯＰ（Conference of the Parties／一九七ヵ国が参加）の第二六回会議で定められた協定で、石炭・火力発電の段階的削減を目標にしたものだった。九七年（ＣＯＰ３）に「京都議定書」を採択して、先進国間で排出枠を売買する「排出量取引」と削減目標が定められたものの、ブッシュ共和党政権が離脱したため、世界全体で新たな枠組みが必要となった（排出量が多い中国や印度が途上国の扱いだったため削減義務を課せられないなどの問題が生じていた）。そのため世界各国を対象とする「パリ協定」を築いたのである。それがトランプに破棄された。つまり温暖化対策は共和党によって再び破壊されたことになる。

そしてトランプは産業においても孤立政策を標榜した。他国に輸入制限を課して、製造業での国際分業体制まで否定し、米一国だけを発展させるとの妄想を語った。国内ではメキシコからの移民が負担になるとして、国境に壁を設けるなど排他政策を実行していった。しかしトランプの孤立政策は、移民に仕事を奪われると恐れた層から支持された。海外に移転した工場を、米国各地に取り戻してくれると期待されたのである。

一七年四月にはシリアを攻撃して軍を駐屯させ、一九年一〇月に撤退するまで油田を確保した。オバマが形成したイランとの核合意からも一方的に抜け出すと、イランは核開発を再開した。するとトランプはイランの国家組織である革命防衛隊をテロ組織だと批判し、米軍を派遣した。さらに二〇年にはイラン革命防衛隊の司令官スレイマニをドローン攻撃で殺害した。イランの大統領候補とされた人物だった。イランは報復のためにイラク在駐の米軍をロケット弾で攻撃した。それはイラン革命以来の危機となった。その緊張の中、イラン上空でウクライナの旅客機が撃墜される事件が起きたが、米の空軍機と誤って攻撃されたのではないかと見られている。

米はイランからの石油を買い入れないよう各国に圧力をかけ、イランを枯渇させようとした。日本もイランとの貿易をしないよう求められた〔日本は石油の他にデーツ（棗椰子）などをイランから輸入している〕。こうしたトランプの「保護主義」はネオコンの論理よりもずっと単純な自国中心主義であったと言える。

トランプは一八年一二月にシリアでの勝利を宣言し、米軍の撤退を表明した。すると、弱体化していたＩＳの残党が盛り返し、コロナの混乱に乗じてテロ攻撃を再び拡大し始めた。イランとの対立を背景に、イラク駐留の部隊の一部も撤退させたため、それもＩＳ復活を促した。また世界のムスリム教国に散らばったＩＳは各地で活動を継続している。世界最多のイスラム教徒を抱えるインドネシアでは、ＩＳと結んだ地元のテロ組織などが発生している。

★イランと「12イマーム派」

イランは中東のアフガンとイラクの間に位置する大きな国で、厳格なムスリム社会（シーア派）の国であるが、実は大の親日国でもある。政治体制は極めて独特で、シーア派の中でも特に「12イマーム派」（予言による最高指導者の再来を信じ、その時まではムハンマドの血統の人物を指導者として仰ぐ派）であることから、選挙で選出される大統領（政治）の上に、終身の最高指導者（宗教）が存在している。大統領のライシの上位に最高指導者のハメネイ（ムハンマドの血統を意味する黒ターバンを巻く）がおり、絶対的な影響力をもっている。そうしたイランはイラクとの対立を背景に核開発を行い、原子炉開発ではロシアがそれに協力していた。

3　習近平の野望

①現在の中国社会はどのような性格か？

高い経済成長を遂げた中国は、習近平の下で政治的にも新たな段階に進もうとしている。民主化を抑制したまま進んできた中国の社会主義は、部分的な資本主義の導入を継続するだけでは済まされず、この後の意義づけを打ち立てなければ中共の功績を歴史的に位置づけることも難しい。習近平が自らの思想を国民教育によって広めようとするのは、毛沢東・鄧小平のそれぞれの時代を踏み台として、飛躍する習近平時代を歴史的に確立するためでもある。

習近平は一九五三年生まれで、父の習仲勳は中国建国後に副総理（副首相）などの要職に就いた政治家であった。ところが習仲勳は反党的な小説の出版に関わったとの嫌疑により、六二年に全ての要職を奪われた。その後の文革によっても批判され、一六年もの間投獄や拘束などの迫害を受け続けた。一家は寒村に追放され、習近平も中学卒業後は正式な教育を受けられなかった（のちに推薦制度により清華大学に無試験で入学）。習近平は地方幹部を歴任した後、胡錦濤の後継者となり、二〇一三年に国家主席に選ばれた。同じく胡錦濤の後継者としてライバル関係にあった李克強が首相に選出され、「習近平体制」が発足したが、以後の習は独裁化を進めていった。権力の集中による政権強化を徹底し、弾圧法規などで言論の自由を否定して、市民運動などは徹底して取り締まった。

香港では中共政府の弾圧法規の撤廃を求める民主化運動が起こり、最終的には中国からの独立を求めるデモとなった。二〇〇万人規模にまで拡大したが、警察との激しい衝突が起こり弾圧された。香港は、民主化の潮流と、人権を抑圧する中共政府との対立の象徴となった。徹底弾圧を経た現在の香港市民は、中共政府の支配と折り合いをつけて経済発展の恩恵に乗ろうとする「親中派」と「民主派」に分裂している。そして政府は、現在も香港の高校教科書から「三権分立」を削除するなど、人権の拡大を抑制している。

また習近平は、チベット人、モンゴル人、ウイグル人を同化させることで統合しようとしてきた。中国には五五の少数民族が存在するが、国内の少数民族に一定の自治を認める「自治区」（新疆ウイグル・チベット・内モンゴル・寧夏回族・広西チワン族）を設置している。その自治区は国土の半分を占め、かつ中国の国境地帯を形成している。その中では独自の言語や信仰・文化が護られてきたが、習近平はその自治を否定するようになった。発端はウイグル族がデモや暴動を起したことである。漢族ばかりが優先されることへの不満から起きた運動だったが、統治を揺るがしかねないと見た習近平は、ウイグル語やモンゴル語の教育を禁止し、仏教徒のチベット人に共産主義教育を行うようになった。それは民族の個性や紐帯《ちゅうたい》を断つことで漢民族に同化させようとの教化である。共産党に相反するような思想が生まれる環境自体を根絶しようとの考えなのである。

特にムスリムを信仰するトルコ系民族のウイグル族に対しては、共産党の幹部が戸籍上の親族となって監視する体制が築かれた。そして同化に従わない場合には拉致して収容所に送り込み、共産党の教育を強制する。或る日突然、その人物の姿が見えなくなり、一切連絡がつかなくなるのである。失踪者の数は一〇〇万人にも達すると見られている。施設では人々を手錠で拘束して、宗教の否定を強要し、共産党への忠誠を無理強いする。ウイグルの伝統的な生活を完全につくりかえ、中国の産業に貢献するような人間に仕立てるのである。共産党思想の植え付けは、ウイグルの幼い子供にまで及んでいる。

中国は収容所を職業訓練所であると発表したが、収容所にいた被害者の証言などから人権侵害は明らかであった。虐殺まで行われていたため、これを問題視した欧米各国は経済制裁を行った。天安門事件以来三二年ぶりの制裁であった。ウイグル特産の綿製品に対する不買運動や、北京五輪へのボイコットが呼びかけられた。また国連の委員会では、四三ヵ国がウイグル問題への共同声明を出した。ところが国連では六一ヵ国が中国を擁護する声明を出して中国を支持した。このような中国支持が集まったのは、中国がチャイナ・マネーを背景に各国への影響を強めている「一帯一路」政策のためである。

②中国の覇権を築く「一帯一路」とは何か？

「一帯一路」とは、中国と欧州を陸路と海路で接続し、物流を活性化させる貿易構想である。かつて中華帝国の覇権を支えたシルクロードから着想した交易路で、中国の経済圏の創出を図っている。アジアにおいては、中国とＡＳＥＡＮ諸国との海上協力を強化し、中国政府が設立した「中国・ＡＳＥＡＮ海上協力基金」を活用して、海洋協力のパートナーシップを発展させようとしている。

中央アジア・ロシアを経てバルト海に至るルート、西アジアを経てペルシア湾・地中海に至るルート、中国沿海からインド洋を経て欧州へ向かうルート、南太平洋へと延伸するルートによって構築される。また、タイを縦断する運河を建設することで、マラッカ海峡を迂回することなくインド洋に出るルート建設も構想されている（136頁地図参照）。

中国はこの一帯一路の実現のために、沿線となる各国に多額のインフラ建設の資金を貸し付けている。しかも返済能力のない相手国にまで高い金利で貸し付けており、相手国が返済不能になると土地や港の運営権を接収して、自国ルート化しているのである。世界銀行やアジア開発銀行は返済能力に応じて融資をするが、そうした基準では借りられない国へ開発資金を融資しており、相手国はそれでも自国経済を発展させようと借り入れを行っている。対象地域は一〇〇ヵ国を越えているが、そのうちスリランカでは既に返済不能となり、港の運営権を抑えられた。中国は過剰な貸し付けによってインド洋に拠点を得たのである。

他にもシアヌーク国王政権以来の親中国であるカンボジアや、ラオス・モルディブ・ジブチなども既に返済が困難と予想されている（カンボジアでは軍の基地を中国軍が使用できるとの密約の存在が明らかにされており、現地では市民の反対運動が起きた）。陸路でもモンゴル・キルギス・パキスタンなど二三ヵ国に貸し付けが及んでいるが、これらの国は返済延期の見返りとして近い将来に中国軍の補給基地などを設置することでその代価を求められることが予想できる。

「一帯一路」

例えば、バルカン半島のモンテネグロは、道路建設のために国土を担保にして返済しきれないほどの巨額融資を受けているが、工事自体も中国の国有企業が行っており、中国側には損がなく返済を行わせることになる。そして、もし返済が難しくなれば土地を取り上げる方式になっている。一帯一路に位置づく国々は、こうしてチャイナ・マネーに縛られるが、それによって中国に反対できない立場に追い込まれるのであり、それこそが中国の真の狙いでもある。

国内では中共政府に反対する運動の取り締まりを強化しているが、特に民主化の要求が高い香港では二〇年に「国家安全維持法」（国安法）を制定して民主化運動を弾圧した。これに対して先進各国は懸念を示したが、国連の人権理事会では全八〇ヵ国のうち五三ヵ国もの国が中国を支持するとした。ウイグル問題と同様である。それらの国のほとんどが一帯一路に位置づき、中国の融資に頼る国々だった。中国に反対すれば返済の取り立てを受けるため中国に与《くみ》するのである。

中国では政府が人民元の価値を意図的に固定し、安い人民元によって輸出を拡大してきた（自国民の労働力のたたき売り）。ハイテク産業が発展してからは最新技術と製品を各国に売り込み、それによって中国の基準を世界基準にしようとしている。ＩＳＯ（国際標準化機構）の認可を得れば、中国の規格に合わせてハイテク製品の開発が進むようになるので、それによる世界の中国化を企図していると見られている。まさに中国式の「戦後帝国主義」が推進されているのである。

③なぜ尖閣諸島の周辺が侵犯されるのか？

そして一帯一路の構想は領土問題とも関連している。習近平政権は日本との間で尖閣問題を激化させてきた。中国の大型公船が尖閣周辺に出現し、領海侵犯や民間漁船の威圧を現在までほぼ毎日行っている。尖閣だけでなく、台湾沖・ベトナム沖では漁船への衝突まで行う紛争をも起しており、南シナ海ではフィリピン（比）とも対立している。中国の圧力に対抗して、米軍が南シナ海での軍事演習を行うなどしているが、中国は「海上民兵」を動員して海洋進出を継続している。

中国は既に米に次ぐ軍事力を保有するようになった。海軍力においては米を越えており、中距離弾道ミサイルも保有している（米は条約により全て廃棄していた。そのためトランプ政権は条約を破棄して新たな中距離弾道ミサイルを開発した)。

尖閣諸島の問題について、中国が尖閣周辺の資源を狙っているとの見方があるが、現在の中国にとって尖閣には全く別の価値がある。一つには、尖閣諸島よりも外に国防線を築いて航行の自由を確保しなければ、台湾周辺での米軍の優位が確立し続けることになることである。これまで習近平政権は、台湾における親中派勢力を支援しながら、軍事力を一層強化し、世界最大規模の海軍へと増強した。

そしてもう一つが、「一帯一路」構想での尖閣の位置である。マラッカ海峡は、インド洋を扼《やく》す重要拠点であるが、中国からそこへ抜けるための海路として位置づけられるからである（136頁の地図参照）。

そのため中国は尖閣だけでなく、南シナ海に埋め立ての人工島を築き、領域化を図っている。レーダー施設や滑走路を備えた人工島は既に七島も築かれている。一六年には、領海を侵犯された比が、中国の違法行為を常設仲裁裁判所に訴えた。裁判所は中国の違法性を指摘したが、中国はその裁定を「紙くずに過ぎない」と無視した。二一年になり、比は中国に対抗して南沙諸島の軍事拠点化を進めた。すると、現地に軍艦を含めた二〇〇隻以上の中国船団が現れ、長期停泊を続けて威圧した。さらに二二年四月にはソロモン諸島と安全保障協定を締結し、南太平洋への足がかりを作っている。

南シナ海では越軍も中国軍と衝突して死者まで出ているが、仲裁裁判所の裁定には強制力はないため、中国の浸食を止めることができない。比のドゥテルテ大統領も領海問題に強硬に対処していたが、コロナが蔓延するとワクチンの確保を中国に頼らねばならず、ワクチンと引き換えに領海問題を棚上げした。他にも、巨大市場としての中国が輸入を停止すれば、多大な損害を受ける国は多く、相手国への不買運動が外交カードになり得るのであり、中国の抑制は難しい。

中国は尖閣や台湾に限らず、全方位で国境問題を起している。そして、どこかで妥協すれば全ての問題に連鎖するものとして、弱腰になれないとの認識がある。領土問題に妥協を許せば、中国の国境地帯を形成する自治区の統治すべてが揺らいでしまって、自治区の独立まで促してしまうのだと懸念しているのである。

そしてこうした中国がチャイナ・マネーによって国際的な多数派工作を展開するのに対し、民主主義国が経済制裁によって牽制しているのが現在の情勢である。日本は一二年に尖閣諸島を国有化し、周辺の海底の地形に日本名を付すことで日本固有の領土であることをアピールした。それらの日本名は国際的な承認を得るなどしている。

その一方で、尖閣は米中間の問題でもある。日米安保の対象地域であり、また「台湾関係法」（182頁）にも関わる問題として、西太平洋の軍事的優位をかけて競われている。特に中国企業の通信機器やＳＮＳを排除するなど、米中間では情報戦も起きており、そうした対立から尖閣問題が分離することは考えられない。

米は、英加豪新との五ヵ国（five eyes）と、日豪印との四ヵ国（Quad）とによる中国包囲網を形成した。特にQuadには「一帯一路」に影響する関係国による結束としての意味があり、中国にとっても無視できない国家間関係である。そのため中国は米の攻勢に対抗しようと、中東を懐柔して反米基軸を形成しようとしている。その渦中におきたロのウクライナ侵攻はこうした関係性をさらに複雑なものにした。

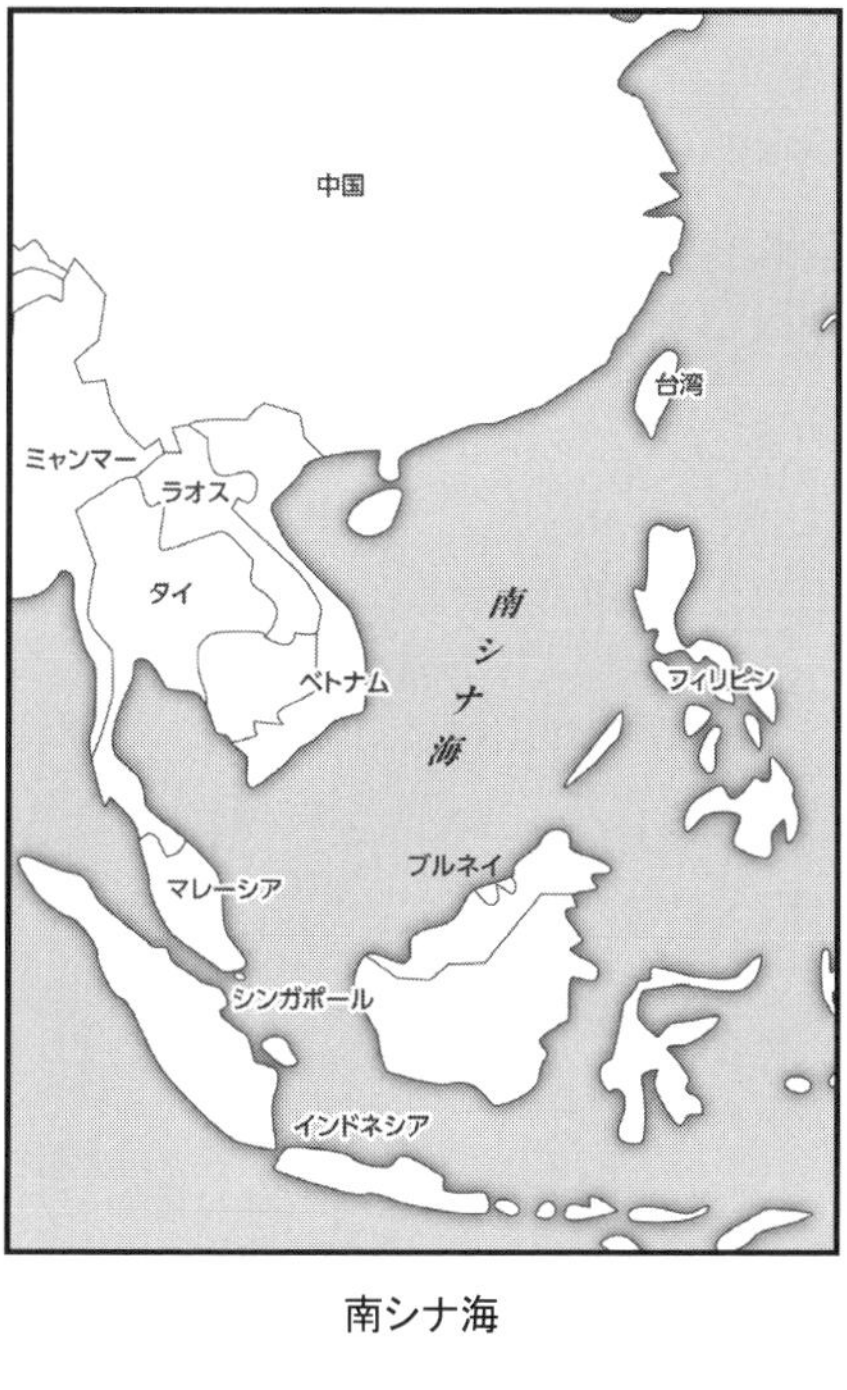

南シナ海

④台湾の民主化は何をもたらすのか？

李登輝が民主化を進めていた台湾では、九一年には国会が開かれて本省人の政治参加が実現した。九六年に初の直接選挙による総統選が実施されると、李登輝が再任された。中国との間では、江沢民と統一について話し合われたが、李は軍事的威圧をしかける中国の姿勢に反発し、関係は悪化していった。一時は全面戦争の懸念が広がったが、米軍が空母を派遣すると、中国は妥協せざるを得なかった。

〇三年には選挙によって民進党の陳水扁による政権が成立し、初めて政権交代が行われ、国民党が下野した。ところが、陳は中国との分離独立（台湾の本土化運動）を目指したことで、台湾は独立派と統一派に二分されるようになった。そして中国との対立に危機認識が広まると、〇八年の選挙では国民党が政権に返り咲いた。

国民党の総統となった馬英九は中国との経済交流を進め、中国との経済一体化を図った。しかし、それは中国政府と秘密主義的に進められようとしたことから、一四年には政府に反対する大規模なデモ（「ひまわり学生運動」／太陽花学運）が発生した。国民党が審議打ち切りを強行しようとし、民進党との双方で議場にスピーカーを持ち込んで怒鳴り合うと、議会は機能不全に陥った。この事態に憤《いきどお》った学生が立法院の議場に突入し、議会を占拠したのである。

馬英九は中国との協定の延期を表明したため学生の多くは退去したが、この出来事はそれまで政治や中国との関係に無関心であった若者の自覚を促した。それと同時に、国民を無視して政治を進めることは今や出来なくなったのだということを明確にしたのである。そして台湾の民主化運動は、香港の民主化運動にも波及した。

馬英九は一六年の選挙に敗れ、民進党の蔡英文が初の女性総統として政権交代を果たしたが、台湾の自主独立を警戒した中共との関係は悪化した。中国は軍事的圧力を強め、台湾に親中派勢力を扶植することで「中国統一」を目論んでいる。台湾海峡からグアムにかけては米中間の軍拡競争の舞台となっているが、これまで米海軍が中国を抑え込んでいた力関係は既に変化している。そして、習近平が台湾に対する強硬姿勢をとれば、どのような結果が待っているのか、それは今次のウクライナ戦争の結果にもかかっているのである。

4　売国な「愛国」

トランプは中東政策ではイスラエルの支持を強く打ち出したが、二〇二〇年八月にはイスラエルとアラブ首長国連邦を仲介し、国交樹立を図った。それは明らかにオバマ政権の政策への揺り戻しであり、孤立外交の限界が露呈したものだった。国益優先という単純で狭隘《きょうあい》な政策は一部の狂信的な支持者を除いては支持を得ず、もとより国際的な支持など受けることはなかった。

①安倍内閣は何をなしたか？―「集団的自衛権」

トランプ政権の登場には世界が戸惑ったが、その中でいち早く関係構築に踏み出したのが第二次安倍政権だった。そのため日本政府は国際社会の中でほとんど唯一としてトランプを支持した政府になった。

再登場した安倍は、内政の多くを菅義偉《すがよしひで》に任せ、財務は麻生や甘利《あまり》明（経済財政相）を通じて経産省の官僚を動員することで政策を立案させた。そして安倍自身は安全保障をめぐる外交に傾注した。焦点となったのは「集団的自衛権」である。

集団自衛権というのは、自国に関わりの深い国が第三国から攻撃を受けた場合に武力を発動できる権利で、要するに自国に被害がなくても武力行使ができる権利である（自衛権を他国にまで広げる権利）。これが問題となるのは、どの範囲まで対象が広がるのか不明瞭な点である。

集団的自衛権は、よく火事と消防に例えられる。隣家の火事からの延焼を防ぐために、燃えている隣家を壊す「破壊消防」を認めるのが集団的自衛権であるが、問題となるのは、たとえ火事が起きていなくても、起きそうだと判断されれば隣家を破壊することが許される点である。「集団安全保障」（国連方式）では火事が発生した場合にメンバーシップによって皆で消火しようとするが、それに対し、集団的自衛権には先制的に破壊活動を認める性格がある。仮に日本が対象にされれば、「日本が原発を稼働し始めたことは核開発を目的にしたもので、それは自国にとって脅威なので日本を攻撃する」という口実すら作られかねない。実際の想定としては、米軍が攻撃を受けたような場合に、米軍が報復するのに付き合って自衛隊が参戦するというものだが、しかしこうした集団的自衛権の行使は日本では憲法が否定しているのである。

日本に軍事費を負担させることに利益を見出すジョセフ・ナイのような立場を、米の「知日派」（ジャパン・ハンドラーズ）と言うのだが、彼らは軍事負担の観点から憲法改正の議論を求める意向を伝えてきた。それは「ナイ・イニシアティブ」（285〜288頁）に続く軍事費と活動の拡大を求めたものだった。一二年八月にはブッシュ政権で国防長官を務めた米軍人のアーミテージ（Richard Armitage）とナイとの共同による「日本への提言」（第3次アーミテージ&ナイ・リポート）が寄せられ、集団的自衛権の容認が、原発の再稼働とともに要求された（327頁のリポートから続く要求）。

安倍が一二月に第二次内閣を成立させると、こうした米の意向を背景に、安保法制の再構築に関する懇談会（安保法制懇）を立ち上げた。第一次内閣時に立ち上げた「安全保障の法的基盤の再構築に関する懇談会」をほぼそのまま再設置したものである。そして安倍が設置した国家安全保障局の主導で報告書が作成され、一四年五月に提出された。その報告書では中国の脅威が語られ、集団的自衛権に基づく活動が求められた。また北朝鮮のミサイル発射に対して、日米がイージス艦での共同行動をとるとして、それに合わせて自衛隊を強化するという内容である。自衛隊が米艦を護衛することは、同盟国相互の信頼関係のために当然なすべきことだと記されていた。

　当初の安倍は憲法を改正して防衛大綱の改定を行い、「国軍」建設を目論んだが、改憲の目処が立たなかったことから、閣議だけで変更できるガイドライン改定と「安全保障法制」（安保法制／戦争法案）を先行させた。ガイドラインを改定することで、後からその内容に沿った防衛大綱へと作り変えるのであるが、既成事実をつくることでなし崩しに自衛隊の活動範囲を拡大する方式である。

　そして一五年九月、ガイドラインは拡大された。危機の想定が予想段階（「グレイゾーン事態」）でも、日米の軍事行動が可能になり、活動範囲も宇宙空間やネット空間までをも含むとした。「周辺」の限定は解除された。つまりは自衛隊の展開が世界規模で可能になったのである。そのうえ自衛隊の海外派遣を容認する「安保法制」において、米軍支援が法律上明記され、日本が攻撃を受けていなくても武力発動ができる「集団的自衛権」が盛り込まれた。平時から緊急時まで連続する「米軍との共同」と、地理的制限のない活動が、「日米安保条約」－「ガイドライン」－「安保法制」（集団的自衛権）によって構造的に成立した。条約ではないとの理由によって国会での審議もなく策定されたガイドラインの改定が先行し、それを既成事実として「戦争法案」が後付けされて成立したのである。

「集団的自衛権」を盛り込んだガイドラインでは、米軍への後方支援の地理的制限がなくなった。アーミテージらが求めた通りに、後方支援の範囲を拡大し、「日本周辺」以外でも他国軍への給油などの後方支援ができるようにした。日本の防衛を目的にしたはずの日米協力は全く別の条約になった。前提となっているは同盟関係の維持で、そのために従来の憲法解釈を変えてしまおうという順序で進められた。その結果、日本の軍事分担が増し、米軍の軍事行動を支援するための誓約になったのである。

　安倍は他国に潜水艦やレーダーなどを売り込もうと武器輸出三原則（日本は武器および武器製造技術、武器への転用可能な物品の輸出をしないとする原則）をも破った。しかもそれは武器輸出ではなく「防衛装備の移転」なのだと嘯《うそぶ》いた。戦争に加担しないための原則を政治利用し、軍需産業の育成と軍拡に利用したのである。またそれに並行して、自衛隊は空母を保有するようになり、米軍からは最新鋭の次世代ステルス機Ｆ‐35Ａ・Ｆ‐35Ｂ（艦載型）を大量に購入した。

安保法制が成立するより前、一五年四月の「昭和の日」に訪米していた安倍は米議会での演説で、夏までに安保法制を成立させると約した。国内では未だ国会での審議すらしていなかったにも拘わらず、首相が法案成立を勝手に約束してきたのである。「愛国」を語る内閣は、同時にジャパン・ハンドラーズなどと呼ばれる勢力に従属して、国のあり方まで変えてしまうのである。

②憲法は誰の義務か？

この間の一四年一二月に成立した第三次安倍改造内閣では、二〇人の閣僚のうち一三人が日本会議を支持する「日本会議国会議員懇談会」のメンバーだった。そして改憲を目論んだ安倍は内閣法制局の長官を異動した。

内閣法制局は、閣議を補佐するために法の審査を行う「法の番人」たる機関であるが、それまで一貫して九条の下では集団的自衛権は行えないとしてきた。国会では憲法学者が集団的自衛権は違憲であると指摘した。それにも拘わらず、新たに任命された小松一郎は解釈の変更が可能だと言い出した。安倍が小松を任命したのは、両者が小泉内閣期に憲法解釈の変更が可能かどうかを検討したことがあったためだった（当時小松は外務省国際法局長）。安倍が求める解釈のために、それを実行してくれる人物を充てたのである。

「憲法」とは権力者が守るべき法であり、国民が守らねばならない法律とはその点で異なっている。そもそも権力の乱用・暴走を防ぐためにあるのであり、国民の審判なく憲法を変えることなど絶対に許されない。権力者が憲法に触れるのは独裁に他ならず、国民の許可なく改憲は行ってはならない。従って、政府が改憲を主導している時点で異様なのである（ちなみに中国で一党独裁が成立するのは権力者を縛る憲法がないことが大きな要因になっている。中国には共産党の他に八つの政党があるが、建国時から共産党の指導に従うことになっており、憲法が共産党の権力を保障している）。憲法は人権の基礎であるのに、それをねじ曲げるような先例を自国に残すことがどれほど愚かなことなのかは理解して然るべきである。他国の人権侵害を指摘する資格すら失うことにもなる。

憲法の解釈を後から変えていいのなら憲法に意味などない。法の一貫性を否定しようなどとは、法の番人であるはずの法制局長がなすべきことではない。日本国憲法では、「天皇又は摂政及び国務大臣、国会議員、裁判官その他の公務員はこの憲法を尊重し擁護する義務を負ふ。」と規定されている（九九条）。即ち、政府にはこれを守る義務がある。それを政府が破ろうとしている点が問題なのである。何より不誠実なのは、本当にそれが正義で、美しい国のためだと思うなら、選挙の争点にして審議にかけるべきであるのに、政治の説明責任から逃げて、国民に解らないようにやろうとしていることである。

二〇年には、内閣が選ぶ検察庁の幹部の定年を延長できる法改正を国会に通さずに行おうとした。国会の権限である法改正の手続きを無視して、内閣が法解釈を変更しようとしたのである。三権分立をも否定する行為に大規模な反対が起こって、この改正は断念したが、そうした議会無視の態度は自民党が出した「改憲案」にもはっきりと出ていた。

「自民党改憲草案」では、総理の判断で発動できる「緊急事態宣言」が想定されており、それが出されれば内閣は法律に代わって地方自治体などに命令できるとした他、さらに緊急事態宣言の間は衆議院を解散しなくてよいとしていた。つまり、震災や外国との衝突などで何らかの理由を得れば、内閣は緊急事態を宣言し、法律を閣議決定だけでつくることができるし、内閣も議員も任期を勝手に伸ばすことができてしまう。

議会（立法）の権限を政府（行政）が奪い、議会の機能を停止させることで内閣が一切を取り決めようというのは、ヒトラーがナチ党の独裁体制をつくった方法そのものである。現に閣僚であった麻生太郎は、ナチの国民統制の方法を見習うのだなどと発言していた。麻生は自身の内閣期においては、米紙ニューヨーク・タイムスの支局長に対し、首相官邸からの取材協力が欲しければ政権に配慮した報道をするよう誓約を求めていた（タイムスが慰安婦問題を報道したことが背景）。タイムス側が麻生の求めた誓約書の提出を拒むと、首相への取材は一切できなくなった。政府が報道の内容に介入しようとするなどは言論の自由に対する意識が極めて低い故である。

また、安倍は自衛隊のトップである統合幕僚長に対しても恣意的な人事を行っていた。第二次安倍内閣が発足してから退陣するまで、それとほとんど同じだけ統合幕僚長の立場にいたのが河野《かわの》克俊であるが、河野は異例的に三度も定年を延長して、従来なら一年または二年で交代する地位に四年半も在職していた。無論、歴代最長記録である。その河野は、自身の保守としての立場について以下のように述べた。

「保守と言いますけど、二つあると思うんです。端的に言えば、昭和二〇年で線を引く人と引かない人。保守のなかでも、戦前は暗黒で一〇〇%ダメだったという人も多い。でも、私は線を引かないんですよ。そんなね、歴史に線を引くなんていうおこがましいことをやるべきでないと思うんです。全てわれわれ受け継いでるんですよね、いいにつけ、悪いにつけ。」

歴史を断罪するのが「おこがましい」と謙虚めいておきながら、なぜ平和憲法が求められたのかについては言及せず、自ら「悪いにつけ」戦前を引き継ぐと言っている。また河野は「自衛隊は発足からずっと憲法九条のくびきを引きずっている」とも述べた。全て受け継ぐのなら、戦前の日本の国際法違反や戦争に対する責任も引き継がれるべきところが、勝手に取捨選択して受け継ごうとしているおこがましさには自覚がない。そして河野は、「私の人生を変えた本は、防衛大学校時代に読んだ『坂の上の雲』です」と述べた。小説に人生を変えられたそうだ。いかにもそんな歴史観である。

安倍はまた「共謀罪」を成立させた。共謀罪は、英米の大陸法に根ざした法であるが、犯罪を他者と準備する共謀の段階で処罰が可能となる（そもそもは伊のマフィア対策として成立した法）。しかし共謀がどの段階で成立するかは定めようがなく、国会でもその点を誰も説明できなかった。証拠主義を看板にしているはずの日本の司法の中で、科学的根拠なくして処罰する法になる。それは事実上の予防拘禁として運用が可能であり、個々人の思考や内心まで裁くようにもなる。そして捜査のためとして、監視や情報収集を目的にしたプライバシーの侵害も起こり得るのである。従来の日本の法律には存在しない法概念であるため、共謀罪の法案はそれ以前に国会で三度も否決されてきた法案だった。

しかし、共謀罪は野党の抗議の中で可決された（一七年六月）。適法か不当かを線引きすることが不可能なまま処罰の法だけが成立したことは、公権力が人権・思想・表現の自由とは対極的な選択をしたことを意味する。英米と日本では裁判所の権限も役割も異なるのに、その違いを無視して法を導入するなど不見識も甚《はなは》だしい。安倍はテロ対策のために共謀罪が必要だなどと述べたが、その中にはテロを標準にした条文など一つもない。「テロ行為またはテロに準じる破壊行為の共謀」に限定することもできたはずなのにである。これによって集団的自衛権や基地問題に反対する運動が「共謀」の疑いによって摘発できるようになった。

さらに安倍は、最高裁の人事にまで介入した。最高裁の裁判官から日弁連の弁護士を任命しないように操作したのである。日弁連が集団的自衛権や共謀罪に反対してきたことを背景にしている。

安倍政権ではこうした権力濫用が横行したが、一七年からは森友学園の用地売却での不正が追及された。

国有地を不当な価格で売却していたが、その森友学園は安倍の妻・昭恵が名誉校長を務めていた。森友学園が運営する塚本幼稚園では児童の運動会で「安倍首相がんばれ。安保法制国会通過よかった」・「朝日新聞あやまれ」などと言わせていたことも判った（子どもの教育内容に政治的介入をするのは憲法二六条違反である）。財務省では不正を隠蔽するために公文書を三〇〇ヵ所も改竄《かいざん》していた。改竄の指示を受けていた担当者は自殺したが、責任者の麻生太郎は大臣に居座った。派閥のバランスを崩さないために安倍が留任させたのだった。また、安倍の知人である加計孝太郎を理事とする加計学園に不正に便宜を図ったことも発覚した。それらの疑惑は安倍の退陣まで十分には解決されないままだった。

安倍の政策は岸のやり方そのものである。政府への批判を取り締まれる「予防拘禁」の弾圧法規を用意して安保の変更を強行し、審議手続きを無視する点まで岸の手法を全く真似ている。アジア各国を歴訪した後に米で声明を行い、安保改定に進む手順も全く同じで、なし崩しに改憲を狙う方法も同じだった。そして祖父と同様に国民の批判を受け、祖父と同様に国会を取り巻くデモを無視した。また大伯父の佐藤が行った司法への介入も繰り返された。

結果として安倍内閣の事績とは、米側の要請に従い、集団的自衛権を導入して大量の兵器購入とともに対米従属を深めただけだった。トランプがイランを敵視すれば、それに従属して親日国であるイランへの攻撃に加担した。同盟国と親日国とが衝突すると言うなら、積極的に調停して平和解決を主導するのが不戦立国である日本にこそできる役割であるのに、そんな高尚な外交などできるはずもなく、トランプの意向を伝言するばかりであった。共和党政権に「へりくだる」祖父の真似などしていたら、そうした結果にしかならないのは当然であろう。しかし、信義を損なってどうして立派な国になどなれるだろうか。

コロナ禍で五輪の開催が危ぶまれる中、安倍は突如として辞意を表明した。日本の政権史上最長の時間を過ごしながら、歴史的事績としては何一つ成すことがなかった。コロナ拡散によって予測のつかない状況に対し、責任のもてない約束をするよりも退陣を選択したのであった。自らの失策で落ち度をつくって終わるよりも「最長政権」の記録を残しての退陣を選んだのである。国家への背信行為をかくも重ねて逃げ去って行った。（そうした安倍は本稿の脱稿後に殺害された。しかし、不慮の死を理由に不問に付すのではなく、なおさらしっかりと歴史的評価を下せるように議論せねばならないはずである。）

新自由主義の採用が、保守の立場として正統であるかのような誤解は、今なお続いている。しかし、富裕者の権利だけを極大化して、弱者を挫《くじ》く政治がどうして日本の美徳や文化的価値を守ることになるのだろうか。それはむしろ保守的な価値を破壊しており、「米ファースト」の模倣に貶《おとし》める選択でしかない。

③「消費税」増税の背景は何か？

安倍政権は一四年に消費税率を八％に増税し、一九年にはさらに一〇％に引き上げた。そして一〇％に増税したその日に、経済同友会の代表幹事が社会保障や財政健全化のためにはさらなる増税が必要だと発言した。増税した日に次の増税を語るなど施政の能力が問われるべきことである。国民からは法人税の穴埋めに消費税を上げているだけではないかとの指摘が出た。

実際に、八九年からの消費税の累計は三九七兆円となるが、法人税は約三〇〇兆円を減収しており、所得税・住民税も二七五兆円を減じている。増税してもマイナスになるため、さらなる増税が定められ、社会保障は削減が計画された。

つまり企業には課税が少なく、一般の市民全体が薄く広く分担しているのである。大企業は一二年から増税までの六年間で内部留保を二五％以上も増加させた。特に大企業は優遇され、大株主の保有総額に至っては三・五兆円から一七・六兆円に急増した。国民の納税負担が増しているのに、大企業に所属すればその負担を共有しないことになる。高給であるにも拘わらずである。政府は法人税を上げると企業が海外へ出ていってしまうと言い訳した。

　現在の税は、所得や担税力に応じた累進課税ではなく、低所得者にも一律の負荷を強いる逆進課税になっている。累進課税では高所得者ほど多く課税することになるが、負担の割合が一律で公平な負荷となる。それに比べて消費税は、所得とは無関係に一律の負担をかけるため、個々人によって負担の重さが異なる。逆進課税は超富裕層を生み出し、低所得者をさらに貧困に追いやる。実際にも所得が一億円を超える富裕層の税負担は軽くなっており、格差はますます広がっていくことが明白である。

　そして、消費税には五兆円規模に達した軍拡財源としての意味がある。米が〇二年に発表した「共同防衛に対する同盟国の貢献度報告」では日本の軍拡が高く評価された。大企業への大判振る舞いの減税をしながら、その軍拡を可能にしたのは消費税だった。軍事費は目的税にできないため、その財源を消費税に求めているのである。

　そもそも消費税が軍拡財源であったのは第10章5に見た通りで、米からの軍拡要求に応えるために導入された負担である。しかも、国債の発行によってほとんど無意味な国民負担になっている。現在までに対GDP比：250％という途方も無い額の国債を発行しており、言うまでも無く先進国中でも群を抜いて一位の借金国である。一二年度に七〇五兆円だった国債は、安倍政権の下で二〇年度までに九六四兆円にまで拡大した。これを消費増税でわずかに補填しているだけになっている。

　先進国（GDP上位二〇ヵ国）の中で、この二〇年の間に経済成長がないのは日本だけである。トルコ・ロシア・イランなどは五〇倍から一〇〇倍のGDPの伸び率を見せた。中国やインドネシアは二〇倍以上の成長を見せている。欧州でも、独仏は七割～八割の成長率で、最も低い伊ですら六割（61％）であるが、日本はわずか2％に満たない程度である。それでも軍備を拡張して消費税を上げるのだから、自民党を支える大企業は優遇しても、他は貧しくて構わないとの態度であると指摘される通りである。四〇〇兆円の内部留保をため込んだ企業からの法人税・所得税は取らずに、負担能力のない層へ転嫁している。消費税が上がれば国民の消費が減少し、所得水準まで下がれば結局は税収が減ることになる。大企業の収益も日本社会という環境あっての収益なのに、それを社会に還流せずに済まそうとは経済的差別の政策化に他ならない。

④コロナ禍での五輪をどう見るか？

一九年五月、明仁天皇（「平成天皇」）が退位し、元号は「令和」に改められた。近代からは生前退位の前例がなかったため、八五歳の高齢に達した天皇が日々の公務での多事を務めていた。「天皇」には唯一の永久的な公務員としての義務が課せられているという性格が改めて認識された。退位した天皇の称号について「有識者」による会議が開かれたが、古代・中世を先例に上皇が選ばれた。明仁天皇はビデオメッセージによって退位の意向を自ら示した。しかし、令和は世界に蔓延するコロナ対策に追われる幕開けとなった。

内閣は官房長官の菅義偉が後継したが、当初は縦割り行政の弊害からコロナ対策は混乱した。感染症は厚労省の担当すべき事案だが、医療研究を行う大学は文科省の管轄で、ワクチンの輸送は国交省、冷凍保存は経産省、接種のために自治体と調整するのは総務省、注射針の破棄は環境省、そして財務省が予算を確保せねばならない。予想を超えた拡大から接種センターが必要となりそれは防衛省が担当した。各省庁の分担・協力を必要としながらも上手く連動しなかったため、ワクチン担当大臣に河野太郎（一郎の孫）が任命されたが、縦割りの悪癖が随所に見られ、諸外国より接種が遅れた。

そうした状況から、二〇年に予定されていた五輪は二一年に延期された。五輪には一兆六〇〇〇億円超の費用をかけたが、それは当初の予算の倍額だった。コロナで海外からの収入がない中で、しかも無観客で実施されたことで赤字になった。五輪の責任は開催都市である東京都にあるが、招致決定から都知事が三人も変わるなどしたため、小池百合子都知事は主導性を発揮できず、コロナの特殊事情も重なって政府主導の傾向が現れていた。一部の施設の払い下げなどが検討されるが、巨額の赤字の埋め合わせには都の税金が充てられ、それを上回る額については国の税金が投入される。パラリンピックも続いて開催されたが、しかしその間の赤字がどれほどで、どのように払われていくのか国民に明らかにされることはなかった。

結局内閣はコロナの対応に追われるうちに辞任し、二一年九月に岸田文雄が首相に就任した。宏池会の岸田は、「小泉内閣以来の新自由主義からの脱却」による日本型資本主義の再建を主張した。

⑤日韓関係は何で決まるか？

この間の韓国では一三年に強硬な反日政策をとってきた李明博が失脚した。竹島に本人が上陸する演出を行うなどしていたが、その背後では国会議員の実兄が収賄で逮捕されていた。支持率を取り戻そうと反日をアピールしていたが、しかしその後に本人にも収賄の嫌疑がかかり失脚したのだった。

次期大統領には、朴槿恵《パククネ》が就任した。「日韓基本条約」を結んだ朴正熙の娘であるが、極めて強硬な対日方針を出し、日本との首脳会談を拒否し続けた。朴槿恵は一五年の「日韓合意」が成立した後も強硬姿勢を崩すことがなかった。それまで反日政権が続いた韓国において、親日的であった父の看板は槿恵にとって有利なものではなかった。そのため過剰なまでに反日をアピールしたのである。槿恵は政権末期に対日強硬姿勢を修正し始めたが、不正疑惑の罪などで懲役を受けた。韓国では前政権の犯罪を追求することで支持率を上げる傾向があり、とくに保守党と民主党の間で激しい応酬がある（他には北との関係や、日本の歴史問題との距離で政治的立場を位置づける）。

一七年の選挙で勝利した文在寅《ムンジェイン》は、かつて朴正熙政権に対して民主化運動を行っていた人物で、盧武鉉とともに民主党政権を運営した。盧武鉉が政治資金問題で自殺したのには、李明博政権からの圧力があったことから、李への強い不満をもっていた。文在寅政権の下で李明博は懲役刑を受刑する。李は現在も収監されているが、それには文在寅による報復の意味があった。そして、文も日本への強硬姿勢をとった。それが表面化したのが歴史問題としての「徴用工問題」である。

一八年一〇月三〇日、韓国の最高裁にあたる大法院が日本製鉄に対し、第二次世界大戦中に同社の前身企業で働いていた韓国人四人に賠償を命じる判決を言い渡したことで注目が高まった。日本側は判決に対し、「請求権に関する問題は六五年の日韓請求権協定で解決済み」と反発すると、日韓関係は急速に悪化した。一時は両国の間での貿易摩擦として紛糾したが、その後のコロナ禍で小康状態となり、文政権は二二年に任期を迎えた。

二二年三月九日、次期大統領選挙には尹錫悦《ユンソギョル》が勝利した。光州事件を訴追した民主化の運動家である。尹政権は北朝鮮への強固な姿勢を基本としつつも、コロナワクチンの供給には協力した。韓国は、安全保障で依存する米と、最大の貿易国である中国に挟まれている状況で、米中それぞれからの後援がなければ北との交渉は上手く行かない。尹政権は日米韓の関係強化を北への圧力とし、Quad への参加や、日本との関係改善を前向きに主張している。そのため日本側では対日関係の改善が期待されているが、そもそも日韓両国が何を共有し、何を護っていくのかという基軸がなければ関係構築は成らない。韓国が経済的に重要な中国との関係を踏まえつつ、日本との関係を改善できるかどうかは、日本側の姿勢にもかかっているのである。

第14章
自由と民主

二〇二二年現在、世界では民主化をめぐる対立・分断が起こり各地で問題化している。特に多民族国家では各民族の独立による離散の可能性を常に抱えている。そして、各国はそれぞれの危機に直面しながら、改めて世界秩序の維持や展望を得ねばならない状況にいるのである。

1　分断される民主主義

トランプは政権末期になり協調外交路線に修正を試みたが効を奏せず、二〇二〇年一一月の大統領選挙は民主党のバイデン（Joe Biden）が勝利した。ところがトランプ陣営は選挙に不正があったとしてバイデンの勝利を認めなかった。トランプが抗議を呼びかけると、支持者は選挙結果を確定させようとする議会を襲撃した。大統領選の最中にネットで陰謀論が流れ、「民主党は財界やハリウッドスターと結託し、影の政府を築いて国際的な児童売春を行っている」などと、途方もない偽情報が広められた。議会を襲撃したトランプ支持者はそうした虚報を信じ込んでいた。

コロナでの失業や自粛による閉鎖的な環境の中で、情報が遮断された状態に置かれた市民がSNSの一部の情報だけに影響された。情報の二極化・分極化はマスメディアの元来の性質だが、ネットのアルゴリズム（おすすめ動画の機能）によって偏《かたよ》った情報ばかりを目にする傾向が極端に助長された。個人のネット環境が社会的対話を失わせていたのである。しかし、その根源にあったのは経済的な不平等への不満や生活不安だった。経済的格差と不平等が共和党と民主党の支持者を敵対させ、国内を分断したのである。

暴動とコロナ蔓延の中で就任したバイデンは、メキシコとの国境の壁の建築を中止させ、気候問題についての「パリ協定」やWHO（世界保健機関）などトランプが脱退した諸政策を大統領令によって戻した。国際協調重視の姿勢を鮮明にし、トランプ政権の外交を直ちに転換したが、しかし中国の膨張政策や人権抑圧に対しては警戒姿勢を見せ、香港の民主化運動やウイグルの人権問題では中共政府を批判した。

また、バイデン政権はイランとの合意を復活させようと呼びかけた。イランは核開発を進めており（ウランの濃縮度を高めた）、それによってイランと敵対するイスラエルとの関係も悪化していたからである。しかしイスラエルは米がイランと協議すること自体に反対した。イランとの緊張は一層高まることになる。

①新たな対立はどう始まったか？

〇一年の同時多発テロが起きた時、NATOは初めて「集団防衛」（締約国の敵は皆の敵とするNATO条約第5条）を発動した。アフガンをテロの温床地域にしないための行動だったが、それは欧州の安定を背景に、NATOが中東問題にまで着手するようになったことを意味していた。

アフガンには米軍を主としたNATO軍が駐留するようになり、その占領統治の下で新しい国家建設がはじまった。アフガン国内はなお、隣接する軍閥同士が武力衝突を繰り返している状態だった。政情が未だ不安定な中で、〇三年にイラク戦争が始まると、米軍部隊はアフガンから移動した。それに伴いアフガン国内で米軍の影響力が減少すると、タリバン勢力が復活し始めた。

オバマ政権が成立すると、米はタリバンを一掃しようと米軍を一挙に一〇万人に増強してアフガン統治を開始した。空爆も実施したが、その被害はタリバンに限らず一般市民にも及んだ。それはアフガン国内に反米意識を醸成してしまった。そして以後二〇年にわたる戦争状態が続くのである。

タリバン問題はトランプ政権に引き継がれた。米は、タリバンにアルカイダやＩＳと手を切らせようと交渉したが進展せず、交渉はバイデン政権に持ち越された。すると二一年四月、米政府は一方的にその年の九月一一日までにアフガンから軍を撤退させると宣言した。撤退の日を「９・11」にしたのは二〇年前のテロ被害から闘争してきたとの印象操作であるが、アフガンに関連する米軍の累計経費は二三〇兆円にも及んでおり、財政を圧迫していた。結果として米は無条件撤退を選んだのである。そして米軍が撤退すると、軍事的に米軍に依存していたＮＡＴＯ軍も撤退した。

米軍が撤退を始めていた中の八月、首都カブールが早くもタリバンに制圧され、米が強く関与してきたアフガンの民主政権（ガニ政権）が崩壊した。米軍の撤退はオバマ政権時に検討されており、トランプがアフガン側と合意を作成していた。つまり撤退は既定路線だったわけだが、タリバンの復権が明らかとなっても米政権はアフガンからの撤退を変更しなかった。アフガンを見捨てたとの批判もある中、少なくとも米はアフガンへの関与の方法を軍事的なものから改める姿勢であった。

一方、復権したタリバン政権は国名を「アフガニスタン・イスラム首長国」と改めた。原理主義に基づいて女性の就職や教育などの権利を否定し、過度な抑圧政策を実施している。その結果、アフガンは世界で最も治安の悪い国となった。そして米軍のアフガン撤退は、国際情勢における力関係にも影響した。中ロが強硬姿勢を強め、軍事パレードを行うなど示威行為を目立たせるようになった。特に、中国は東シナ海・南シナ海への海洋進出を強行している。

中国にとってのアフガン情勢は国内のウイグル問題に連動する可能性がある。中国国内のウイグル独立派組織「東トルキスタン・イスラム運動」（ＥＴＩＭ）が他のムスリム運動と連結することを何よりも警戒しているのである。実際に中共はタリバン政権に対してウイグルの運動と提携しないよう求めたが、それに対してタリバン側は「アフガン内のいかなる勢力が中国の領土に危害を与えることも許さない」と述べたものの、テロ集団との関係断絶までは約束しなかった。

米軍が撤退を表明した際、当初の中共はそれに反対し、米がアフガンへ関与し続けることを要求した。「米国は自らの責任を縮小してはならない。ただ歩み去って、残された重荷を周辺国に押しつけるべきではない」との主張であった。中共はまた、ロやパキスタンとの枠組みを利用することで、アフガンを安定させようと働きかけてもいる。

他方、バイデンは中国への国際的圧力を形成し、習の野望の挫折を試みている。二二年二月の北京での冬季五輪に対しては各国にボイコットを呼びかけた。ロの軍事行動が目に余るものでも、中国への妥協的態度をとる様子は見られなかった。

五輪のボイコットが呼びかけられると、日本は選手のみを参加させて、政治家は不参加とする「外交的ボイコット」を実施した。主要な政治家が参加しないことで米の要請に従う姿勢を見せた。しかし中国に対しては、東京五輪の際に中国が派遣したのが国家体育総局長であったため、それと同レベルの派遣をするのだとして、ボイコットではないと取り繕《つくろ》った。つまり、米の呼びかけの枠内で、自主的な中国との関係維持を図ったと言え、それは池田内閣期の対中貿易や、大平正芳の外交手法などを先例にした宏池会の外交を踏襲する手法と言い得る。

米での政権交代によって登場した民主党政権は、民主主義の理念を世界に広め、その価値に基づく国際秩序を求めており、それに対して中ロがそれぞれの思惑から対抗する構図が作られつつあった。

②ミャンマーでの分断

ミャンマーでは、民主化への取り組みが国軍によって阻まれた。かつてのビルマ連邦は独立闘争を経て、六二年にクーデターによる軍部政権が成立した。その軍に対して八八年に大規模な民主化運動が起こり、八九年に国名をミャンマーに改めたが、軍は民主化運動を弾圧して、以後も政治干渉を続けた。そして民主化運動の象徴的存在だったアウンサン・スー・チーが軍に拘束され、自宅軟禁を強いられた（スーチーはビルマ独立運動を指揮したアウンサン将軍の娘：『明日のための現代史』上巻、第10章５④参照。／ミャンマーには姓がなくアウンサンスーチーが名であるが、以下ではスーチーと記す）。

そうした軍部の圧政に国際的非難が起こり、経済制裁が実施された。それにより民政へ移行したが、軍の政治の権限自体は憲法で保障された。軍の権限を弱めようと民主化運動が継続され、二〇年にわたる自宅軟禁に耐えたスーチーが再登場した。一五年の選挙ではスーチーらの政権が樹立され、憲法改正などの民主化を促進させた（配偶者と子が外国籍のスーチーは軍政下の憲法によって大統領になれないため国家顧問の地位。／大統領はティンチョー）。

スーチーらの民主派政権（国民民主連盟）の二期目をかけた二一年二月の選挙でもスーチーらが圧勝した。しかし、その結果に対して軍部は選挙に不正があったとしてクーデターを決行し、一日のうちに政権を奪った（スーチーは現在も拘束中）。

クーデターの目的は、現地の軍産複合による利権構造を護るためである。軍と癒着した企業が軍人の天下り先となり、軍に資金が配当される体制ができている。スーチーらはこの軍の利権構造を破壊しようとしていた。他にも、バングラディシュからの難民（ロヒンギャ）の受け容れや、国内の少数民族による独立運動への対応に対して軍が反発したのだった。

クーデターに対して民衆は抗議活動を展開し、数百万人によるデモが行われると、軍は武力を行使して市民を殺傷した。警察や公務員が軍部政権に従うとは限らなかったため、軍は武力による治安活動を最優先にしたのだった。クーデターに際して、軍は中ロからの支援を期待していた。事実、ロは軍事政権に武器支援をした。しかし、中国は市民の不買運動が起きたことなどからミャンマー国内から撤退した。二一〇〇km以上にわたり国境を接する中国とミャンマーは石油・天然ガスのパイプラインで結ばれる深い関係を有するが、それはスーチー政権によって築かれた関係であった。

国際社会は、ミャンマーと中国との関係が断たれれば、国際的な経済制裁が圧力となって解決を促すものと見ていた。ところがそれはロによるウクライナ侵攻によって棚上げ状態となった。軍事政権はウクライナ戦争を背景に統制を強化し、それに対抗する公務員や医療・教育関係者がストを敢行している。二二年四月時点で五〇万人の市民が既に国外に逃亡している。

ミャンマーは、スーチー政権の下で外国資本の投下が増え続け、目覚ましく発展しつつあった。しかしその経済は既に停滞を見せている。この後に経済破綻などすれば、それは日本を含めた各国に深刻な影響を与えることになるが、そもそもミャンマーに軍事政権ができたのは、大戦時に日本軍が侵攻したことに端を発しているのである。そうした関係のミャンマーにどう向き合うかが、ウクライナ情勢に解決を促すか否かにも関連している。

2　EUとNATO

①なぜ地域統合が望まれたか？

欧州のＥＣ加盟国は一九九三年に欧州連合としてのＥＵを結成した。欧州を政治的・経済的に統合し、地域的な国際機関として冷戦後の国際情勢に向き合う動きであった。東西ドイツの統一や、東欧の共産主義体制が崩壊したことで、外交・安全保障政策と、司法においても協力する枠組みが設けられたのである。安全保障はＮＡＴＯに頼っていたが、巨大な地域的共同体となったことで欧州はさらなる統合に向かっていくことになる。

欧州中央銀行が発足し、二〇〇二年からは単一通貨ユーロが導入された。ＥＵ内での関税は廃止され、ヒト・モノが自由に行き来するようになった。中でも最大のメリットと言うべきは、グローバルスタンダードがもたらした国際分業を、ＥＵの枠内で行えることである。例えば、英は欧州各地で製造した自動車部品を購入し、国内で組み立てていた。それが欧州を一つの経済圏として関税なく部品の入荷ができるようになった。ＥＵ内の何《いず》れかの国に主要な産業があり、また何れかの国が低コストで製造・製品化できるのであれば、国際分業をＥＵの中で、しかも関税障壁なく出来るのである。関税撤廃は販売についても価格競争での強みとなる。そしてＥＵ成立は英の宗教問題にも思わぬ影響を与えた。

一九二二年、プロテスタントが主流の英はカトリックの多いアイルランド（愛蘭）と分裂したが、愛蘭の中のプロテスタントが

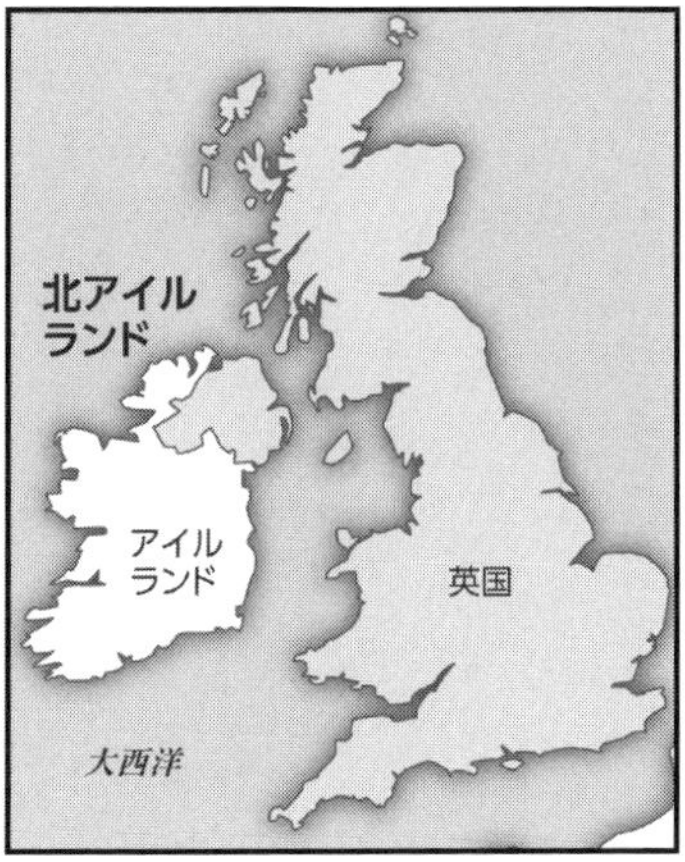

英国および北愛蘭と愛蘭

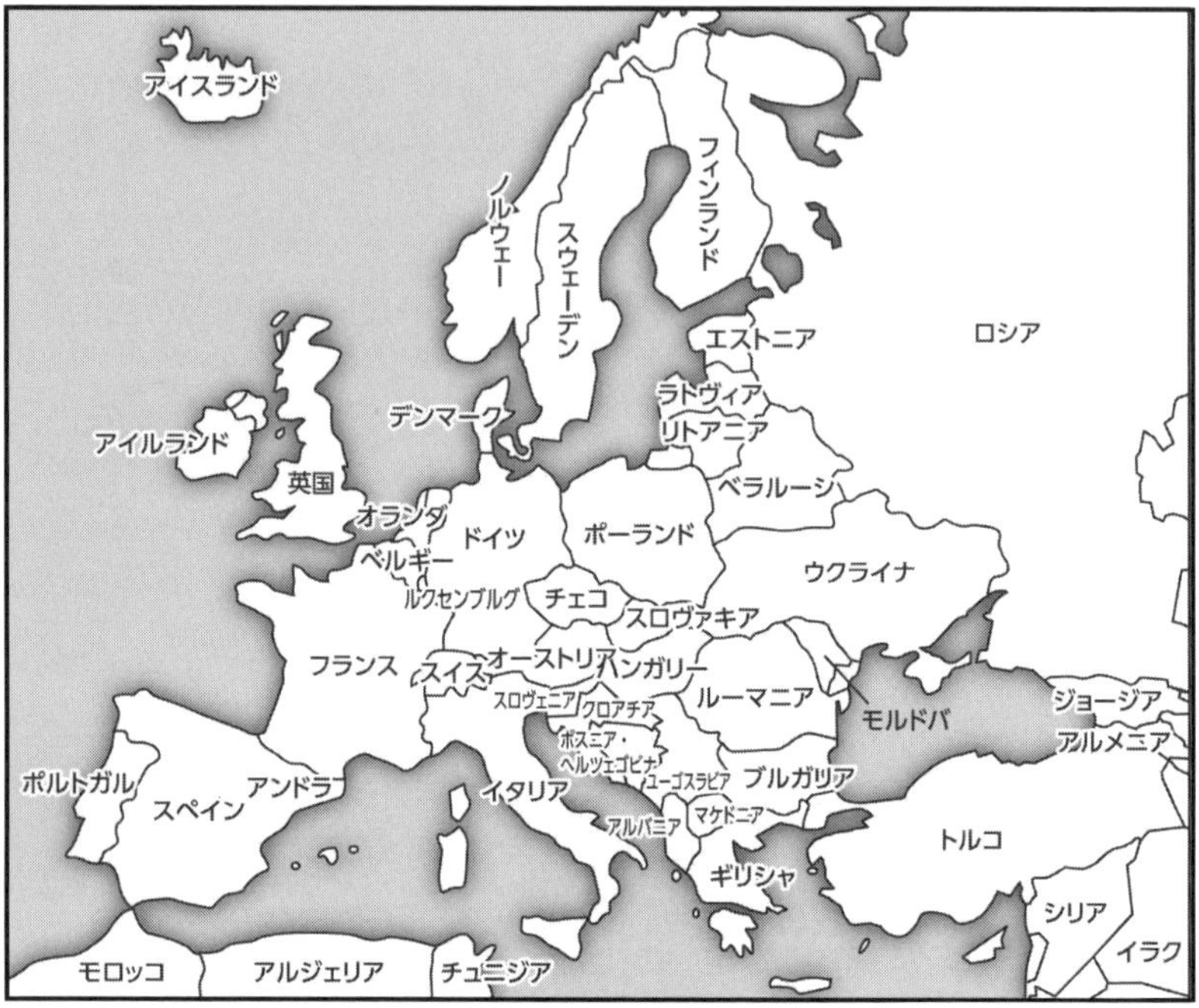

ヨーロッパ全図

「北アイルランド」（北愛蘭）として分離し、英側に留まった。このため北愛蘭は英の飛び地となった。しかし愛蘭のカトリックらは北愛蘭が分離していくことに反対し、統合を求めた。武力統合を目指すＩＲＡが組織され、プロテスタントや英に対するテロ・ゲリラ攻撃をしかけて激しい闘争を繰り広げたのである。

しかし七三年には英と愛蘭とが同時にＥＣ（欧州共同体）に加盟すると、愛蘭は経済援助を受けるようになった。それでも八〇年代までインフレや財政赤字を抱え続けたが、九〇年代に積極的な外資導入を図ると目覚ましく発展した。そしてＥＵに加盟すると、移動の制限がなくなったことで愛蘭と北愛蘭との分裂も対立の焦点ではなくなった。

ＥＵには、こうした宥和を含めて、国家を超えた共同体の形成という新たな歴史的業績を成し遂げたところに評価すべき点がある。しかし、これからの課題も多く残されている。

一つには加盟国間での法的な壁がある。ＥＵでは共通の法を創出しようとしているが、その際には自国法とＥＵ憲法のどちらが優越するのかの問題がある。また経済統合の利点の裏で、ＥＵに加盟すれば各国独自の金融政策ができなくなるという制約が起こるなどの問題が解決できていない。さらに国境管理の廃止により第三国民の移動を可能にしたが（シェンゲン協定）、そのために何れかの加盟国に流入してきた難民がさらなる国境を超えた移動が可能となり、ＥＵ内を無制限に移動できることにもなり兼ねない。

結局、「ＥＵ憲法」の策定は合意に至らず、加盟国の主権を十分に尊重した上での統合に修正されていった（「リスボン条約」）。これにより現在のＥＵの骨格ができたが、ＥＵは未だ統一と離反の動きとの間でせめぎ合っている状態なのである。

②ＥＵの課題は何か？―「ギリシャ財政危機」

ＥＵに対し、仏ではシラク政権が主導的に働いたが、国民は次第にＥＵの利点に疑問を持ち始め、〇五年には国民投票で「ＥＵ憲法」への条約批准が拒否された。ポーランドからの労働者の流入に職を奪われるとの懸念からだった。同年秋には高い失業率と経済格差を理由に騒擾《そうじょう》事件が連続して発生し、一挙に不安定化した。〇七年の大統領選挙では対立していたサルコジを後継に指名し、シラク政権は退陣した。ＥＵ統合の失敗こそが最大の要因だった。サルコジはそれまでの仏の独自外交を親米路線へと修正し、ＮＡＴＯにも四三年ぶりに復帰した。また欧州では、蘭においても統一憲法は反対された（仏・蘭の反対は東欧からの移民の流入を警戒したもの）。

そして〇九年におきたギリシャでの財政危機もＥＵに亀裂をもたらした。ギリシャは七五年に軍政を倒して民主化を達成し（国民投票で王政から共和政に移行）、八一年にＥＣに加盟して原加盟国となった。ユーロも導入したが、その頃までに財政の拡大政策をとるようになり、対外的な借金を重ねるようになった。

〇四年にはアテネ五輪を開催したが、政府は財政状態の悪化を隠し続けていた。しかも政権維持のために役人を大量に採用した。国民の四人に一人が公務員になるまでに拡大され、人件費や年金の支払いなどで財政赤字は肥大し、その数値は粉飾された。

政府は財政赤字を徐々に公表し始めたが、それが国債の債務不履行の不安を呼び起こしたため、政府は公務員の人件費の大幅抑制・公共事業の凍結・年金の削減などを急に行うようになり、ストライキを続出させた。これにより発生したのが「ギリシャ財政危機」である。

財政破綻はEU内に波及する可能性があったため、EUはギリシャに巨額の支援を与えた。IMFも支援に乗り出したが、その負担がEUのいくつかの国には足枷に思われた。ギリシャの野放図な政策の後始末をさせられている不公平感が特に先進地域の国民に現れたのである。以後のギリシャでは新政権によって厳しい緊縮財政が実施されたが、EU内で孤立するようになった。

そして、最大の問題となったのが英の離脱（ブレグジット）である。英はEUによる移民の増加を問題にして二〇年に離脱した。残留の意向を見せていた保守党のキャメロン首相は辞任することになった。その後も保守党政権がEUと協議を続けたが難航し、政権はメイ首相・ジョンソン首相と交代が続いた。議会選挙でも離脱派が優位を占め、ついには離脱が決定されて、初めてのEU離脱国となった。しかし、それは英国内の労働力を低下させ、人手不足を発生させた。EU最大のメリットとも言える「枠内分業」も放棄することになったため、輸出にも制約がかかるようになった。そして、アイルランドの分裂問題も再び戻ってきた。

英は離脱後も愛蘭と北愛蘭の間の交通は遮断しなかった。国境線を復活させればIRAとの対立が起こりかねないからである。しかし、EUからの離脱で無関税特権は放棄せねばならないため、北愛蘭を貿易上は英本土と分離した。そのため北愛蘭は英国でありながら経済的なルールの上では本土とは切り離された地域になった。国境とは別に、経済的な境界線で分断されたわけである。

英の離脱を招いたことは、ＥＵが加盟国の協調関係の調整に失敗し、統合を実現できなかったことを表している。これらは、主権国家のあり方など国際秩序の根幹にさえ関わる問題であり、今後のあらゆる国際共同体にとって乗り越えなければならない不可避の課題である。しかしＥＵの場合には、欧州内の移民を労働力として主要産業を発展させる分業が考え出されれば、どれほどの効果を生み出すかは想像するに余りある。労働コストを下げないと企業や工業が国外に脱してしまうリスクもあるが、そうなる以前に発展できる地域が多く存在している。

③「新日英同盟」とは何か？

ＥＵから離脱した英はそれまでに日本との軍事的な提携を進めていた。一七年にメイ首相が来日したが、それは日本との安全保障協力を新たな段階に押し上げる計画を携えての訪日だった。その結果、安倍政権との間で「安全保障協力に関する日英共同宣言」を発表し、その中で、「安全保障上のパートナーシップを次の段階へと引き上げる」として、同盟関係に発展させることを宣言した。日本との同盟関係を活用し、インド洋・太平洋地域の安定に関与することで、国際的地位を高めようとの構想である。

日英両国はインド・太平洋地域の安定のため、英がインド洋に最新型空母を展開させることや、自衛隊と英軍との共同演習を定例化すること、さらに将来型の戦闘機の共同研究を進めることなどについて合意した。公式な「同盟国」になるとすれば戦後初のことであるが、河野太郎外相は会談後の記者会見で、「英がスエズの東に戻ってくることを大いに歓迎する」と述べ、英の構想実現を促した。

同盟化の動きは一二年一月からあり、日英安全保障協力のための準備が行われていた。一三年一〇月に東京で初めての日英安全保障会議が開催され、日本からは安倍首相が参加した。日英が安全保障協力を強化していく方針が表明され、以後は定期的に会議が開催されている。

一五年二月には横須賀の海上自衛隊自衛艦隊司令部に英海軍から連絡将校が派遣され、常駐するようになった。また、ソマリア沖で海賊対策の任務に当たっている多国籍の海軍部隊の司令官に海自の自衛官（海将補）が着任する時には、その補佐役として英海軍から参謀長が派遣されることが慣例化している。そもそも海上自衛隊は英海軍をモデルとするが、双方が協力関係を深めており、一六年からは英軍との共同訓練も開始され、部隊間の交流を進めるための法整備も進められていた。

但し、英との間に何を共有し、何を共通の目標とするのか、その最も大切な目的は明らかではない。中国への脅威意識から、展望のないまま英の拡大行動を受け容れている様子が見て取れる。どの国と提携すれば、どこに影響が現れるのか十分に検討されるべきところがそうした議論は現在のところ見当たらない。

3　ウクライナ侵攻

ロのプーチン政権はクリミア分割に続いて、ロと接するウクライナの東部を分離独立させた（ルガンスク州・ドネツク州）。住民の支持を得たとして共和国の建国を主張したのである。国籍を与えて、「自国民を護るため」との口実を作り、ロ軍の進駐の合法化を図った。

ジョージアでの紛争（二〇〇八年）についても指摘したが、住民自治を根拠に他国を分割していくのは、ヒトラーがナチス帝国を拡大していった手法そのものである。そして二二年二月、ロはウクライナへ軍事侵攻した。プーチンは侵攻の理由を、ウクライナがＮＡＴＯに加盟しないように、米に対してウクライナを説得するよう交渉したが、米がそれに応じなかったために侵攻したのだと表明した。また、ウクライナ政府がネオナチ化し、東部のロ系住民を殺戮しているなどと強弁した。

ロはサイバー攻撃と併せた軍事侵攻によってウクライナの軍事施設を破壊し、事実上の戦争を起した。ベラルーシはロに追随して侵攻に加担したが、以前からロ軍と合同演習を行っていた（ベラルーシの名は白ロシアを意味し、現在のルカシェンコ政権はロを後ろ盾に独裁体制をとる政府で、ロの衛星国である。欧州最後の独裁政権であり国内では弾圧や暗殺が横行している。二一年八月、東京五輪を機にポーランドに亡命した選手が出た）。ロ系住民の保護を口実としながらも、その地域を大きく逸脱して侵攻している。

ウクライナではゼレンスキー大統領が徹底抗戦を表明するとともに、国際社会へ支援を求めた。米は全面支持を表明すると、ロへの経済制裁を実施し、ＳＷＩＦＴ（国際金融と接続する電信網）からロを除外した。しかし、バイデンはロを批判しながらも、ウクライナへの支援には軍事支援を含まないと早々に発言した。ＮＡＴＯの加盟国ではないウクライナへの軍隊派遣は行えないとの理由であるが、九九年のコソヴォ紛争の事例に見たようにＮＡＴＯは加盟国でなくとも軍事介入を行った実績がある。バイデンの方針は全面戦争化を避けようとするものであったが、米が初めから派兵をしないと述べたことは、ロ軍の侵攻を助長したように思われた。そして経済制裁も不徹底さを目立たせるものとなった。

①ウラジミールの夢は何であったか？

国際秩序を破壊したロの侵略は、ＮＡＴＯの東方拡大を阻止するためであるが、各国からの経済政策と引き換えにしてまで戦争を開始したプーチンの動機はどこにあるのであろうか。

軍事行動の背景になったのは、米軍のアフガン撤退である。バイデン政権が軍事的負担を避ける様子を見たプーチンはＮＡＴＯの加盟国でないウクライナへ侵攻しても、中国と睨《にら》み合う米は過度な負担をしてまで介入してこないと読んだ。また、ＥＵ各国がロから大量の天然ガスを輸入しており、ロへ依存する国際環境ができていたことも理由である。例えば、独は脱原発を推進するため、ロの天然ガスへ依存していた。仏伊もロの資源への依存度が高く、ロとの関係が破綻すれば深刻な資源の価格高騰を起こすことになる。ロ側はパイプライン建設などによってそうした依存体制をつくらせていたのである。

他方、ロが行ってきたシリアへの軍事支援が多大な財政負担をもたらしており、それによって景気が後退したことも理由と思われる。景気悪化によって支持率の低下が懸念されていた。そのためプーチンには、「大祖国戦争の戦勝記念日」(独ソ戦の終結した五月九日)までに支持を回復する事績を得たいとの目論みがあった。そしてその支持低迷を防ぐ策として「強いロシア」を見せたがるのは、プーチンが強硬姿勢によって権力を掌握したという成功体験があるためである。

九九年にエリツィンが退任する際、エリツィンは健康問題とともに不正疑惑(不正献金)を抱えていたため、自身の不正を追及しない後継者を求めていた。そして、政府に最も忠実な人材と思われたプーチンが首相に抜擢されたが、その直後にテロとの戦いに直面することになった。以前より独立を求めて過激化していたチェチェンのテロ組織との戦いである。

チェチェン共和国は、ロでは数少ないムスリム教徒が多数を占める地域である。ソ連崩壊にともない独立を宣言したが、エリツィンはこれを認めなかった。カスピ海からの石油パイプラインをめぐる確執もあり、九四年から九六年にかけてチェチェンの独立勢力との間で武力紛争が起きた(第一次チェチェン紛争)。

エリツィンによるこの第一次侵攻はロ国民の間では不評だった。ロ軍にも死者が出ており、独立を認めないエリツィン政権に批判が出た。そのため九七年にロ軍はチェチェンから撤退し、一定の自治を認めたが、ロ政府とチェチェン側は険悪なままだった。チェチェン側はあくまで完全独立を主張し、その後も運動を激化させていった。そして九九年九月、主要都市で連続的に爆破テロが起こされた。他にも誘拐事件などが多発しており、チェチェンのテロ組織による犯行とされた。ロの一般市民に極めて深刻な恐怖が訪れた。ロ政府はテロの脅威を訴え、チェチェンに空爆・侵攻を開始した(第二次チェチェン紛争)。

この第二次紛争の武力行使の指揮を執ることになったのが、首相に就任したてのプーチンだったわけである。それまで侵攻に批判的だった市民に対し、弱腰な対応がテロを助長するのだと訴え、断固とした姿勢を示すとともにチェチェンの独立勢力を駆逐した。

プーチンは翌年の大統領選挙で初当選するが、それは強硬姿勢が国民の支持を得たためだった。チェチェン独立勢力はその後も各地に拡散し、モスクワでテロを起すなどしたため、それを不安視する国民はプーチンによる「強いロシアの復活」を選んだ。二期目の大統領選が行われた〇四年には七割を超える支持率で再選した。やはり未だテロに脅える国民の支持を得たためだった。強硬姿勢こそがプーチンの支持基盤になったのである。

力で脅威をねじ伏せることで国民を護る指導者の姿がつくられたが、それは取り立てて業績のない無名の元スパイが大統領となるのに必要な演出だった（プーチンを大統領に押し上げたテロは政府の自作自演によるでっちあげだったとの証言がある。それを証言した口の元諜報員は亡命先で毒殺されている）。以後は、〇八年に大統領の任期を終えたが、自身の法律顧問であったメドヴェージェフを後任に据えると、自らは首相となって政権に留まった。実質的にはプーチン政権が継続され、一二年になると再びプーチンが大統領になった。その間には不正な選挙操作や政治的ライバルの逮捕が行われていた。そして対外的には米の一極支配への対抗姿勢を見せるようになった。

今なおプーチンが大統領でいられるのは国内の支持があるためである。特に支持率の高い地方では高齢者を中心としてプーチンのおかげで経済が発展したとの声がある。そうした高齢者らにはソ連が崩壊した際の国民生活の破綻の記憶がある。ソ連崩壊の当時、公共事業を担う機関も一緒に消滅し、水道や暖房などの生活インフラが崩壊した。その影響は地方ほど大きく、深刻な経済難が押し寄せた。政権に就いたプーチンは国内の天然資源の事業を国有化し、対外輸出を伸ばしたが、その利益の大半を政府が取る仕組みを作った。そして資源が高騰した際にロの景気を浮揚させたのである。

一方、当時の財政難を乗り切ったプーチンにとっては、その頃には軍備の維持・拡大ができなかったために、東欧諸国やバルト三国までもＮＡＴＯに加盟し、それを抑制することができなかったという経験になっている。ますますＮＡＴＯに抑制され、さらにこの後ウクライナが加盟して、ウクライナに米軍基地が置かれるような状況になれば、ロの地位は低下するばかりとなる。

またウクライナがＥＵに加盟すれば、その市場が欧州に開放されることになり、欧州のあらゆる物資がウクライナに流入することになるが、ロはウクライナとの間で市場開放を進めていたため、ロの市場も事実上の開放状態となる。欧州から豊かな物資が流入することはロ国内の生活レベルの低さを明らかにすることであり、国民にＥＵへ加わることが生活を向上させると思わせることになる。それはあたかも東独崩壊の時をたどるが如くである。

ＮＡＴＯでは加盟国の敵は皆の敵とされる。そこへウクライナが加わることを阻止するために、プーチンはウクライナ全土を併合する気はないと表明しながらも、親ロ政権を復活させようと侵攻した。ひとたび加盟を許せば、集団安全保障の枠内に入り、二度と手が出せなくなるため、そうなる前に国際社会を敵に回してでもＮＡＴＯやＥＵへの加盟を防ごうとの判断である。特にバイデンは中ロの両国を「専制国家」と批判してＧ20によって指弾しようとしていたため、プーチンは米が民主主義を強要して、ロのあり方を変えようとするのだと認識したものと考えられる。

②誰がプーチンを裁くべきか？―戦犯と戦争責任

プーチンは、かつてＮＡＴＯがロに対して東方に進出しないとの約束をしており、ＮＡＴＯがそれを破ったから侵攻したとの理屈をつけた。ＮＡＴＯの約束とは冷戦の終結宣言時のものとされるが、しかし終結宣言をした当のゴルバチョフが、ＮＡＴＯの東方進出については何の合意もないと語ったとされており、ウクライナの加盟を拘束するような国際合意は存在していなかった。また仮に約束があっても侵攻の理由にはならない。

軍事侵攻は、武力による威嚇を厳禁する国連憲章に抵触する行為であり、明らかな国際協定への違反である（ジュネーブ議定書等）。そして、ウクライナを始め旧ソ連邦の国々が、ＮＡＴＯに加盟するか否かを主体的に決めるのは、主権国家としての固有の権利であり、誰にも侵されるべきではない。

戦争行為にしても、戦時国際法（陸戦条規・ジュネーブ諸条約）によってルールが定められており、ウクライナ侵攻のような違法行為がある場合には、国際司法裁判所・国際刑事裁判所がそれぞれ国家と戦争指導者を裁くことになっている。実際に、司法裁判所はロへ軍事攻撃を停止するよう命令したが、プーチンはこれを無視した。そして、戦争犯罪者を裁くはずの刑事裁判所については、ロはその条約を結んでいないため刑事裁判にかけることができない（但し、刑事裁判所条約を締結する国にプーチンが立ち入れば拘束して裁判にかけることができる）。そうした穴を抜けて戦争をしているのが現状と言える。

米のみならず、ＥＵや英、日本もロへの経済制裁を実施した。しかし、ロは欧米から融資を受けられなくとも直ちに孤立して枯渇するわけではない。国連では米の要請から緊急特別会合が開かれ、ロへの非難決議を採択したが、ベラルーシ・北朝鮮・エリトリア・シリアが決議に反対した。いずれもロに軍事的に依拠する国である。また中国と印度は棄権した（賛成一四一ヵ国・棄権三五ヵ国・無投票一二ヵ国／中印の他の棄権や無投票は主としてアフリカと中東諸国による）。印度は中国と対立する立場から、数十年にわたってロとの軍事的な関係を保ってきたのであり、軍事では全面的にロに依拠している。

印度が日米豪と形成する Quad には、アジアにおけるＮＡＴＯのような役割がある。そもそも Quad は民主主義と法の遵守を共有する四国の協力関係を目的にしている。しかし、印がロに敵対すれば中ロの連携が強まるため、印には露に強く反対できない立場がある。つまりQuadは対中包囲網としての意味はあるが、対露機構としては機能しないのである。印はかつての「非同盟主義」のように、独自路線の選択肢を保持している。

露は経済制裁を行う国を「非友好国」に指定して、露側からも経済的な圧力をかけた。しかし露が非友好国に指定した国は欧米を中心にした四三ヵ国に過ぎない。中東、アフリカ、そしてアジアのほとんどの国々は経済制裁に参加しておらず、制裁に加わっていないながらも日本などは同時に露との漁業協定を結んで、部分的な経済交流を継続している。それまで停止してしまえば日本の漁獲に不利益だからである。露との経済交流を断ってしまえば、大量の失業や損失を抱えることになる国々は多い。そのため経済制裁は、巨大な資源国である露への警告にはなっても、体制の矯正にまではならない。そうした国際関係を前提に戦争が起こされたのである。

相互依存の世界の中で、経済制裁は自国にも被害がある苦肉の策である。露からの輸入に依存する国も疲弊する。とは言え、ずっと制裁を受けていたらもちろん露の経済は立ちゆかないことは解っている。そもそもプーチンは世界的な経済制裁までは予測できていなかった。それは露の海外資産を引き上げなかったことからも見てとれる。また、ウクライナの貿易も他国への影響力をもっている。例えば、中国のウクライナに対する経済依存度は極めて高く、単純に露を支援できるものではない。しかし経済制裁には即効性がなく、露にして見れば、その効果が深刻になる前にウクライナ問題を解決すれば良いという考えもある。露の国民も不便なだけで生活はできる程度であれば、プーチン政権に反対まではしないであろうし、そのうえ経済制裁がプーチンのせいではなく、諸外国の圧迫なのだと認識されるようであれば、プーチンへの支持率はむしろ上昇する可能性まである。

ウクライナ侵攻の動機には、経済問題やプーチンの健康問題が考えられているが、何れにしても支持率の低下を防ぐための措置と言える。そうした理由で他国の侵略など行えるのは独裁者であるからに他ならない。外に敵を作り出すことで、国内問題を副次化する手法である。

プーチンは、ウクライナの政権ではなく、その後ろにいる米とＮＡＴＯを見て行動している。〇八年時のジョージアへの侵攻では一五万の兵をもって行ったが、それでも領土の分離が容認され、一四年のクリミア併合も成功した。また、米とＮＡＴＯが二〇年間をかけても達成できずに投げ出したアフガンでの失敗を間近で確認した。戦争の総括さえできていないバイデン政権は、新たな戦争に対して米軍を派遣することに国民の理解を得られない。新たな戦争が起きても米国民はそれに介入することを絶対に支持しないとの確信ができた。特に二二年の一一月に予定される米の中間選挙より前には、米は軍事行動を起こしてまで介入してはこないと見たであろう（米の中間選挙では、上院議員の三分の一と下院議員の全議席が改選される）。中間選挙で民主党が多数派を維持できなければ米ファーストの共和党が議会を左右し、次の政権を獲ればなお好都合である。こうしたタイミングをもって侵攻に踏み切っていた。

但し、そもそもロの地上軍にはウクライナ全土を占領する兵力はない。仮に占領ができても、全土の占領統治には過度な負担があり、実行できるものではない。そのため、ウクライナに要求を押しつけられるように、首都キーウを圧し、空爆で都市をできるだけ破壊したところで停戦交渉を申し出るつもりだったと思われる。破壊された都市の復興には経済的負担がかかるが、それはゼレンスキー政権だけでなく、西側諸国にもかかるはずである。

プーチンは、ウクライナをＮＡＴＯとの間の緩衝地帯にせねばロの安全が脅かされるとしている。その認識は、強国との間に中立国家を置くことで自国の安全を図る「利益線」構想に近似している（「利益線」は近代日本の軍事戦略。／『明日のための近代史』第４章参照）。しかし、プーチンの危機の想定は正しかったであろうか。

プーチンは、チェチェンやシリア、そしてジョージアとウクライナで勢力圏を拡張してきた。国際社会はそうした秩序違反に対して断固とした反対措置を採ることをむしろ怠ってきた。ウクライナを緩衝地帯にせねばロが瓦解するかのように認識したのはプーチンだけで、米やNATO側にはロの崩壊の計画などなかったと思われるが、侵攻などしたために、今後のウクライナに親ロ政権が成立する可能性はほとんど考え難い状況になった。ウクライナにも親ロ勢力があったが、むしろその立場は潰された。さらに欧州では敵を増やしてしまった。

ノルウェーはNATO加盟国であっても中立的立場をとり、国内にNATO軍を駐留させないことを方針にしていたが、一四年時のクリミア併合からロへの警戒を強めた結果、二一年五月には米軍の攻撃型原子力潜水艦を初めて寄港させた。さらにウクライナへの侵攻で、もはやノルウェーの疑心を解くことはできないであろう。そして、二二年五月、中立を保ってきたフィンランドとスウェーデンがNATO加盟を申請した。

プーチンは、米がアフガンとイラクに侵攻したことや、NATOの介入を先例として侵略戦争を正当化するのであろう。そして、ウクライナにクリミア併合の承認、クリミアとロをつなぐ回廊となる東部地域の独立の承認、そしてNATOに対する中立を強要することが考えられる。そのためマリウポリほか東部地域と海岸沿いを制圧し、その段階に達してから停戦交渉を求めるものと予測される。当初は北部一帯を制してキーウに迫るはずが、思わぬ抵抗に遭い修正したものであろう。

一方、ゼレンスキーは、NATOに代わる別の新しい安全保障体制を構築する必要性があると訴えた。それはウクライナのために直接的には戦わないNATOへの批判を含んでいるが、それよりもプーチンの体面を潰さずに停戦する案として意味がある。そもそものNATO問題から脱する第三の選択肢も考えねばならないのがウクライナの立場となったことが解る。但しプーチンの暴挙は、ソ連崩壊後に欧州の平和維持に役割を求めていたＮＡＴＯを、自らの手で再び対ロ同盟網に戻したのである。

③歴史的な裁きを逃れてきたロシアの戦争責任

ナチが第二次世界大戦を開始した際、スターリンはヒトラーと共謀してポーランド（波）を侵攻した。その際に抵抗する波軍の将兵を大量虐殺していた（カティンの森事件）。さらにソはフィンランドにまで侵攻し、枢軸側として国際秩序を破壊した。国際連盟はソを除名したが、ソはバルト三国をも併合して侵略を顧みることがなかった。

他方で、ナチはルーマニア・ブルガリア・ユーゴスラビアを支配したが、これらの地域は帝政ロシア時代から「南下政策」の対象だったのであり、スターリンもそれらの支配を目論んでいた。つまりは、そもそも東欧やバルカン半島をめぐって確執を抱えていた独ソ間の共謀など、初めから領土的野心を衝突させるものでしかなかった。そうした独との共謀が結局は破綻すると、ソは四一年七月に英と軍事同盟を締結した。翌八月に英米の「大西洋憲章」が発表されると、それを支持したことで枢軸側から連合国側へと位置づいた。四三年にはコミンテルンも解散して、英仏との協力関係をアピールした。これによって、ヒトラーと共謀したことや、連盟からの除名国であったことは帳消しのようになった。さらに米がヤルタ協定においてソに対日戦争への参戦を求めた時、ソはその見返りに領土の拡大（満洲・樺太・千島）を要求し、それも受け容れられた。戦争が終わると、ソの戦争責任は一切問われることがなくなったばかりか、すっかり戦勝国になりすまし、日本や独を裁判で裁く側に立った。

ソにとっての第二次世界大戦は何らの反省を求められるような歴史的経験ではない。交戦国の中で最大の死者を出したのはソであったが、その犠牲と引き換えに領土拡大を果たしたのがソにとっての「大祖国戦争」なのであり、帝国主義的な外交政略を自ら考え直すような機会になどならなかった。他国に侵略し、国際機関から除名されても、戦争責任が問われることなどないのであるから、その歴史に対する反省などない。あくまで「勢力圏」の拡大に成功した歴史であり、それが続いているのである。そうした歴史観の中では、むしろロシア政府に逆らうことが戦犯だとの歴史認識を生じさせているようである。

しかし、当時の独やソに無法の侵略の機会を与えたのは、戦争違法化の取り組みを途絶させた日本の軍事行動であった。独が連盟を脱退して欧州を分割し、ソが除名されても侵略を続けたのは、満州事変の先例があってのことである。条約や連盟を無視してもさしたる問題にはならないという先例を日本がつくり出してしまっていた。そうした過去をもつ日本がプーチンの不義を問い糾し、国際秩序や国際法、領土的主権・人権を護るべきことを示すにはどのような行動が求められるのか、それはこれからの日本の行動にかかっており、歴史を学ぶことなくして判断できることではない。

4　「自由」と「民主」は何が違うか？

二〇二〇年一二月、英はEUからの離脱を表明した。離脱は一六年度の国民投票で決定されていた。その背景には、離脱すればEUの分担金を国民保険に回せるとの虚偽情報があったと言われる。英の中高年の労働層が、生活の困窮を理由に離脱を求めたのである。同じ現象は米のトランプ政権への支持層にも見られる。グローバル化によって置き去りにされた旧工業地帯の労働者らがトランプを支持したが、それは彼らの生活不安をすくいあげると訴えたのがトランプだったからである。

国境を越えた経済活動は、新興発展国の中間層と、先進国の富裕層にしか恩恵を与えないことが指摘されている（エレファント・カーブ現象）。つまり、先進国の中流以下の層はグローバル化によってむしろ没落し、格差が拡大しているのである。その格差のために先進国では国民・世論の分断が起こり、見捨てられた中流以下の層が景気回復を宣伝する政治家を支持するようになる。

　トランプ政権は過去最大規模の大型減税（一・五兆ドル）を実施した。法人税を下げて海外に出た米国企業が国内に戻るよう促すのと同時に、その減税によって企業の設備投資や賃上げを支援した。そして高所得者を優遇する個人減税も当然にして行われた。政権にとって一度増やした支出を削ることは難しいが、一度減らした税を増やすことも困難である。特に支持基盤への負担になるなら、なおさら増税は行わない。そのため、税制改革のためには、何よりも先ずは増収を上げ、その増えた分を税率の引き下げにあてなければ公正で効果的な減税になどならない。

　新自由主義の政策が税収を増やさないことは解りきった結果であった。新自由主義が景気を回復した実例は世界に一つとしてないのである。八〇年代にそのことが理解されていなかったとしても、もはや解りきった格差を助長することには許されていい道理がない。格差が前提の社会などおかしいからである。

　現在の日本社会では、毎日の食事に困るような絶対的貧困はほとんどなくとも、生活苦のある相対的貧困は広まっている（厚労省の二〇一〇年度の調査では国民の六人に一人が一ヶ月の生活費の最低額を下回る金額で生活している。また十分な食糧がない状態で過ごしたことがあると答えた国民が九・一％に達した。／一四年までは五・一％だった）。その一方で富裕層は増えており、格差は歴然である。そして年金受給などの社会保障では、現在の高齢者と若者との間に一億円もの負担額の差がつくと予測されている。それにも拘わらずこの間に消費税を増税してきた。貧困の連鎖を構造化してきたのである。こうした状況を見ながら、五三八兆円分の国債を抱えている日本政府は「異次元緩和」を打ち出したが、その方法とはゆるやかなインフレを起こすことであり、それは端的に新自由主義の行き詰まりを意味している。そして世界にあふれた格差と貧困は、日本だけなく各地で分断をもたらしている。

　ところで、新自由主義では自由の権利の拡大を求めるが、その「自由」とは何で、また「民主」との違いはどこにあるだろうか。特に日本人はその違いに理解がないように見受けられ、それがまた自己責任論への無自覚な加担をもたらしているように見える。自由権は国家が保障すべき国民の権利であるが、どこまで自由を認めるかの範囲は可変的で確定できない。自由を極大化してあまりに個人主義に過ぎた場合、誰かの権利が他の誰かの権利と衝突するようになり、万人の自由は保障できなくなる。また自由権の本来的な意味とは自由意志を護ることであって、その意味に沿わないような「偽情報を信じる自由」・「陰謀論を蔓延させて商売をする自由」・「貧しくなる自由」などという自由はない。

新自由主義では「能力主義」と称して一部の強者を優遇するが、それは弱者の権利を犠牲にしかねず、民主主義も破壊しかねない。裏を返せば、民主主義のためには多数が一部の強者の自由を抑制することが必要な時もある。つまり、自由と民主は無条件には一致しないばかりか、敵対することすらあるのである。そうであるのに、自由と民主を同じようなものに考えてしまい、時には相反することを知らずにいると、権利を侵害しているのか保障しているのかも認識できなくなってしまう。

では、民主主義を守るために、どのように自由を抑制すべきであるのか。その判断をつけてバランスをとることこそ政府の役割なのである。同様に、税金の運用についても無駄なものは削減し、必要なものには支出することを適宜判断することが政府の役割である。政府がそうした役割に責任を持たないで自己責任論を推奨し、「自助」の論理を展開すれば、政府が果たすべき「公助」の欠落が覆い隠されてしまう。それは社会問題としての貧困や生活苦を「自助」として当事者に押し戻し、政府自らは責任の外に逃れていくことなのであり、政府は自らの存在意義を否定することになる。そしてその事実を覆い隠すために「保守」を装うのである。愛国を求めて保守のように振る舞うが、新自由主義は保守的価値とは無関係である。

また新自由主義は、自由のために強制を排除すると言いながら、その裏で人々に競争を強要している。

それは、富者には不都合がないので競争社会で構わないとの態度である。しかし、その富者すら没落することもあり得るのである。「自己責任論」は、そうした未知の危機を想定していない点で無責任な考えでしかない。これから新たに起きるような未知の危機があるはずなのに、先に自己責任の態度を決めてしまってどうするのであろう。

社会保障や福祉が不十分なために失敗できない社会になれば、消極的な安定を求める環境にしかならない。社会は成長しなくなり、それは誰の利益にもならない。そもそも「能力社会」での才能とは、社会の中で認められた価値でしかなく、その社会がなければ無価値な能力になってしまう。強者が強者でいられるのは、弱者も含めた国民全員が支えている社会の恩恵である。その社会の発展のために再挑戦・再分配を国民に与えることもまた政府の役割なのである。だからこそ国民は民主主義の中で自由がどの程度守られ、どの程度抑制されるべきかを自ら考え、政府が役目を果たしているか管理せねばならない。私たちは常に自助（自由）と強制（民主）の間に立っている。それは、本来的には幸福になるための生き方を探すための課題であるはずなのである。

戦前の一九三八年に国家総動員法案を審議した特別委員会において、政府権限の極大化を懸念した政友会の植原悦二郎が、国防は国民のためにあるのであって、国防のために国民が犠牲にされるべきではないことを述べた。すると、近衛文麿は「国防も国家の為に存するのであります。国民も国家の為に存する」と答弁し、国家が無ければ国民は存在できないと主張した。国家なくして国民生活が成り立たないのはその通りに聞こえるが、しかしそれを言うのであれば国民なしには国家も存在できない。従って、国民＝国家なのであり、そのための国防であるべきはずが、近衛の言うところの国民を犠牲にしてでも守ろうというその国家とは政府を意味するに他ならず、それは特権階級や寡頭政治を護るための国防であり、国民の犠牲である。

政府が国民に「愛国」を求めるなら、何より愛したくなる国をつくるべきなのに、その議論や努力もせずに要求するのは、愛国などでなく、政権与党が国家になりすまして一部の要望だけを強制する非民主主義的な態度である。

日本の国益をどのように実現するか？

第一次大戦以前の日本の安全保障観は、朝鮮半島の防衛と不可分であるという考え方に基づいた。近代日本の東アジア戦略として策定された「利益線」構想である。朝鮮半島に対する第三国の影響が増大しそうなら、積極的に日本が関与して防ぐべきとされた。集団的自衛権の発想に通じる点がある。しかし、その想定は結果的には却って日本の危機を招いた。他国の領土保全と自国防衛が同一視されたことから、清国さらにはロシアとの戦争になった。これらの戦争に勝利したために確認され難い事実であるが、実際には日本の植民地化などが企図されたことは一度もなかった。その点については、そもそも危機の想定が正しく行われていなかったことを知っておく必要がある。

翻って現在、プーチンにとってのウクライナはこの「利益線」に相当する。ジョージアへの干渉にしても、他国の領土を切り取る発想はひとり帝国主義を継続しようとしているに他ならない。それは「勢力圏」の発想を改めたことがないからだが、その危機の想定が本当にロの安全保障政策として正しかったのかは早晩世界に示されることになる。プーチンはウクライナ戦争の間に、日本が北方領土を攻撃するのではないかなどとの杞憂から、北方領土での軍事演習を無意味に行っている。こうした危機の想定がどれほど誤っており、愚かなことかは言うまでもなく明らかであろう。

では、現在の日本にはどのような危機が想定されるだろうか。日本の安全保障は米との安保条約を基礎にしているが、その安保は日米間に限らず、環太平洋の諸国との間で結ばれている。きっかけは日本が国際復帰して日米安保を締結しようとした際、諸国から反対されたことだった。環太平洋の各国は、米と安保条約を結んだ日本が再び軍国主義を復活させた時に、米は日本を抑制できなくなるのではないかと懸念したのである。そのため、米は反対する各国ともそれぞれ相互防衛条約を締結し、安全保障網を築くことで対処した。それが次の諸条約である。

①「太平洋安全保障条約」（ＡＮＺＵＳ：米豪軍事同盟／一九五一年九月調印）
②「米比相互防衛条約」（米比軍事同盟／五一年八月調印）
③「米韓相互防衛条約」（米韓軍事同盟／五三年一〇月調印）
④「米華相互防衛条約」（米台軍事同盟／五四年一二月調印）

このうち台湾との米華同盟は米中接近の際に破棄されたが、それに代わる「台湾関係法」が米の国内法として制定されており、米が西太平洋の平和と安全を護るとともに台湾を防衛することを定めていることは既に述べた。そして、これらの条約はどれか一つが発動すれば必ず連動することになる。さらに経済面での相互依存も極めて進んでいるのであり、もはや環太平洋において戦争や関係断絶を起こすことは何れの国にとっても不利益なのである。とりわけ輸入依存度の極めて高い日本には致命的な不利益をもたらす。こうした環境において、どのような危機が想定されるのかは、よく議論されねばならない。

例えば、北朝鮮はミサイルを撃つが、決して日本に当たらないように細心の準備をもって撃っている。万が一にも被害を与えてしまえば、環太平洋の全てを敵に回し、命と引き換えになるからである。そのため、これまで常に日本のＥＥＺ（排他的経済水域）の圏外に着弾させていた。今年初めて圏内に撃ったが、それはウクライナ戦争によって世界の目がそらされており、圏内に落としても安保理の制裁を受けないとの計算からである。そもそも北が核を開発するのは、核兵器がなければ米が容易に侵攻してくると懸念しているからである。ウクライナ戦争についてもウクライナの非核が原因で起こされたと見たであろう。北がわざわざミサイル開発を公表しているのも米への抑止を目的にしている。また、資源や産業のない北のような国にとって、世界市場の共有や自由貿易の拡大に利点がないのは本文に述べた通りである。さらに北は一七年のミサイル実験から経済制裁を受けている。その制裁解除を求めており、また米韓同盟にも反対したい思いがある。多弾頭や極超音速ミサイルを開発し、米本土を射程にできるようになっても、それは「瀬戸際外交」で援助を引き出す交渉カードなのであり、戦争準備なのではない。まして日本への攻撃など目標にもなっていない。

他方、ウクライナ戦争の環境として中国の動向も注視されているが、「一帯一路」の実現を求める中共はそのための世界的な支持を得ねばならず、プーチンを全面的に支持することができない。台湾との統一を望む立場からも、むしろプーチンの戦争拡大は不都合な出来事になった。中国がロから石油やガスなどの輸入を続ければ、各国の経済制裁を阻害するものとして白眼視されるかもしれず、ロとの共犯関係にあると見られることは全く不利益でしかない。

中ロ両国は、温暖化によって自然開通した北極圏の海路をめぐって、既にデリケートな関係にあった。中国から見れば、ロの協力によって北極海ルートを利用し、欧州への最短航路を手に入れることができるかもしれない。ロの沿岸を通るその航路は、米の圧力を受けることなく使用できる点で、太平洋・インド洋ルートよりも魅力があるはずである。さらに、北極圏にも莫大な天然資源が眠っている可能性がある。中国の軍艦が津軽海峡をたびたび通過するのには、そうした理由もあるのである。では、そうした国際関係の中で日本はどのような位置にいるのであろうか。

世界的な相互依存が深化する中で、日本はその最深部にいる。カナダのひとつの港で災害が起きただけでファストフード店のポテトが無くなり、ロに経済制裁をしかければ同時に燃料や魚介類が入手できなくなって、半導体不足も加速する（半導体生産に要する希少ガスは世界の七割がウクライナ産）。食糧の自給率はとりわけ低く、輸入なくしては現在の生活を一ヶ月と維持できないのが現状である。そして、そうした日本にとっての一番の貿易相手国が中国である。

世界の貿易額の一三%を占める中国は、一二〇ヵ国以上の国々にとっての主要貿易国になった。二〇二八年までに世界一のＧＤＰになるとの見方もある。但し、中国では急速な高齢化が進んでおり、人件費も上がり始めた。そして、印度が人口増加にともなってやがて中国を越えると予測できる。少なくとも日本はＧＤＰにおいては印度にも抜かれ、世界四位以下となることは避けられない。既に観光業に依拠しているが、今後はますますインバウンドに依存せねばならないことになる。中国にとっても日本は不可欠な存在であり、今後の中国はますます日米との関係なしには発展できない。

他方、中国の首都・北京には立派な空港が建設されている。まさに経済発展を遂げた中国の国際的な玄関口となっているが、この建設費用の三〇〇億円以上が日本の対中ＯＤＡによる借款で賄われた。これまでのＯＤＡの実績は、円借款三兆二〇〇〇億円以上、無償資金一四七二億円と技術協力を含めた計三兆五千億円余に上る。これらの借款の大半は返済を予定しての「貸し付け」ではあったが、無償であり、その多額の借款は中国の経済発展資金として多大に寄与した。贈与でないと言っても、当時の中国にこれほど多額の資金を貸し出す国など日本の他にはなかった。そしてまた、日本にとっても貿易および国内企業の移転先として高い依存度を持つ中国への投資は大きな利益を生み出した。ところが、そうした日本の中国経済発展への貢献は中国人民には全く知られてもいない。中共政府はそのような周知などしないからである。歴史問題などで衝突する度に両国の関係は遠ざかっていく。

そうした中国に対してタカ派外交を行えば、その関係はますます悪化するであろう。そもそも信頼関係のないことが原因なのである。多額のＯＤＡによる貢献が感謝もされないどころか、認知さえされずに、損をしているのは誰であろうか。その不利益を日本側で助長するのは賢明ではない。何より、強硬外交はその国の親日派の立場をつぶしてしまう。これこそ歴史から学ぶべき教訓なのである。親日派や好日家は日本の財産なのに、それを自らつぶすのは先人の遺産を無駄にして、未来の日本人に借金を垂れ流していくようなものである。そして、皇室外交の蓄積も全て無駄にすることになる。

こうした教訓は、安全保障問題ではなおさら重要となる。もし危機の想定を間違えれば、どのような未来をつくることになるのか冷徹に見通さねばならない。万が一、日本が軍拡の道を選んだ場合には、どこに、どのような影響を及ぼすであろうか。

日本が軍拡すれば、当然にして中国・北朝鮮が軍拡を行う。中国が軍拡すれば印度が対抗して軍拡し、また印の軍拡はパキスタンを軍拡させる。それは中東・アラブ諸国へも影響し、あるいはタイへと連鎖していく。ロも軍拡して、ＮＡＴＯに軍拡を必要視させ、それがまた中東情勢へと影響する。日本の軍拡が世界に連鎖をまき散らすことになるのである。

人類の目指すべきところは、軍拡の連鎖から軍縮の連鎖へと転換させることであり、実際にも世界的には核兵器の不拡散を進めている。八六ヵ国が核兵器禁止条約に署名しているが、そうした動向の中で日本が軍拡など行うことが、一体何に加担することになるのか考えて然るべきではないのだろうか。

相互依存度の高い日本の発展はアジアの発展の中にしか実現し得ない。アジアの中で日本だけが発展する方法など今や無い。それなのに、誤った危機の想定によって理念まで曲げてしまい、諸国対立を進んで創り出すような選択は日本の国益を自ら損なう選択である。そこには「いかなる紛争も平和的手段によって解決する」はずの国連憲章をまたも破るのかという歴史的試練がかかっている。今後の日本を信頼の得られない国にすることほど国益を損なうことはない。

軍拡の連鎖を断ち切って、軍縮の連鎖を目指す環境づくりこそが、次世代に贈るべき未来の環境である。

具体的には、誤った危機の想定や、いたずらに危機を煽る意見を「社会の支配的な意見にしないこと」が、私たち一人一人のできる具体的行動となる。どこに問題があるのか明確に指摘して、はっきりと声をあげていくことが、その最善の一歩を進めることになる。

次の一〇年においては、水資源も対立の焦点となることが予想される。中国が南洋に進出し〔今年、中国が安保協定を結んだソロモン諸島(356頁)は、世界四位の降雨量がある地域である〕、ロが沿岸ルートを確保したがっているのは、水の確保も意識してのことと思われる。水資源の豊かな日本の私たちはその時に冷静で正確な判断が求められるが、その時までに議論ができる基礎的な理解がどれほどできているか、今後の教育にもかかっているのである。

「民主主義」の中の「私」

上巻の「おわりに」において、筆者は多民族との宿命的な対立をもたない日本人は世界中の人間と仲良くでき、それは私たちの無上の財産だと述べた。また戦争責任への理解なく、独り善がりな世界観に籠もってしまうことの問題も指摘した。それらについての考えは本文に述べてきたので繰り返さないが、日本の財産は今後も無条件に与えられ続けるわけではない。有権者とはその責を継承する者でもあるだろう。

日本はどのような国になれるだろうか。単に人気の観光地でなく、世界から評価され、敬愛される国になれるだろうか。日本の歴史の中で育まれた叡智や価値ある遺産を学びたいと思わせられるような国になれるだろうか。どこかの国の無法の行ないに対して毅然と向き合い、その時日本の訴える平和的解決に世界が賛同し、立派な国だと尊ばれるような国にはなれないのだろうか。他国が見習うべきだと敬服したくなるような足跡を人類史に遺す国にはなれないだろうか。日本がそうした評価を得る時、どのような国になっているだろうか。愛国心があるのなら、そのために努力できなくてどうして先人に報いることができるだろうか。

世界の平和構築について、日本は米やＮＡＴＯなどにはできない役割を果たす偉大な可能性を秘めている。不戦の理念をかかげて七〇年の実績を築いてきたことは、平和の仲介を担うに十分な資格と言える。それは単なる中立国として関わりをもたない消極的な姿勢よりも遙かに優れた歴史であり、日本にしか実現できないことである。

しかし、武器を取ればその資格は失われる。またそれは日本人が戦闘員であることを宣言することにもなる。非武装の市民は国際法での保護対象になるが武装すれば戦闘員となり、さらに敵国ができれば、全ての国民を戦闘員だとして市民との区別なく無差別に攻撃させる口実を与えることになる。無差別攻撃の対象にされた市民がまた自ら銃を取れば、相手からの攻撃はすっかり正当化される。そうした世界にしないためには何をすべきか、目指すべき理念がないと判断するのも難しい。

今次の戦争への危機認識から、集団的自衛権の容認が正しかったなどとの主張があった。実際にはベラルーシがロと共謀して参戦しているのが集団的自衛権の行使に当たるのに、国民が「集団安全保障」と「集団的自衛権」の見分けがつかないことをいいことに、危機に乗じて正当化しようとするのである。新自由主義と保守が同じであるかのようなふりも同様である。こうした詐術的言説や陰謀説などは今後も登場するであろう。それらを根絶しようなどとは非現実的だが、それらを社会の支配的な意見にしないことは実現すべきである。例えば、脅威があるから軍拡だなどと言うのは、ネットに弊害があるから禁止すべきだとか、若者が選挙に関心がないなら選挙権を取り上げて解らせればよいと言うくらい稚拙な言に過ぎない。今次の危機に臨んでは、武力による現状変更はできないことを世界が学ぶ機会にせねばならず、武力行使がいかに愚かで誤った選択であったのかを後世まで理解させる先例を残すことが課題なのである。またそのためには私たち自身が何を理解せねばならないかを確認する必要がある。

戦争体制へと向かっていくことは、平和構築という独自の役割を放棄していくことであり、既にそのための資格を自ら手放しかけている。一度失えば、それを取り戻すのにどれほどの犠牲や負担があるのか想像もつかない。政府は、平和構築に逆行して戦争ができる法や体制をつくっても、今の日本政府には戦争を求める気持ちがないから戦争など起こさないとか、法案は他国侵略のためではないから大丈夫だと述べたが、その理屈はまったく説明になっていない。法は、それをつくった人間の想定を遥かに越えて作用することがあるからである。近代に、朝鮮半島の防衛を安全保障にした当時の日本陸軍は自らが中国大国を侵略しようなどとは全く考えていなかった。そんな軍事力などなかったからである。それが、わずか半世紀後には百万を越える兵を中国大陸へ短期間のうちに送り込むことになった。満州事変はまさに中国への侵略に踏み出した軍事行動であったが、その際も根拠になったのは危機だった。日本に危機が迫っており、満洲が日本の生命線であるとの主張である。危機の想定を誤れば、自ら不幸を選択することになる。

つまり初期の戦略の策定者の想定や、軍事行動を可能にする法をつくった当人らの想定を遥かに越えて機能し、想定外の結果を生み出すという教訓である。それは「軍部大臣現役武官制」の事例を見てもいいだろう。現在つくった戦争関連法案が、二〇年後や、五〇年後の未来にどのように機能して、誰に利用されることになるのか、そしてそこに責任がもてるのか、そうした問いを議論することもないままに策定するのは、歴史から学べていないためである。

歴史を学ぶことの意味は、その当時には理解できていなかったことを知ることであり、同じ事を繰り返すことにあるのではない。こうした「歴史を学ぶ」の意味は一般に多く誤解されているように見受けられる。その時に防げなかった過ちや災難への対処を学ぶべきであって、当時はできなかったこと、解らなかったことを学ぶべきなのであり、「あの時と同じことが起きるのだ」と同じ事を繰り返そうとするのは歴史を学ばないことである。

また他国の誤った選択を見て、同じ事をしようとするのも同様である。各国に国際法違反や不正義の歴史があるからと言って、相手も悪いのだと自己反省を避ければ、今後の戦争や人権問題を指摘する資格すら失い、互いに黙認するだけの共犯関係に陥る。既に米との間では、ソの戦争犯罪を見逃した責任や、無差別爆撃の罪は問い難い関係ができている。しかし人権問題などが解決されなければ、苦しむことになるのは国民なのであり、国民は自分の国がそうした解決力を失わないように努めねば幸福を守れない。守るべき価値が何であるのかを知り、またそれを護るために主体的に関わっていくことがなければ未来は築けない。そして、その際の行動や判断の基になるのが理念なのである。自身が幸福であるためにも理念が必要なのであり、そのためには社会的な議論が必要である。

それにも拘わらず、或る政治家は「若者に関心が無いのはいいこと」だなどと述べた。政治に関心がなくとも生活できるのが豊かで恵まれている証拠だということだった。今の生活がこのままいつまでも続くのならそうであろう。無条件に何の努力もなく日本の歴史を続けていけるのなら、政治は他人任せでよく、自分たちが何を目指せば幸せになるのかすら解らないままでもいいだろう。しかし、自分の子や孫の世代になって不幸の火種を残していたらどうであろうか。自分がこれから新たに出会う大切な誰かが苦しんでいたら後悔するのではなかろうか。それらは自分の人生に確実に関わるほんの未来であるのに、その程度の未来のことすら考えられないのは、やはり歴史を学ばないからである。

厄災を契機にして自己の主張を正当化したり、不幸や犠牲や無関心につけ込んで政治利用しようなどとは断じて許されるべきでない。またそうするうちに、平和構築の役割を担う価値ある立場を棄ててよいだろうか。棄てることならいつでもできる。そしてそれは、国民の選択にかかっているのである。

民主主義の中に政治的な中立という立場はない。多数決の中で声をあげないのであれば、それは多数派に加担していることに他ならない。「声なき声」が政治的に横領される「サイレント・マジョリティ」の問題である。

現在のように、国会に代表者を送る代議制民主主義では、議員が国民の意見や利益を代表している前提で政治が進められる。ところが、選挙の時にはまったく争点とならずに国民の審判を受けていない問題も、議員によって国民の意思が確認されないままに進められてしまう。これに対して違和感を抱きつつも反対運動にまで至らない「声なき声」は、政治への不信や嫌悪の表れとしての沈黙であるにも拘わらず、黙っているから賛成なのだとして権力に横領される。こうした国民への圧迫としての「声の横領」は、民主主義の陥穽《かんせい》として存在するが、その時々の流行の意見によって沈黙が横領されるか否かは結局のところ国民にかかっている。そもそも政治家はマスコミと対立して存続できないが、マスコミにしても国民の関心を無視しては報道できないのである。そして、今後の日本が何に向かっていくべきかを考えるために社会的な議論を起こせるか否かは、やはり教育が担っている。

選挙に行かない理由には、「どうせ一人では何も変えられない」との理由もあるだろう。しかし、これは大変な誤解である。一人では何も変えられないから選挙があるからである。一人の力で変わるなら選挙はいらない。一人では変えられないから参加しないのではなく、だから選挙に行くのである。

何よりまず、私たちは政府の管理者であり、政府は国民の子どもであってその逆ではない。政党にしても、本来は国民が育てるべきものであり、その政党が役割を果たすように管理・監督せねばならない。だから選挙でも、今すでにある政党を選ぼうとしている時点で民主主義の意識としては低いことになる。単に「選ぶ」のではなく、自分たちで育成するのが民主主義の意識であるはずだからである。これまでの日本人は自らの権利を理解せず、その務めも果たせていなかった。その結果、国民を無視して構わないとする愚民観の上に、国会審議も無視するような政治が行われるようになった。先進国の中で最も多い赤字国債は、一〇〇〇兆円を越えるようになったが、その返済にはさらなる借金による繰り延べが予定されており、事実上の返済計画がない。しかし政府は、現在の国民の預金額が国債の額に相当するのでよいのだと説明した。要するに、国民の預金はいずれ必ず政府に入るから、それで借金はなくせるということだが、それでは親の遺産をあてにして借金を重ねていることに開き直るのと変わらない。政府の監督者たる国民が、愚かにもその責任を放棄して放蕩の子を育ててしまった。これからの社会を担う私たちが教育せねば改善されることはない。

民主主義を最高の制度に出来るか否かは、私たち一人一人にかかっている。どのような社会でも今や独善的利益は実現しない。自身が何に加担し、世間に何をばら撒いているのか。何をばら撒くべきなのか。相互依存の最深部で国益を求めるなら、「利他＝自利」であることを理解し、それを自ら示していかねば発展などない。そのためには他者・他国と共同して信頼関係を築くことが無上の財産を築いていくことになる。

あとがき

『明日のための近代史』・『明日のための現代史』はシリーズ三巻での上梓となった。今年から開始された「歴史総合」と、これから来たる「探究」が大きな執筆の動機であった。そのため、「主たる」参考文献は書店で入手できるものに絞り込んだことをお断りしておく。全国の高校で歴総を担当する教員の中に、日本史と世界史の両方を専門的に学習した人などまずいないであろう。また探究に臨んだ時に歴総との接続に戸惑うのではないかと思った。多くの教員の方々は多事に加えて「見えない業務」・「名もなき業務」を厭わず、その努力によって教育現場を支えられていることと思う。そうした現場に頼んで歴総が始まると、教員には新たな授業準備のために途方もない労力が押しつけられるのではないかと思われた。自分たちは教わったこともない教科の授業準備を孤独な努力のみでやらねばならないというのなら、あまりに過酷であろう。まして採用区分とは無関係に歴総を担当せねばならないようなことまで想像すると、近現代史を改めて勉強できるテキストを誰かが出さねばならないと思った。それが筆者でよかったかと問われれば、それは読者の評価に俟つほかないが、筆者自身が史学と国際政治学を学んだ経歴から両分野からの複眼的視角による本書の執筆に挑んだ次第である。

コロナによる自粛要請とは無関係に二年の間まったく引き籠もり、文字通り休まず執筆してきた。とにかく急いで、とにかく全力でやってきたが、刊行にたどり着くまでには多くの苦難があった。実はたくさんの犠牲を払ってきたし、世界情勢には最後まで振り回された。執筆の分量は予定よりも増え、やむなく削ったテーマもある。ただ、筆者も大学の担当講義においては教員育成を担っているのだから、歴史教育に少しでも貢献したかった。誰にとっても他人事ではない近現代史の学習に資することをおいて他に望むことはない。

筆者が歴史教育や歴史認識問題に関心を持てたのは、師の山田朗先生のご指導による。研究の道に進んでも学校教員になろうとは全く考えていなかった筆者は、博士課程に進むまで歴史教育の重要性を理解できていなかった。研究が実社会から遊離してなど存在し得ず、研究の意義も社会環境の中で価値づいているということを本当には理解できていなかったように思う。大学には研究・教育機関として社会から期待される役割があり、社会に発信することがなければ全うできない仕事があることを恩師の背中から学んだ。一層緊張して励まねばならないと思い返すばかりだが、師には心からの感謝を不断の努力で示したい。さらなる成果を報告できるように奮闘する所存である。そして苦難はまだまだ続く。

また、シリーズでの刊行の機会を与えて下さった芙蓉書房出版の平澤公裕社長にも感謝をお伝えしたい。歴総の開始に間に合うようにと随分と急いで編集して頂いた。勝手ながら二人三脚でやってきたような思いがしている。そして、シリーズ三巻にわたって企画を支えて下さった芙蓉書房出版の奈良部桂子さん、高校教員の白柳慶子さんにも深く感謝申し上げたい。

さらに本書執筆の過程では多くの方から励ましを頂けた。刊行を待って下さっていた方や、感想をお聞かせ下さった方の声に支えられた。その方たち皆と、さらにこれから本書と御縁のある人たちと未来を創っていけることを心から願っている。

二〇二二年六月三〇日

伊勢　弘志

主要参考文献一覧

伊勢弘志『近代日本の陸軍と国民統制―山縣有朋の人脈と宇垣一成』（校倉書房、二〇一四年）。

伊勢弘志『石原莞爾の変節と満州事変の錯誤』（芙蓉書房出版、二〇一五年）。

伊勢弘志『明日のための近代史―世界史と日本史の織りなす史実』（芙蓉書房出版、二〇二〇年）。

伊勢弘志『明日のための現代史〔上巻〕１９１４～１９４８―「歴史総合」の視点で学ぶ世界大戦』（芙蓉書房出版、二〇二一年）。

伊勢弘志・飛矢崎雅也『はじめての日本現代史』（芙蓉書房出版、二〇一七年）。

五百旗頭真『米国の日本占領政策―戦後日本の設計図』上・下（中央公論社、一九八五年）。

五十嵐武士『戦後日米関係の形成』（講談社学術文庫、一九九五年）。

井上正也『日中国交正常化の政治史』（名古屋大学出版会、二〇一〇年）。

川田　稔『昭和陸軍の軌跡』（中央公論新社、二〇一一年）。

川田　稔『昭和陸軍全史』全三巻（講談社現代新書、二〇一四～一五年）。

河西秀哉『「象徴天皇」の戦後史』（講談社、二〇一〇年）。

菊池貴晴『中国民族運動の基本構造―対外ボイコットの研究』（大安、一九六六年）。

キッシンジャー・ヘンリー『外交』（上・下）岡崎久彦監訳（日本経済新聞社、一九九六年）。

篠原初枝『国際連盟―世界平和への夢と挫折』（中公新書、二〇一〇年）。

下斗米伸夫『日本冷戦史１９４５-１９５６』（講談社学術文庫、二〇二一年）。

高原明生・服部龍二『日中関係史１９７２-２０１２　Ⅰ政治』（東京大学出版会、二〇一二年）。

谷野作太郎『アジア外交　回顧と考察』服部龍二・若月秀和・昇亜美子編（岩波書店、二〇一五年）。

池　東旭『韓国大統領列伝』（中公新書、二〇〇二年）。

豊下楢彦『安保条約の成立』（岩波新書、一九九七年）。

豊下楢彦『昭和天皇・マッカーサー会見』（岩波現代文庫、二〇〇八年）。

豊下楢彦『昭和天皇の戦後日本』（岩波書店、二〇一五年）。

野口悠紀雄『１９４０年体制』（東洋経済新報社、二〇一〇年）。

波多野澄雄・佐藤晋『現代日本の東南アジア政策』(早稲田大学出版部、二〇〇七年)。
服部龍二『東アジア国際環境の変動と日本外交1918-1931』(有斐閣、二〇〇一年)。
服部龍二『日中関係史1972-2012 Ⅰ政治』(笹川財団、二〇一二年)。
服部龍二『中曽根康弘―「大統領的首相」の軌跡』(中公新書、二〇一五年)。
早野　透『田中角栄』(中公新書、二〇一二年)。
原　彬久『戦後日本と国際政治　安保改定の政治力学』(中央公論社、一九八八年)。
原　彬久『岸信介：権勢の政治家』(岩波新書、一九九六年)。
原　彬久『戦後政治の証言者たち―オーラル・ヒストリーを往く』(岩波書店、二〇一五年)。
ブルマ・イアン『戦争の記憶』(TBSブリタニカ、一九九四年)。
升味準之輔『現代政治』上・下(東京大学出版会、一九八三年)。
升味準之輔『戦後政治』上・下(東京大学出版会、一九八三年)。
増田　弘『自衛隊の誕生』(中公新書、二〇〇四年)。
松戸清裕『ソ連史』(ちくま新書、二〇一一年)。
山田　朗『護憲派のための軍事入門』(花伝社、二〇〇五年)。
山田　朗『日本の戦争：歴史認識と戦争責任』(新日本出版社、二〇一七年)。
山田　朗『日本の戦争Ⅲ：天皇と戦争責任』(新日本出版社、二〇一九年)。
吉田　裕『昭和天皇の終戦史』(岩波新書、一九九二年)。
脇阪紀行『大欧州の時代』(岩波新書、二〇〇六年)。
渡辺　治『戦後政治史の中の天皇制』(青木書店、一九九〇年)。
渡辺　治『政治改革と憲法改正―中曽根康弘から小沢一郎へ』(青木書店、一九九四年)。
渡辺　治『憲法9条と25条・その力と可能性』(かもがわCブックス、二〇〇九年)。
渡辺　治『安倍政権と日本政治の新段階　新自由主義・軍事大国化・改憲にどう対抗するか』(旬報社、二〇一三年)。

著 者
伊勢 弘志（いせ ひろし）
明治大学大学院文学研究科／文学部兼任講師、成蹊大学非常勤講師、桜美林大学非常勤講師。
1977年、大分県生まれ。2001年、國學院大学文学部史学科卒業。2004年、桜美林大学大学院修士修了（国際政治学）。2011年、明治大学大学院文学研究科博士後期課程修了。博士（史学）。
主要著作：『近代日本の陸軍と国民統制 - 山縣有朋の人脈と宇垣一成』（校倉書房、2014年）、『石原莞爾の変節と満州事変の錯誤』（芙蓉書房出版、2015年）、『はじめての日本現代史』（共著、芙蓉書房出版、2017年）、『明日のための近代史』（芙蓉書房出版、2020年）、『明日のための現代史・上巻』（芙蓉書房出版、2021年）。

明日《あした》のための現代史《げんだいし》〈下巻 1948～2022〉
――戦後の世界と日本――

2022年9月22日 第1刷発行

著 者
伊勢《いせ》 弘志《ひろし》

発行所
㈱芙蓉書房出版
（代表 平澤公裕）
〒113-0033東京都文京区本郷3-3-13
TEL 03-3813-4466 FAX 03-3813-4615
http://www.fuyoshobo.co.jp

印刷・製本／モリモト印刷

ISBN978-4-8295-0843-5

【芙蓉書房出版の本】

明日のための現代史　　伊勢弘志著
〈上巻〉1914〜1948　　本体 2,700円

「歴史総合」の視点で学ぶ世界大戦

2022年から高校の歴史教育が大きく変わった！
新科目「歴史総合」「日本史探究」「世界史探究」に対応すべく編集

《主な内容》国際連盟の「民族自決」は誰のための理念か？／「ワシントン会議」で何が決まったか？／ドイツはなぜ国際復帰できたのか？／「戦争違法化」に正義はあったのか？／「満洲国」は国家なのか？／日本はなぜ国際連盟から脱退したのか？／なぜヒトラーは支持されたのか？／なぜ日中戦争には宣戦布告がなかったのか？／世界大戦と日中戦争はどのように関係したのか？／なぜ再び大戦は起きたのか？／日本陸軍はどうして強硬なのか？／連合国の正義とは何か？／２発目の原爆は何に必要だったのか？／終戦の日とはいつか？／「東京裁判」は誰を裁いていたか？……

OSS(戦略情報局)の全貌
CIAの前身となった諜報機関の光と影

太田　茂著　本体 2,700円

最盛期３万人を擁したOSS〔Office of Strategic Services〕の設立から、世界各地での諜報工作や破壊工作の実情、そして戦後解体されてCIA（中央情報局）が生まれるまで、情報機関の視点からの第二次大戦裏面史！

陸軍中野学校の光と影
インテリジェンス・スクール全史

スティーブン・C・マルカード著　秋場涼太訳　本体 2,700円

1938年〜1945年までの7年間、秘密戦の研究開発、整備、運用を行っていた陸軍中野学校の巧みなプロパガンダや「謀略工作」の実像を客観的、総合的な視点で描く。